慧缘大师教你学风水

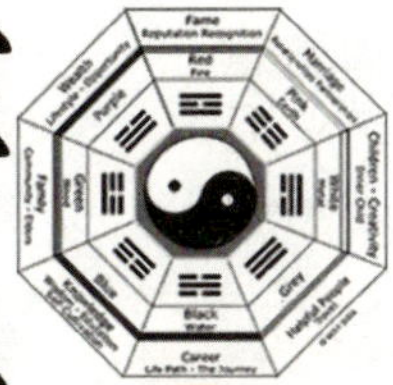

【上卷】

读懂风水的智慧

慧缘 著

江西人民出版社

内容简介

本书是慧缘大师多年来对古今风水学研究实践及教学的心得体会，有很高的学术和实用价值。

该书的问世，不仅向人们揭示了风水学的奥秘和真谛，其最大的愿望是希望通过对风水学进行科学的研究，探求大自然的奥秘，把风水学从神秘世界转化到科学的殿堂中来。作者将地球物理学、水文地质学、环境景观学、建筑工程学、宇宙星体学、气象气候学、磁场方位学和人体生命科学等多学科理论和方法，与中国传统风水学结合起来，从而揭开了传统风水学的神秘面纱，系统地阐释了人类未知或半知的神秘现象的客观性和规律性，把古老而又神秘的风水学用科学的态度和实用方法推介给广大读者。因此，可将它称之为“现代科学风水学”。

自古以来，人类的生活离不开居家住宅。因为住宅房屋是家人团聚的地方，是人们工作和休息的场所，也是人们传宗接代、生儿育女、共享天伦的港湾。住宅的方位、形貌、格局、用材、色彩乃至周围环境，都会对居住者的身体状况、精神状态、性格、心理、运势等诸多方面产生影响。所以在选择、安排、布置居家住宅时，了解并遵循现代风水学的科学知识和方法，便具有非常重要而切实的意义。

本书是以居家住宅风水为重点，并全面系统地对各种建筑的装饰、办公、商用等风水科学作了翔实的、创造性的解析。无论您是从事专门研究，还是对风水学饶有兴趣，都不妨读读此书，相信本书定能使您受益久远。

慧缘开运风水的六条要求

一、 要对空间及物体之间的相互影响具有强大而敏锐的感知力和观察力。

二、 要掌握一定的地球物理学和水文地质学知识，要了解地球所产生的物理能量在不同地域、不同点位对人产生的作用力。还应对各地水文地质情况有较全面的了解。

三、 要掌握一定的气象学和环境景观学知识，应对各地的气象气候和各种环境因素了如指掌。

四、 要具有较全面的建筑学知识，要能够对市政规划、政府机构、银行、军营、学校的建筑进行设计和施工指导；并对室内外设计、家具布置、商业店铺、办公室、工厂、寺庙道观、教堂，甚至博彩场所、夜总会的设施都要有较全面的知识。

五、 要熟练掌握中国传统风水学的理论和勘察方法，能熟知峦头、理气、龙、穴、砂、水、天干地支、八卦运算、河图洛书、阴阳五行、八宅九星、三元九运等根由及变化，不但能准确地推断住宅内的各项祸福信息，还能对风水的不同吉凶现象作出相应的加强或改变。

六、要具备现代物理学和心理学知识，亦要有一定的医学知识和宗教学知识，才能较全面地为广大民众服务，为人们排扰解难。

以禅心看世界的慧缘大师

慧缘大师陈长义（教授），现任世界堪舆家协会主席，是享誉中外的科学风水学泰斗，著名中医学和佛医学家、市政规划师，知识渊博，著作等身。他出生于中药世家，自幼受承庭训，接触禅学，研习岐黄医易及佛道信息学。曾就读于陕西中医学院和第二军医大学。先后受师于陈明科、陈留思、太乙上人、青云禅师等三十多位医易名士和佛道大师，集众家之长于一身，形成了一门独特的综合学科。他创立的气功针灸学、科学风水学、佛医学和人体信息预测学等，深受国内外人士推崇。

慧缘大师认为：一个好的风水师就像一个好医师一样，都应该具备高超的诊治技术，还需要有认真负责的工作态度和仁爱精神。一个称职的风水师，需要熟练掌握传统风水知识和方法，还应该熟练掌握和运用科学风水学的一个中心、两个根本、三大支柱、四大原则、五大元素、六个条件、七条标准、八大原则、九级风水、十大原则和十大方法，因为上述各大方法和原则早已成为广大中外学者们进行风水实践的行动指南。

慧缘大师曾为世界第一铜铸大立佛（无锡灵山88米高的大佛）、世界最高铜铸海上观音圣像（海南三亚南山寺108米高的三面南海观音菩萨像）、世界第一铜铸大坐佛（山东南山禅寺28.66米高的大佛）、世界第一大藏传佛教坛城（香格里拉大坛城）、广福禅寺、东海禅寺、如意禅寺、阳光万佛城、北京长乐禅寺、佛缘禅寺、大觉禅寺、圆通禅寺和法国的和平女神像等著名建筑进行风水定位、洒净和开光，给当地人民带来了无量福德和吉祥好运。

慧缘大师曾为中外上百个著名城市和重大工程进行精确规划和风水调整，深受各地区和单位的欢迎和赞誉。慧缘大现现任世界堪舆家协会主席，中华风水研究院（香港）、美国风水研究院（纽约）、欧洲风水研究院（德国）院长，国际佛教医学研究会副会长、香港风水科学天空会名誉会长、中国佛学院客座教授、新加坡中华易经堪舆学院荣誉院长、医学院教授、学部委员、中医学教授、主任医师。

慧缘大师在多年的医学临床实践以及其他综合学科的理论研究和实践的过程中，

先后完成《慧缘风水学》、《慧缘实用风水学》、《慧缘门户风水学》、《慧缘风水问答》、《慧缘建筑风水学》、《科学风水与人生》、《住宅风水与人生》、《住宅与养生》、《花木风水学》、《慧缘风水十讲》、《慧缘姓名学》、《慧缘佛医学》、《慧缘佛道养成生学》、《慧缘预测学》、《慧缘星相学》、《慧缘养生学》、《慧缘智慧学》、《慧缘禅语》、《城市规划与视觉美学》、《城市规划建设与风水》、《慧缘气功针法》、《慧缘命相学》、《慧缘梦学》、《慧缘医学奇方秘法》、《慧缘易经讲文》等几十部著作。

慧缘大师曾应邀出访六十多个国家和地区，为当地政府、大型机构、企业或公司调整风水；应邀在世界各地文化论坛或著名大学讲学，广泛传播中国传统文化（风水学、中医学、易经），深受当地政府的欢迎和人民的爱戴。通过慧缘大师的信息调整，这些地方的政府机构、大型机构、企业或公司都得到了很好的发展，取得了显著的成果，无数有缘人士从此身心健康，吉祥如意。已破译规律的存在，是科学；尚未解释的存在，是神秘。慧缘大师长期致力于从传统风水中发掘风水的客观性和规律性，扬弃千年沉积的迷信浮尘，用科学的观点和方法诠释风水的神秘现象，从而 创立了现代科学风水学。

编者

2010年3月20 日

学会风水，开运转运

慧缘

长期以来，风水学曾被一些人士认为是迷信，称其对人类无任何实际价值。但是，纵观风水学的起源和历史发展，几千年来，风水学对中国社会和民众的生活产生了深远的影响，更是中华民俗文化的重要组成部分。我认为风水学是祖先留给我们的宝贵的文化遗产，它体现了华夏先民与自然和谐共处的人居思想，体现了中华传统文化的思想精髓。从现代环境学的观点看，风水学是一门与人们生活息息相关的实用性综合科学。

我国古代先民为了生存，为了居住地的安全和舒适，就学会了观察山川江河的态势和树木土石的变化，以及风雨气象的转换，以确定最佳的地点和方位定居。而山川江河、土石树木、风雨气象都是自然物质，都是自然科学研究的对象。从现代科学来看，我认为风水学是同地球物理学、地球磁场学、水文地质学、环境景观学、建筑工程学、气象学、宇宙星体学和人体生命学等学科融合一体的综合性学科。

◎风水学：顺应自然的法则

人类在生存和发展过程中，时时处处都受到上述种种自然因素的影响，因此，人类为了更好地生存和发展，就必须学会了解自然、利用自然、改造自然、顺应自然。

风水学是中国人的重要发明，是中华民族传统文化中的宝藏之一，很值得发掘。近百年来，欧美日韩等东西方发达国家的学者们都对这门学问进行了专题研究和应用。我国当代的有关学者也对风水学进行了大量的探研，并且取得了显著的社会和经济效益。

在风水学研究中，学者们认为自然界超微粒子和磁场对人体会产生明显的正负影响，并且认为在自然界中，任何物质都会产生作用于人体的超微粒子和磁场，这些能量也可随着自然环境的改变而有所改变，也可随着人体自身的场态信息的改变而改变。这些物质能量可以使我们身体健康长寿、心情愉快、思维敏捷等，也可使人们思维迟钝、精神恍惚，甚至使人们多病短寿。因此，要想使我们的生活更美好、更幸福，身体更健康，就应该遵循“了解自然、利用自然、改造自然、顺应自然”的风水学四大原则。

比如，我们住在一条小河边，要了解这河水的流向、宽窄和深浅，每年水位的涨落，这叫了解自然；也要会利用这条河水去灌溉、航运等，这叫利用自然；如果这条河每年有洪水，就要疏通河道，筑堤或修桥等，这叫改造自然；这条河是千百年来自然形成的，不可为了某些局部利益而将它改道或填堵，就应顺着河岸而居，因势利导，这就叫做顺应自然。当然还有山势、道路、海岸、大型建筑等等，都有一个四大原则的问题。

笔者认为，风水的核心内容是人们对居住、生存环境进行选择和处理的一种学问，其范围包括住宅、宫室、陵墓、寺庙、村镇、城市规划建设等等。其中涉及陵墓的称为阴宅，涉及活人居住、生活的房屋、环境为阳宅。风水对于阳宅的影响主要表现在三个方面：

第一是基址的选择，即选择能在人们生理上和心理上产生良好信息的地形条件；

第二是对居住处所有的布置和处理，包括自然环境的利用与改造，房屋的朝向、位置、高低、大小、出入通道、供水排水等方面的定位与调整；

第三是在上述基础上装饰增加某种符号信息，以满足人们避凶趋吉的心理需求。

◎风水学：源于天人合一的哲学思想

风水学的产生，是人们希望把自身和谐地统一于自然而采取的一种自我完善手段，本来并没有任何神秘之处，但在缺乏现代地球物理学、水文地质学、磁场学、气象学、生态建筑学和人体生命科学知识的时代，人们只能根据当时的知识水平来认识环境，解释所遇到的种种问题。于是，阴阳五行、易经八卦等古代解释宇宙自然观念就成了风水学的主要理论根据。为了迎合人们普遍存在的避凶趋吉的心态，有的风水师编造了一些宠杂而神秘的谎言笼罩在它的上面，使本来具有朴素科学原理的东西变成了扑朔迷离、神秘莫测的东西，这自然会引起人们的疑惑。

今天，我们的任务就是要对其进行清理，去其荒诞的外衣，提示其合理的内核，还其本来的面貌，并且与现代科学相结合，进一步加强其科学性、客观性和实用性，形成现代科学风水学，为人类的进步与发展提供更好的服务。

风水学的形成可以追溯到远古时代。原始社会的人类，对各种自然规律没有理性上的认识，但为了生存，他们必须生活在气候及水土较适宜生存和发展的地方，这是一种适应性选择。进入文明社会后，如甲骨文中就有有关卜宅的记载。周朝时期，周武王营建洛邑时，就是请周公用一种占卜的形式来解释风水学上的诸多问题。

战国先秦时期，各类学术的兴起，加之《周易》与阴阳五行学术的发展，以“仰观天文，俯察地理”为主导建立起来的学术思想，使人们常常以地理上的方位形状同天上星辰相对应，并对地球磁场有了初步的认识和研究，司南（指南针）就是在这个时期发明的。指南针的出现，对方位的认定就有了准确的指示器。

汉代《堪舆金匮》与《宫宅地形》等风水著作的出现，标志着风水学在理论上有了初步的归纳和总结。

郭璞《葬书》在晋朝的出现，加速了人们对风水学的研究。唐朝的建立，创造了中国历史上上少有的鼎盛阶段，文学方面几乎登峰造极，各门学术的兴起，更加促进了风水理论的发展，形成较完善的理论体系；杨筠松在民间实践风水勘察和授徒，起到了全面推广的作用。所以从那时起，在中国广大地方，宫宅、乡村和墓葬方面，都不同程度地受到风水学说方面的影响。宋朝陈抟、邵康节、朱熹以及蔡元定等著名的易学家对风水进行阐释和认定，随之风水著作相继出版，从而出现了江西形法派和福建理法派为主体的风水理论体系。

明清两朝，通过对各类风水书籍的收集整理以及不断探研，理论上已相当完善。

风水的起源

甲骨文中就有卜宅的记录，商周时期，人们就将陆地区分为山、埠、丘、原、陵、岗等不同的地行地貌，将水域分为川、泉、河、涧、沼、泽、江、沱等，当时对大地的差异性有极为细致的分类，为日后的“相地术”发展奠定了基础。

周朝时期，周武王营建洛邑时，就命周公相地，《尚书》载“召公既相宅，周公往营成周，使来告卜。”可见周朝人相信占卜，周公也是一位相地高手。

风水勘察活动已普及到从帝王宫殿到城乡民宅各个角落。从民国到现在，学者们主要是对我国传统风水文化的重新评估和研究，加上许多外国学者对风水学的研究，使风水学得到了进一步的完善和发展。这几年出版的一些风水书籍中，对古代风水学中的一些问题，有了新的认识和解释，取得了一定的研究成果。

以上我们可以看出，风水学的发展，可以上溯到原始人类开始，有相当部分的理论，是人们在长期实践中的经验总结，也是先哲们根据自然原理推导的结果；同时也加入了某些唯心的成分。

◎风水学：易学思想的阐发运用

风水学的应用与发展，与《易经》有着密切的关系。《易经》理论体系的发展是取材于长期的仰观俯察，“远取诸物，近取诸身”又是“其大无外，其小无内”的包罗万象，各类事物都可在其中找到对应规则。风水理论也是以自然事物为基础的。八卦代表的乾天、坤地、震雷、巽风、坎水、离火、艮山、兑泽等自然物，正是风水学必须应用

周易与风水

《周易》，作为我国两大圣书之一，几千年来被推崇为群经之首。《周易》蕴藏了中国古代先民的智慧和科学思想，上至天文，下至地理，中谈人事。风水学充分体现了《周易》的“科学性”和“实用性”。自古以来，我国治山理水，建造城市、宫殿、园林、屋宅都是以堪舆学为指导，而易学就是堪舆学的哲学基础。

的要素。《易经》的时空、位象、数理等辩证方法同风水理论基本一致，风水理论的许多法则本身就是《易经》的发展。乾天坤地，乾父坤母，乾纯阳，坤纯阴和六子卦象；龙脉起伏盘旋，有护有从，有雌有雄，是太极图曲线的反映；阳龙结阴宅，阴龙结阳宅，阳中有阴，阴中有阳，孤阴不生，孤阳不长，干支应用，五生相克，刑冲破害，龙穴太极晕，砂位四兽对应四象；水法应用上的净阴净阳，是洛书术数的转化运用；道生一，一生二，二生三，三生万物；万事万物都有生长、发展、衰老、死亡过程，则表现为卦象上的动态变易；三易（《连山》、《归藏》、《易经》）乃六十龙分配，取用得宜，所主天气运，谓之地脉，气行于地，形丽于天；四生之气行于地而运于天，在天者论时，在地者论形，即时以观形，因形以验气，气有衰旺，有盈虚，四势之山生八方之龙；四势为五行化生之始，八方为五气来止踪，等等理论，皆显示易理与风水学的密切渊源，特别是在《罗经透解》中，已经充分体现出来。

罗经整体称为太极，由指南针分两仪，再分四象，东南西北（少阳太阳少阴太阴），再分八卦，八卦分先后天，先天发展为六十四圆图，三百八十四爻位；后天分为

周易与罗盘

二十四山，一百二十分金至三百六十微金；三百六十五度，由四方二十八宿所管辖；代表地球公转轨道和时间。罗经使用有可能是供西汉出土的“太乙九宫占盘”制作的。后因实践中的需要，使层位不断增多。目前的罗盘大到四十余层，发展原理同易学发展非常相似。风水学由观形到理气，各种形理与《易经》理论相符，显示出同易学有不可分割的关系。

◎从中国地形走势论风水学

从地形图中分析，风水学认为全世界龙脉是从昆仑山发脉的。地理学也称昆仑为世界屋脊。它脉出八方，有五大干龙跑向各处，其中三大龙脉在我们中国。这三大干龙之势走黄河以北广大地区，称之为艮龙发脉；黄河以南、长江以北广大地区为震龙发脉；以长江以南广大地区为巽龙发脉。这艮震巽三大干龙发自西北，走各东南。山脉这种走向，又形成江河流向，江河又称之为水龙。风水学要求龙脉要长远，气势要磅礴。因山脉水流的走向，形成我国地势的西北高东南低的地形，“天不足西北，地不满东南”。

龙　脉

这种形势促使西北地区气候干燥，海拔高，气温偏低，水土又总是往低处流，土地贫瘠，植物生长较差。而东南地区，气候温和，土地肥厚，水源充足，适应各种植物。风水学认为水同财源有关。所以我国大部分人口集中在东南地区，经济发展也常以这些地区为先导。长江黄河的两岸，建成我国主要几座大城市，如上海、郑州、武汉、南京等。次于黄河长江的珠江和黑龙江，也有广州、哈尔滨等大城市。风水学认定的风水好坏同这种地理环境因素并行不悖，纵观历史上大部分著名人物都出生在黄河和长江流域，同风水要求龙脉要素成正比。这不是什么偶然现象，是自然因素所造成的。

◎从“地灵人杰”的观点认识风水学

再从统计学局部分析。地处山东泰山区域的泰安地区，全地区几十个乡镇我都考

中国地形图

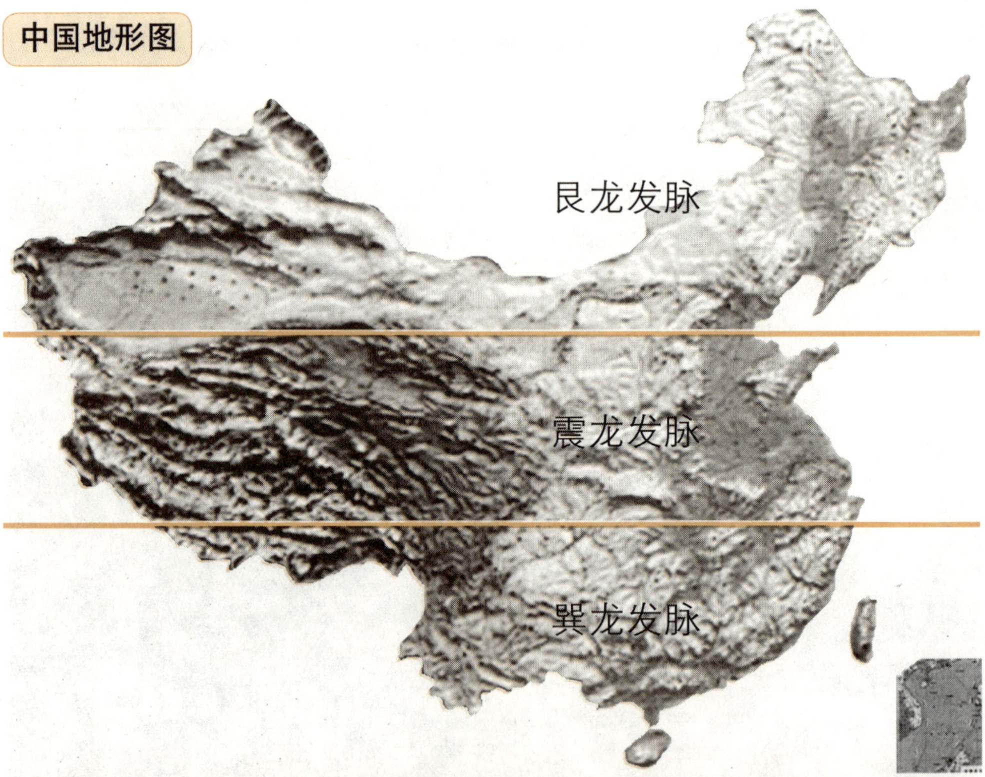

黄河以北广大地区，称之为艮龙发脉；黄河以南、长江以北广大地区为震龙发脉；以长江以南广大地区为巽龙发脉

察过，从风水方面论之，其中有个乡镇，比其他几个乡镇都不同，背靠山脉群峰簇拥而下，下面一段形似飘带，本地人称之“五凤朝阳”，四面山峰相互对照，每座山峰都很秀丽，除背后龙脉较长外，其余三面山体较陡，一落下就如同小盆地。镇前一条小河，形似玉带，水口重重关拦，并有禽星坐镇。有这种自然之形，必有其理。坐向必然经风水行家所定，形理两全。因此，此镇虽地处山区，但历代就比其他乡镇人才出得多。这十几年恢复高考以来，就已考上两百多名大学生，有的一家三子全是大学生，也出了专家教授一类的人才，干部也多，这不正是地灵人杰吗？我们还观察到这种现象，凡是风景优美秀丽的地方，那地方聪明人才就比较多，江苏、浙江、广东、四川、湖南等省的一些地方，真是山清水秀，当然这些地方也是名人辈出，如江泽民、毛泽东、蒋介石、孙中山、邓小平等就是出生在这些地方。

韶山风水

韶山多山多树，诸峰并峙，脉脉回环，“从来仙境称韶峰，笔削三山插天空。天下名山三百六，此是湘南第一仑。”这块灵秀聚钟、俊山丽水的锦绣土地，孕育了一代伟人毛泽东。

风景粗浊恶劣之地聪明人才就较少，愚笨之人较多。虽然风景与风水不是同义词，但风景也属风水学的一个方面。前几年中央电视台报道了广东省清远县有个地方，附近山地都是山石嶙峋，粗浊不堪。改革开放以来，广东虽然是全国著名的经济发达的省份，可这个地区仍然处在贫困状态，不但经济跟不上，也出不了什么人才。正是："孩子也永远做不出蓝色的梦。"电视台采访时，清远县干部群众说，这地区之所以贫困，就是自然环境恶劣，缺乏"金木水火土"的相生条件，不适宜人类在此居住发展。后来上级把这个地区的居民全部迁到自然环境较好的地方。

《黄帝宅经》认为："夫宅者，阴阳之枢纽，人伦之轨模。""阳者生化物之父也，阴者生化物之母也。""阴阳之理，顺之则亨，逆之则否。"前人关于阳宅风水的论述，对屋宅的地点选择、朝向及内部设计构造等，都很讲究。所住房宅，人体能感到各种自然信息的影响，如形体景观，可以通过视神传导，起到物化作用。屋宅涉及到各种自然环境、水土地质、光照、温度、气候、磁场、景观等，都直接或间接、明显或不明显地对人体产生不同程度的影响。现代科学研究证明："环境的改变能够引起生物的变异，环境的多样性是生物多样性的主要原因。"在一般情况下，外界环境对植物和低等动物具有直接影响。环境发生大的变化可导致动植物器官机能的变化，最终引起形态构造的改变。这种环境改变引起器官机能变化确有其合理性，但又不是绝对的。任何动植物的器官要适应环境变化都有一定的限度，超越这种限度，就对动植物器官产生一定的害处，或者出现各种病态。例如人饥饿，虽然能加强人的耐饥饿功能，但超越一定幅度，人体机能就无法适应，先产生各种病态，最终就是死亡。

◎风水学：人与环境和谐相处的学问

风水所论述的各种有害有利的自然因素，有明显或不明显的情况，也有轻重的区别，不会随着流年气运而变化。这些因素作用于人体，可由少积多，由微至著。如在实践中看到，有的人家祖辈父母并不是哑巴，而出生子女连续二三个哑巴。这就是环境风水影响的突变现象。又如1986年，看一家人的房屋风水，前后山坑直射，傍一小河直出，背后无山龙气脉，更甚者，前面凹风直吹，正合上"气乘风则散"和腹背受煞之说，主人住此房，生下三儿，无一成器，都在20岁前夭折了。

"风"字的科学解释是空气流动为风。事实上风包含的意义是很广的。《易经》认为有柔风、刚风、嚏风、不周风等多种风，人体受到何种风的侵袭，所得病症也不一，如风寒、风热、风湿等症。实践中我们看到有的山村，山凹风直透吹射的居住房里，则常死青少年，这不只是古人气乘风散之说，用科学解释是：因这种地方，空气流动特别急速，温度降低，忽冷忽热，使人容易受凉；空气中又常带各种气味和病菌感染人体，使人得病，抵抗力差的青少年更受其害。特别是西北之位肃杀之风，更对人体不利。“秋风扫落叶”，就是因为西北风属秋冬季节风，促使万物萎缩的道理。

1988年，在四川看一村庄，回龙顾祖，四山环抱，乡村屋宅朝九曲逆水，水口关拦紧密，局势虽小，藏风聚气，坐向合法，正合风水学形法和理法。果然此村发财者多，比一般村庄都富裕，而且还出了一位高官。

人体在天地间，天覆地载，无时无刻都和自然界的阴阳五行之气同呼吸。中医学告诉我们，人体的阴阳五行之气能否保持相互平衡，是衡量身体健康与否的本源。而一个地方阴阳五行之气，能否保持平衡，就可以看出此地方的经济发展及人才情况。为了研究，我曾找过分布在全国南北几个省区的几十个村镇的人，抽样查出他们的生庚，同本地风水相对应，结果发现，南方风水气旺者，村里人出生的八字里大部分火旺，北方山水气旺者，八字里大部分水旺。这说明人体阴阳五行之气来自自然界。人体由父母生殖细胞结合成胎，可能男女生殖细胞在某地点某时刻结合后，综合天文地

古村风水

理因素，就是自然物质在人事上的反映。这既是人体先天素质，又是后天命运发展的一定根据。为何人们需要选择好风水好地方的原因就在这里。也说明了风水地域好坏同人有直接的关系。

有关阳宅风水，很多风水因素是有形可见的，有些还直观地同人之日常生活相关连。所以阳宅风水的科学性、合理性也越来越受到有识之士的重视。

◎阴宅风水：看不见的宇宙磁场

在阴宅风水中，有很多人觉得不可思议，有的干脆就说是纯属迷信。他们认为阴宅是葬死人的地方，风水再好也与活人无关。但从过去古代地理典籍理论来看，人是父母亲生下来的，父母去世后，骨骸能葬到好的地方，可以温暖佑骨然后起到荫佑子孙的作用。这荫佑的说法，以现代人的眼光看来，是缺少理论上的说服力的。但一概斥之为迷信，从实践和客观上，也是不切实际的。慧缘我认为阴宅与活人有着极其重要的关系，而用现代科学方法就可以解释这种关系。众所周知，地球是一个大磁场，而磁性有多种

十三陵：皇家风水

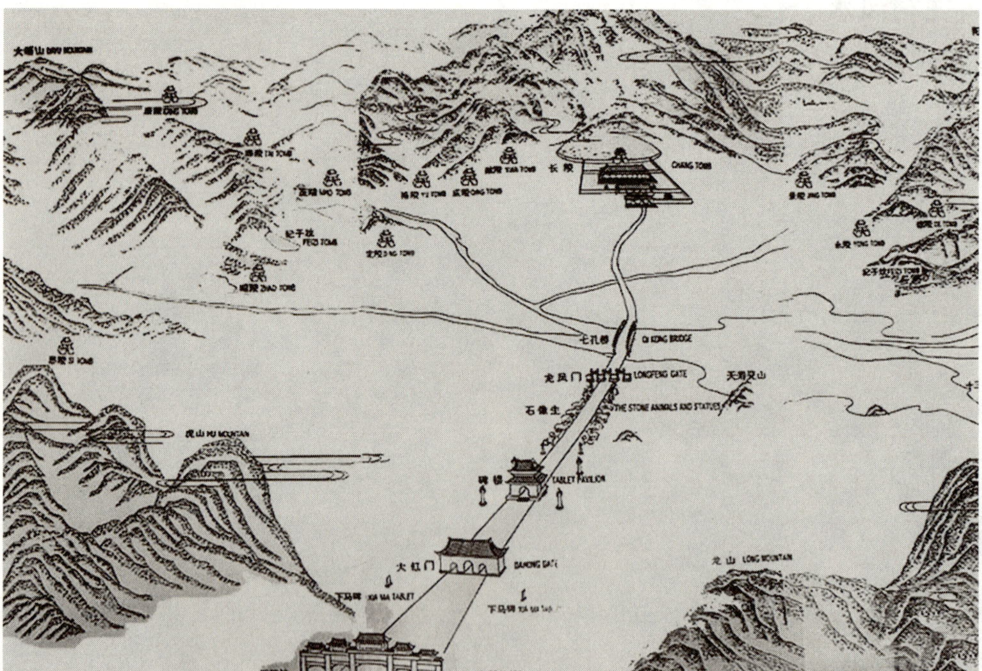

功能，有记录功能，也有转化为电磁波的功能。既有转化为电磁波的功能，传播功能自然存在其中。因此，坟墓建在某个地方，地磁场就可以记录下周围山山水水种类住处在自然转化中产生一种带骨骸信号的电磁波，这种电磁波具备骨骸信号又具备山水信息传送到空间，从而影响外界。为何只对自己子孙有影响而不影响他人呢？因子孙与先辈具备同等类型遗传基因，其生物电磁波之间具有同位信息，能够感应沟通。信息不同步者感应就差。就如收音机、电视机一样，要能收电台广播和电视，必须具备同频道和赫磁的原理一样的。人体接受到这种电磁信息后，将在人体内产生一系列物理化学反应。例如某座坟墓，风水学认定是好的地方，起码是龙脉踊跃，穴位准确，山环水抱，明堂平敞，罗城无缺，山峰秀丽，四神护卫，理气合法。带着这种信息的电磁波，被人体接收到起物化反应后，能起到加强人体器官功能和思维功能的作用，经常接收到这样良好信息的人，一定会受益无量。又如某座坟墓是风水不佳之地，山水混乱无序，无龙无穴，形体粗浊，山水反背直射无情，风吹水劫，理气又刑冲破害，这种电磁波被人体接收到起物化反应后，会对人体产生一系列坏作用，破坏削减人体思维功能和调控心理情绪的

十三陵：皇家风水

功能，长期受到这种不良信息影响的人，一定会产生不良的后果。自然界也能产生这种电磁波，如春夏秋冬的雷电现象等。电磁信息对人体能否有一定的作用能量，用现代物理学知识可说明问题。在实践中我也总结出一些经验，例如有的坟墓葬在风水很坏的地方，一葬下就产生各种灾祸，不是人口损失，就是疾病破财。有的坟墓葬在风水吉利的地方，结果是家庭人员运气和财富的确就是好。

为了说明问题，且举几个例子。1989年，在湖南看一旧坟，坟墓已建五年。从风水方面看，山脉来龙直硬不起伏（死脉），无峡丛，坟墓葬在山脉尖头之中（带煞）；坐丙向壬兼午子，乾亥田垅水直冲墓前明堂，出乙口。我当即断之葬下此墓，墓主家病人不断，病在头部，发生在长房并损青壮年。病发生在头部，因乾有头部之象；发生在长房，因左边属长房份位置；损青壮年是因震纳庚亥未，震有长男之象。结果墓主家长房果然有一青年30岁死于脑病。

1991年在广东看一座坟，从癸向丁，出丙口，外观形体上看还算可以。但午方山水破局潮来，断之坟主家会出现有关属火一类病人，如心脏病、眼目等疾病，发生在午年。庚午果然出现一人因心脏病而动手术。此例原理是午属火，火对应人体器官是心脏和眼目等部位。午年助长其火气和坏运气而发生问题。

1993年，在郑州郊区看一旧坟，此墓50年代葬下，从风水学论之，龙脉从高山踊跃而来，至结穴之位峡，又短又窄，伸衍出去立即潮大结穴垣局坦平圆满，水绕峰秀，藏风聚气，坐丙向壬，壬子水朝堂，左边峰峦层叠，艮位有一峰耸立丙透地，官星丙奇在艮，理气合法，长二两房人财兴旺，艮为少男，主应三四子出贵，三子四子均做高官，通过了解，果然如此。

◎认识风水人生

我认为，人类在自然界中，受取外界环境的极大影响，人体在其生命过程中不断与外界进行物质能量和信息交换，故与外界环境具有密切的依存关系。人体对外界环境的变化十分敏感，如对自然界电磁波的变化的反应，可能较仪器测量到的结果提前出现，均伴有一定的物理化学现象，人体在外界影响下发生一系列生理化学现象，为风水作用机理提供了依据。风水的实质在于运用各种自然界有利因素，从而达到趋吉避凶的目的。

风水作用机理，必须从宏观和微观两方面研究。宏观方面，全面分析人类所在地理环境的不断变化的因素；微观方面，结合当代各门类科学知识进行探讨。因此，阳宅同人的作用关系是直接的，五官可感受到日常生活所需要的各个方面；而阴宅则是间接的，必须通过自然产生的电磁波传播而对人体产生一定的影响。

因此，我认为，风水学是一门集天文地理于一身的综合性学科。以自然事物为基础、阴阳五行为法则，其中涉及到自然环境学、地质地理学、水文学、生态学、景观、美学、生物、地球物理学、建筑学和道德伦理学等学科，是一门研究自然与人之间关系的综合学科。前人的风水理论虽有夸大和神秘的地方，但总体上具有朴素的科学性，多数理论是人们在长期生活实践中的经验总结。我是从事医学和佛学研究的，能在风水学领域里有所建树，主要是受祖父的影响。本书是根据我祖父陈明科（著名中医学家、风水学家）的《风水学秘要》一书为蓝本，结合自己多年的实践和探研，使之与各门相关的现代自然科学嫁接和融通，并进行了更新和补充，使其更具有实用性和科学性。由于本人学识有限，书中难免挂一漏万，所以本书仅供各位同道参考以抛砖引玉，并恭请天下志士仁人批评指正，切磋交流，共同促进风水学的科学化，造福人类与社会。

目录

上卷：读懂风水的智慧

第一章

风水就在你身边

风水学是一种传统文化现象，一种广泛流传的民俗，一种择吉避凶的术数，一种有关环境与人的学问。风水包括阴宅风水和阳宅风水两大部分，其中有许多生动的理论概念和复杂的勘察方法。

本章导航

一、什么是风水

二、风水的源流

三、风水包含哪些内容

四、龙脉是什么

五、何为明堂

六、阳宅：生气开旺象

七、阴宅：福泽后人之地

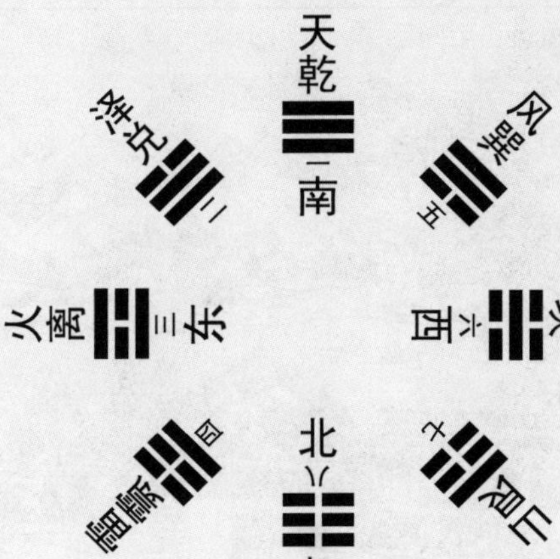

一、什么是风水

风水，又称堪舆，这个玄而神秘的名字，我认为不是中国古代文化的难解之谜。

风水究竟是不是迷信，有没有科学根据？房屋建筑是怎么选址设计？室内装饰和家具布置是否与吉凶有关等等，这些与现代生活息息相关的问题，都需要作出科学的实事求是的阐释。

历史上最先给风水下定义的是晋代的郭璞,它在《葬书》中云：“葬者，乘生气也。气乘风则散，界水则止。古人聚之使不散，行之使有止，故谓之风水。”清人范宜宾为《葬书》作注云：“无水则风到而气散，有水则气止而风无，故风水二字为地学之最，而其中以得水之地为上等，以藏风之地为次等。”这就是说，风水是古代的一门有关生气的术数，只有在避风聚水的情况下，才能得到生气。

“生气方盛，阳气发泄。”生气是万物生长发育之气，有生气的地方则有好风水。

什么是生气呢？《吕氏春秋·季春》云：“生气方盛，阳气发泄。”生气是万物生长发育之气，是能够焕发生命力的元素。

在郭璞之前，风水还有其他名称：

形法。《汉书·艺文志》有形法类，其中载录有《宫宅地形》二十卷。日本学者泷川资言在此条下注云：“风水方位之形法包括相地相形，也包括相人相畜，这是它与后世‘风水’的不同之处。”

堪舆。堪为天，舆为地。堪又与“堪”“坎”有相通之义。汉代就有了以堪舆为职业的人。《史记·日者列传》有褚先生记：“孝武帝时，聚会占家问之，某日可取妇乎？五行家曰可，堪舆家曰不可。”可见，堪舆家有择时的职责。《汉书·艺文志》载有《堪舆金匮》，也是说风水方位之书。

此外，又有称风水为青囊、青乌、相宅、地理等。

对于风水一词，《辞海》的定义是：“风水，也叫堪舆。旧中国的一种迷信。认为住宅基地或坟地周围的风向水流等形势，能招致住者或葬者一家的祸福。也指相宅、相墓之法。”

近年来，学者们对《辞海》的定义持不同见解，主要倾向是不同意将风水与迷信划等号。尹弘基在《自然科学史研究》1989年的第一期撰文说：“风水是为找寻建筑物吉祥地点的景观评价系统，它是中国古代地理选址布局的艺术，不能按照西方概念将它简单称为迷信或科学。”

潘谷西教授在《风水探源》一书的序言中指出：“风水的核心内容是人们对居住环境进行选择和处理的一种学问，其范围包含包括住宅、宫室、陵墓、寺庙、村镇、城市规划诸方面，其中涉及陵墓的称阴宅，涉及住宅方面的称为阳宅。”最近台湾学者又提出风水是“地球磁场与人类关系学”。看来，风水大有被抬高扶正的趋势。

在论及风水界时，我们既要充分理解和吸收学术界的最新成果，又要坚持实事求是的态度。我认为：风水学是一种传统文化现象，一种广泛流传的民俗，一种择吉避凶的术数，一种有关环境与人的学问，一种有关阴宅、阳宅、理论与实践系统的理论。是长期实践实践经验的积淀。从现代科学理论来看，风水学是地球物理学、水文地质学、环境景观学、生态建筑学、宇宙星本学、地球磁场方位学、气象学和人体信息合一的综合性科学。

二、风水的源流

早在先秦就有相宅活动。一方面是相活人居所，一方面是相死人墓地。《尚书·召诏序》云："成王在丰，欲宅邑，使召公先相宅。"这就是相阳宅。《孝经·丧亲》云："卜其宅兆而厝之。"这是相阴宅。这就是用占卜的方式择定地点。

先秦的贤君盘庚、公刘、古公亶父、周公在相地实践中都作过贡献。风水师很推崇秦惠王的异母兄弟樗里子，传说他曾经预测自己的墓地两侧将会有天子宫殿，并且应验了。

先秦相宅没有什么禁忌，还发展成一种术数，也没有那么多迷信色彩。

汉代是一个充斥禁忌的时代，有时日、方位、太岁、东西益宅、刑徒上坟等各种禁忌，墓上装饰有避邪用的石人、石兽、镇墓文。湖北省江陵凤凰山墓出土的镇墓文有"江陵丞敢告地下丞"、"死人归阴，生人归阳"之语。还出现了《移徙法》、《图宅术》、《堪舆金匮》、《宫宅地形》等有关风水的书籍。

魏晋产生了管辂、郭璞这样的宗师。管辂是三国时平原术士，占墓有验而闻名天下，现在流传的《管氏地理指蒙》就是托名于管辂而作。郭璞事迹更加神奇，在《葬书》注评中有详细介绍。南朝宋明帝是个最讲忌讳的皇帝。宫内搬床、修墙，必先祭神祈祷。他说萧道成的祖墓有五色云气，就暗中派人在坟四角钉上铁钉，可是萧道成最后还是当上了皇帝。

南齐时，衡阳地方有一怪俗，山民生病，就说是先人为祸，必须挖祖坟、洗尸骨，洗骨除祟。

隋朝宰相杨恭仁移祖坟时，请了五六批风水师前往相地，其中有个叫舒绰的猜中了地下之物，受到重赏。当时相地最有名的是萧吉，他曾给皇后择吉地，当文帝不听他的建议时，他预测到隋朝运数不长。他撰有《相地要录》等书。

唐朝时，一般有文化的人都懂得风水，出现了张说、浮屠泓、司马头陀、杨筠松、丘延翰、曾文遄等一大批名师。其中以杨筠松最负盛名，他把宫廷的风水书籍挟出，到江西一带传播，弟子盈门。当时风水在西北也盛行，敦煌一带有许多风水师，当地流传一本《诸杂推五姓阴阳宅图经》，书中提倡房屋向阳、居高、邻水的原则。

宋徽宗相信风水，曾听信术士之言，垫高西北地势，以便得到多子之兆。宋时老百

堪舆鼻祖:郭璞

郭璞(pú)(276年—324年)，字景纯，河东闻喜县(今山西省闻喜县)人，西晋建平太守郭瑗之子。东晋著名学者，既是文学家和训诂学家，又是道学术数大师和游仙诗的祖师。

郭璞曾注释《周易》、《山海经》、《穆天子传》、《方言》和《楚辞》等古籍，现今的《辞海》或《辞源》上，到处可见郭璞注释。

姓普遍讲究风水，《朱子家礼》说，百姓家里死了人，三月而葬，先把地形选好，再择日开茔。宋代的风水大师特别多，赖文俊、陈抟、吴景鸾、傅伯通、徐仁旺、邹宽、张鬼灵、蔡元定、厉伯韶等都很有名。

传闻明代刘基最精于风水，有一本《堪舆漫兴》就是托名于他。

纵观历史，先秦是风水学说的孕育时期，宋代是盛行时期，明清是泛滥时期。本世纪以来，风水学在旧中国大有市场，解放后理论上受到沉重打击，实践中却还不断运用。近年来，随着国际上对风水的重视以及它的适用性，使风水这门古老的学科焕发出新的活力。我们说当代是风水整合更新时期，应取其精华，剔除糟粕，结合现代自然科学，实事求是地作出科学评价和阐释，从而更好地让其为人类造福。

三、风水包含哪些内容

风水包括阴宅风水和阳宅风水两大部分，其中有许多生动的理论概念和复杂的勘察方法。我们先谈谈风水理论中的几个重要概念。

气：“气”在风水中是一个很重要的概念，不能正确理解这个概念，就不能完全理解风水文化。因为风水中的吉凶、祸福等都是由“气”引发的。可以说，“气”文化是中国传统文化中最玄奥的文化，占有重要的地位。明代蒋平阶在《水龙经》论“气机妙运”时说：“太始唯一气，莫先于水。水中积浊，遂成山川。经云：气者，水之体于父母，本骸得气，遗体受荫。盖生者，气之聚凝，结者成骨，死而独留，故葬者，反气内骨，以荫所生之道也。经曰：气乘风则散，界水则止，古人聚之使不散，行之使有止。”由此可见，风水所论之气，有朴素的唯物论色彩。气是构成世界本原的元素，它变化无穷，变成山，变成水，在天空周流，在地下运行，滋生万物。

风水把气分为生气、死气、阴气、阳气、土气、地气、乘气、聚气、纳气、气脉、气母等，认为不论是生者还是死者，只要得气，才能有吉兆。因此，风水的宗旨就是理气，即寻找生气。我认为有生气之地应该是：避风向阳，流水潺潺，草木欣欣，莺歌燕舞，鸟语花香之地。

风：空气流动而成风。“气遇风则散”，这里的风指强风、烈风、大风、冷风，中医称邪风。所谓“风为送气之媒”，此处所指则为微风、和风、暖风。因而风水强调要避开强风和邪风，求得微风、和风和暖风。

光：主要是太阳的光。其实光的本质是电磁波，而光是肉眼可见的那一小部分电磁波（俗称七色光）。由于光具有波和粒子的两重性，所谓“波粒二相性”，所以光也是一颗颗的粒子。

水：风水论“山环水抱必有气”，何以水抱必有气？原来水最容易吸收微波。“气”遇水则界，是水收拢了宇宙之气的缘故。

方位：即易经八卦四正四隅八个方位。

人体场：因人的性别、生长、祖居、运势而异。

风水中的重要概念

风、光、水、气、方位，以及环境中的气场，构成了风水的重要概念。勘察风水就是根据环境特点考察这些重要因素，寻找到适宜的吉地。

居家风水最讲究与环境的和谐，风、光、水、气相宜，便构成了良好的风水。

风水的宗旨就是理气，即寻找生气。生气之地应该是：避风向阳，流水潺潺，草木欣欣，莺歌燕舞，鸟语花香之地。

四、龙脉是什么

风水中借龙的名称来代表山脉的走向、起伏、转折、变化。因为龙善变化，能大能小，能屈能伸，能隐能现，能飞能潜。山势就像龙一样变化多端，故以龙称呼。

风水家以中国的四条大河划分龙脉，叫做三大干龙。长江以南为南龙，长江黄河之间为中龙，黄河、鸭绿江之间为北龙。三大干龙的起点为昆仑山。每条干龙从起点到入海又按远近大小分远祖、老祖、少祖，越靠近起点越老，越靠近海边越嫩。山老了无生气，嫩山才有生气，因此寻地当在少祖山寻，不要到远祖、老祖山寻。每条干龙又有分节，起一峰过一峡即为一节。为什么要分节呢？因为节数的多少与吉福的长久有关。如《天宝照经》中说："节数多时富贵久，一代风光一节龙。"

平地也有龙脉，其标志固然不如山地龙脉那么明显，但仍有踪迹可寻。它的标志是微地形和水流。"高一寸为山，低一寸为水。"（《地学简明》）张子微云："中原平地及湖乡，行龙入地至难详。寻得龙来无穴下，茫茫阔远何相当。此名天平只看水，水绕弯环是穴中。若还舍水去寻穴，望望皆平无定踪。龙若逢水穴方止，无水难断去不穷。"

对龙脉好坏的看法，是审定山脉的大小兴衰如何。其审辨的方法是"以水源为定，故大干龙则以大江大河夹送，小干龙则以大溪大涧夹送，大枝龙则以小溪小涧夹送，小枝龙则惟田源沟洫夹送而已。观水源长短而枝干大小见矣"。我认为：龙的贵贱基于龙祖山的远近，龙之有祖，犹水之有源，木之有根，源远则流长，根深则法茂。山脉来得绵远者，发富亦绵远，山脉来入短促者，发富亦短促。

应该看到，风水龙脉大致反映了我国的山脉走向，是古代先哲对中华地理的朴素认识，是千百年经验的积累。

山脉与龙脉

风水文化中的龙脉就是现代地理地形学的山脉。看阴宅风水尤其讲究龙脉，其实就是看山形走势。河流在风水中又称水龙。从现代地质水文学的观点来说，看风水就是勘察山、水的走势和科学、理想的布局。

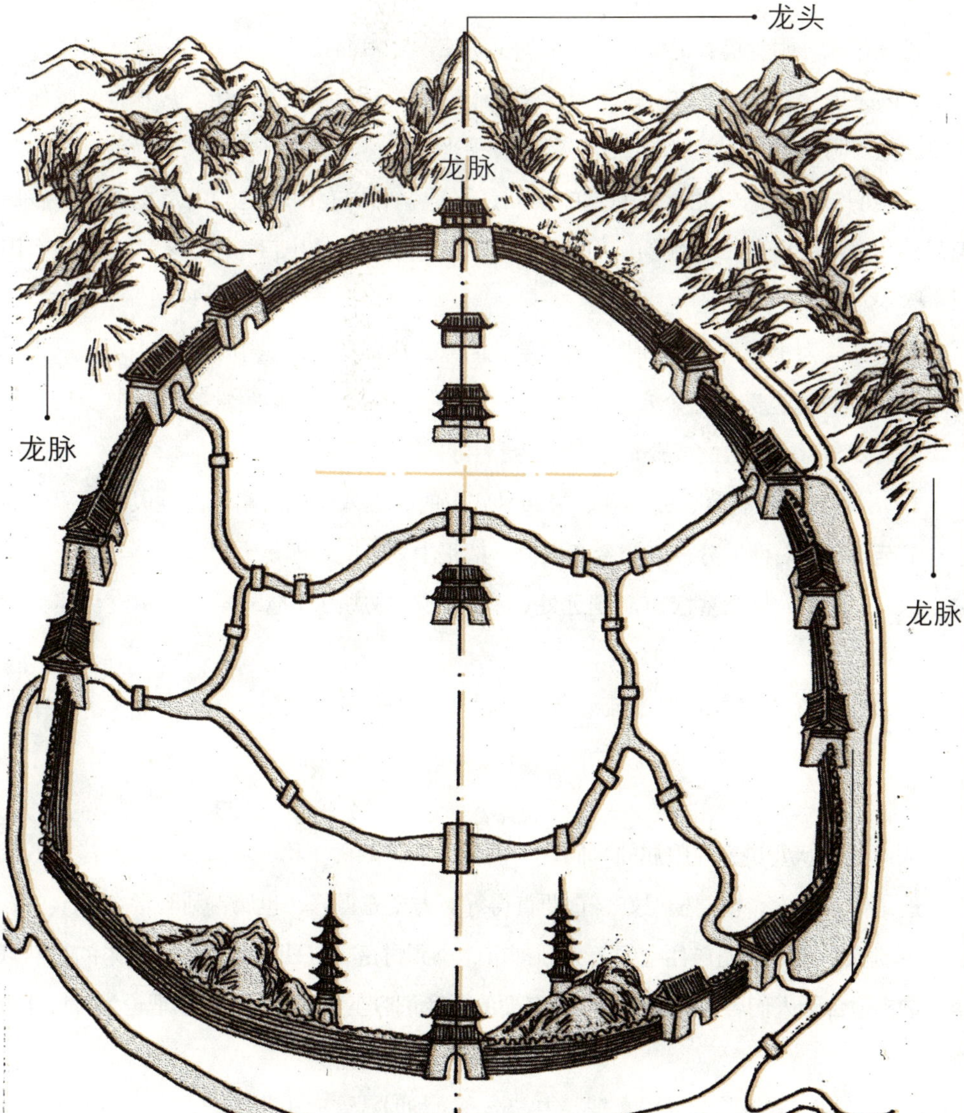

五、何为明堂

什么是明堂?

《大戴礼·明堂篇》记载：明堂是为了明诸侯尊卑而设，凡九室，一室而有四户、八牖。以茅盖屋，上圆下方。古时明堂是天子理政、百官朝见的场所。风水把明堂作为穴前之地。明堂有内外之别，凡山势缓和、平平结穴、龙虎山环抱、案山当前，就称内明堂；内明堂之外为外明堂。明堂的中间是平地，四周有山，这些山是左青龙、右白虎，又有捍门、华表、辅弼等山。明堂内有弯曲之水，水的出口为水口。明堂内还有田园、树木。

明堂还分为小明堂、中明堂、大明堂，明堂之中最重要的是中明堂，中明堂属吉，如果大、小明堂也美，这个穴位更吉。但在一般情况下，三种明堂都美的很少见。但是，大家要牢记，穴位的成败，主要决定于中明堂。

1、小明堂：凡有窝、钳、乳、突四种穴形时，在穴位四周略低的地段，下雨时有水从上至下向左右两间分流，交合在穴位下部正中处，此处即是小明堂。

2、中明堂：是指墓穴前面稍远处，有青龙、白虎山环抱，龙虎山两支流水聚会所。

3、大明堂：是指案山内水流汇合之处。

明堂的形态

明堂的形状要讲究完整屈曲、回环、高低分明，四面平稳，中间低窝。平净而四周高，这是上吉明堂，横要横得好，直要直得好，方要方得好，也属吉利明堂。

明堂实际是人们的居住空间，大到都市、小到村落，其四周都有互相联系的自然环境。选择适合于人们居住的环境是十分必要的，我们应当利用风水的明堂理论为村镇建设服务。

风水学也常常将明堂运用于丧葬中，选择墓地时，要有山川屏护，有案山、朝山伏于前。

富贵明堂

风水术中称阳宅大门前面或阴宅前方的范围，是地气聚合的处所。案山内为大明堂，或称外明堂，龙虎心里是中明堂，穴前为小明堂，或称内明堂。古明堂以洁净、宽广、藏风、聚气为佳。相地就是要选好明堂。然后点穴，达到趋吉避凶之目的。

圆	如盘心者，主子孙贤良聪明。
方	如棋盘，主享厚禄悠长久远。
横	如连案者，主子孙忠诚。
抱	如带绕者，主子孙孝顺。
长	如笏揖者，主尊贵。
平	如展席者，主温和柔顺。
广	大而包容者，主富裕。
丰	广而能会者，主人丁旺，后代繁衍。
进	照内者，主人进财源。
周	闭密者，主田产照。
灵	金鸡、玉犬应者二主清贵。
异	有大石、大树者，主富且贵。

六、阳宅：生气开旺象

生者为阳，死者为阴，故生者所居为阳宅。根据风水学说，阳宅需要有生气，家庭才有旺象。因此，需要纳气。一方面吸收地下生气，另一方面从宅门旺气。于是，就得选好地址和房门朝向。按照五行观点，气有生克，方向也有生克，只要避免克方，阳宅就可得到吉祥富贵之气。

阳宅的基本原则是背水领傍水，即以山为屏蔽，阳宅立于山脚偏上处，宅前有水流，有宽平的场地，视线开阔。最好是有茂密的林木、便利的道路。宅前为南，宅后为北。宅东西有如双手环抱向胸前的山。那么，这就是最佳选址。

宅与宅之间要整齐，大小、高低、进退适中。宅内布局要方正，大门与内门要稍稍错开。宅适应与人口成正比例。厕所、灶房应置于下风处。天井和围墙都要有一定规格。水井和池塘的位置要选好，使人用水方便，又不至于淹溺。

我们认为，阳宅问题大有文章可做，完全是一门综合性科学。我国古代没有阳宅建筑学，而风水的阳宅理论和实践正好填补了这个空白，值得我们认真总结，并加以发扬光大。

阳宅风水重生气

住宅周围多植树有利生气聚集

七、阴宅：福泽后人之地

死亡是不可抗拒的自然现象，人们最惊恐的事情莫过于人死之后还会不会复活？死人会不会对活人发生作用？在科学不发达的古代，人们总在探索这些问题，总是希望死人能够活过来，能够保佑自己，于是，阴宅学说应运而生。

阴宅学说认为，只要穴地有生气，死者就会安逸，就会给生者带来吉祥，否则有凶。怎么才能得到生气之地呢？那就要请风水师指点选择。找到了好穴，就会有好报应。至于哪天有好运到来，要看具体人和风水情况而言，或许即刻，或许几十年，乃至于几代人之后。

相地是一种实践。风水师在有了整套理论之后，就要亲临现场。先要看山脉走向，看穴地环境，又要用嘴尝水质是否苦涩，尝土粒是否甘甜。还要动脑筋，推算出内在关系，预测吉凶祸福。

相地测定方位用的罗盘中间有一根磁针，大致指向南方。测量穴地时，在门脚或穴地的石头上放平罗盘，把针连掷两三次，看针是不是指在子午线上，针如果晃动则不吉，收藏于中线则吉。圆盘上画有圆圈，少则三层，多则几十层，每层都有许多符号，表明一定有意义，层与层之间也有一定的联系，它反映了先民的智慧。

我们现在兴修水利、建筑房屋仍要用类似于罗盘的工具测量方位，也要到现场勘察。怎样借鉴传统的相地方法，这还是值得探讨和研究的。

中华文化的伟大，也在于她科学思想的广博、深厚与细密。她作为东方科学文化体系，与渊源于古希腊、古罗马的西方科学文化体系，长期交光互映、互相渗透而又各自独立发展，并不逊色。只是近百年来，灾难深重的中华民族，才在科学上比西方落后了。如何对待中国的传统科学？英国李约瑟博士说：“至于远东文明，特别是其中最古老而最重要的中国文明对科学思想和技术的贡献，直到今天仍然被云雾所遮蔽，而没有被人们所认识。”然而，中国古代从天文、历法、物理、化学、数学、地理、生物、建筑、陶瓷、冶金、医学、农学一直到“四大发明”的伟大成就，都硕果累累，灿若繁星。这极大地丰富了人类文化的宝库，推荐了世界文明的进程。当今国外有些科学家预言说：只有东、西方科学文化的结合，才能创建21世纪未来的世界科学。

当今国际上众多科学家都把中国的《周易》学、中医学、风水学作为研究和掌握的特别科学，而且有些国家还设立了专门机构进行研究。我作为一个中国科学工作者，更有责任和义务对我国《周易》学、中医学、风水学进行深入的研究和发掘，发扬光大，使其更好地为人类造福，为创建21世纪的新科学新文化尽职、尽责、尽力、尽义。

上佳阴宅风水

如下图所示：好的阴宅风水必须有多种优良的环境条件构成。事实上，无论是勘察阴宅风水还是阳宅风水，都要综合参考这些条件。

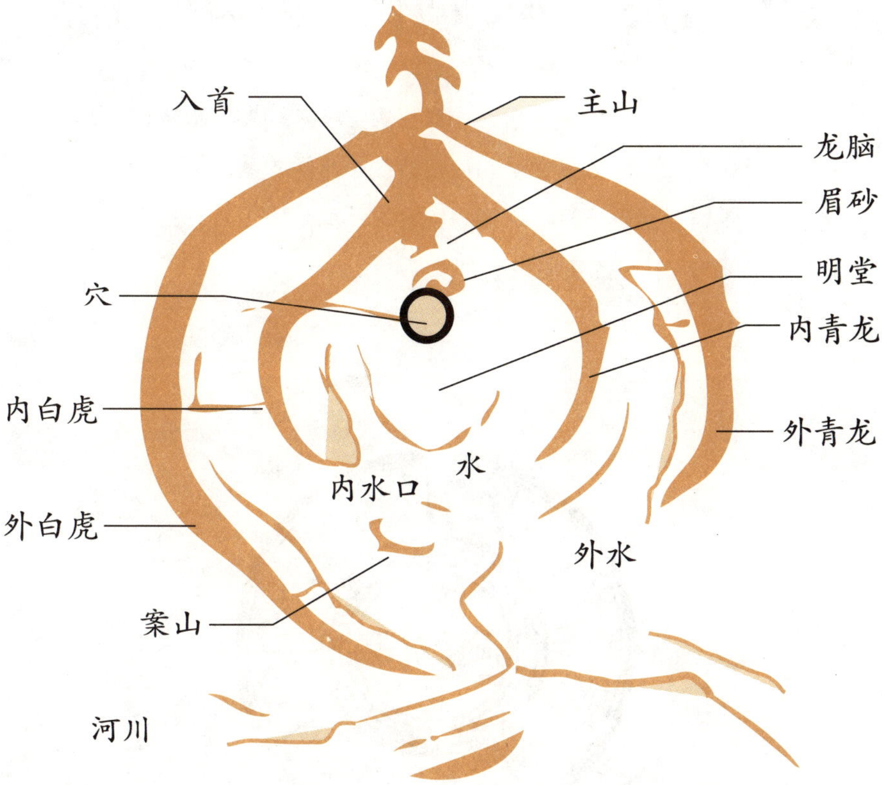

所谓阴宅，就是安葬祖先灵柩的地方，也就是坟墓，是祖先得以长眠安息的地方，故称之为阴宅。阴宅风水讲究大自然的格局配合，讲究乘龙之气，以龙行气脉的聚集点为穴，配得扶手、朝案以及山水之护栏而得天地之灵气。

合天时、合地运、合山水而方能做出富贵之阴宅！

第二章

慧缘开运风水学的科学构成和特点

纵观风水学兴起、演变与历史变革和发展趋势，那么，慧缘风水学是如何在传统风水学的基础上，与各门现代自然科学嫁接、整合，从而形成了具有科学架构与特点的实用风水学呢？

本章导航

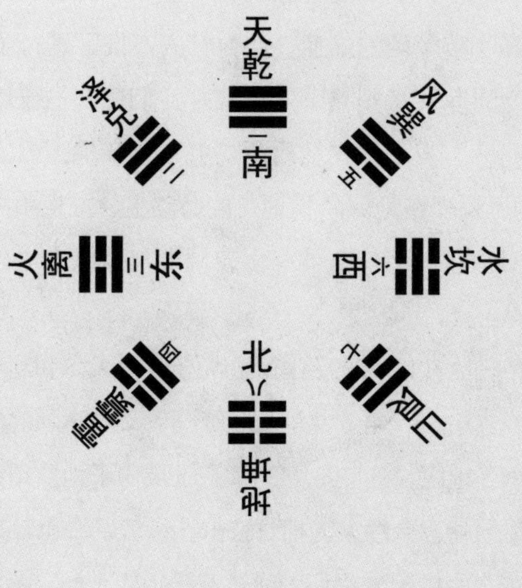

一、地球物理学与风水

从地球物理学的观点来看，人们所处的地球是由很多种化学元素组合而成的，这些元素会产生不同方向和不同强度的地热能、地磁场、地电场、重力场及各种放射性物质，加之地表的山川河流、植物动物、微生物等等，这些物质与场信息每时每刻都会产生各种对周围物体的有形或无形的、有益或有害的作用力。这些作用力对于地球上最高级的生命体——人类，就会产生一种特殊的有益或有害的影响力。

例如某个点位的地球重力场强度越高，长期生活在这个点位的人就不容易长高。如日本中部地区，中国四川、贵州的一些地方，地球的引力场强度就很高，因此这些地区的人就比较矮小一点。又如某个点位的地层里含有害的放射性物质，长期居住在这个点位上的人，健康就会受到影响，甚至发生变异。有的地方由于地质构造异常，亦会对人和动植物的生长产生不良影响。如俄罗斯科学院资深学者鲁德尼克教授及同事的研究表明，生长在地球断裂带的动植物会发生病变。研究人员在贝加尔湖沿岸的舍列霍活市以及乌兰乌德市等地的癌症、心血管病高发区进行了地质勘察，发现了这些地区都是地质构造地质断层特别复杂的地区，他们还在圣彼得堡把地质勘探结果与医院的资料进行比较研究，发现住在地质断层特别复杂地区的人，肿瘤病发病率比其他地区高2~3倍。他们还发现在地层断裂地带的公路上，交通事故发生率是其他地区的10倍。地质断层还会释放出放射性气体，引起局面部地磁变化，这是引起人及动植物的病变的重要因素之一。

有些地域的地质结构比较好，地层中所含的元素对人体和动植物都会产生良好的作用，如欧洲西部的英国、法国、瑞士、意大利等国，又如中国的广东、湖北、山东、江苏、浙江、上海、北京等地区，这些地方的某些区域由于地质结构好，因此，生活在这些地域的人综合素质都很高，自然灾害相对较少，经济发展也较其他地区好。

作为创立传统风水学的中国先哲们，通过数千年的观测、感应、测算，就可以判断出某个区域或点位是否有利于人的生活、健康和发展。其实，其中许多规律和原理与现代地球物理学是相通的。

慧缘风水学的内涵和使命之一，就是要将传统风水学朴素的科学认识与现代地球物理学知识相互结合，从而探研出风水学中一些看似神秘、玄奥现象的规律性，使之得出令人信服的科学的解释，并更好地运用物理学与风水学结合的方法和知识，研究各种地球物理现象和各种地球作用力对人类生存、发展的利害关系和影响力，探索人类在充分认识的基础上，利用、改造、顺应这些自然作用力，找出为人类服务的规律与方法，使人与自然的能量信息形成和谐共振的最佳组合，使人类在地球上更好地生存、适应、优化和发展。

地球与五行元素

中国传统文化认为：世界万物都是由金、木、水、火、土构成的。地球上各种气候及地质变化同样是这五行变化的结果。结合周易、天干、地支等思想便构成了风水的基本内核。

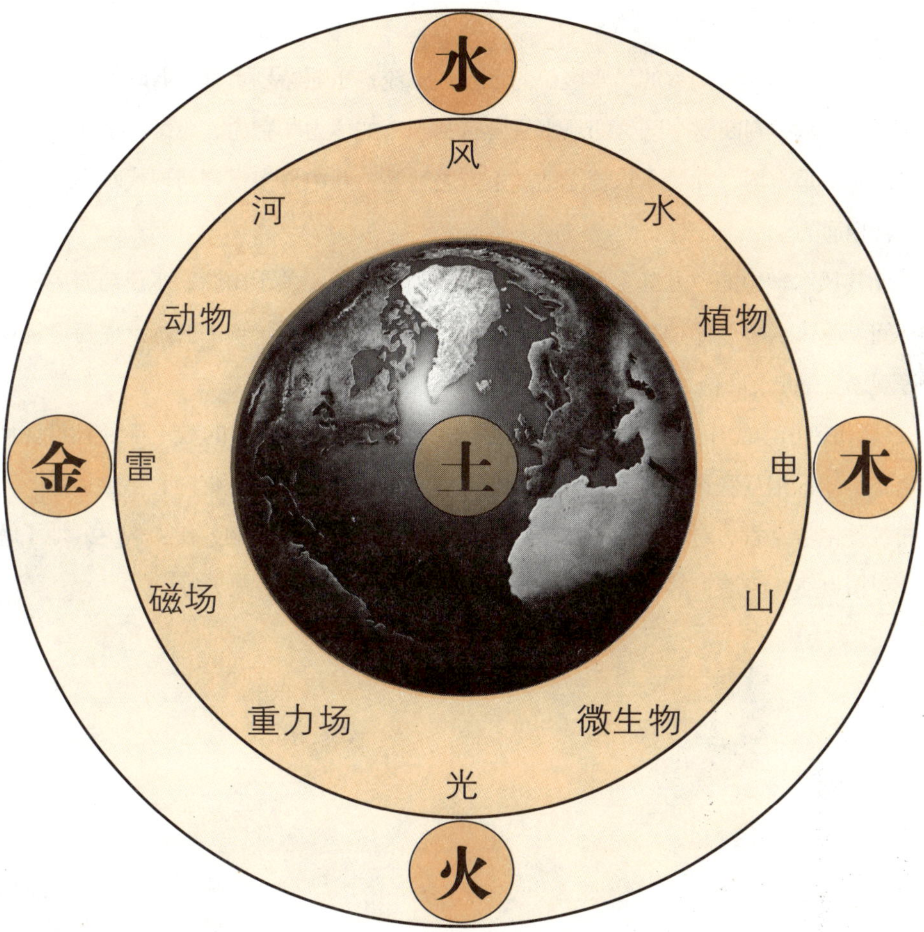

二、水文地质学与风水

现代水文地质学告诉我们，地球上亿万年来演变而成的山川河流、自然地貌、地下水脉和地质构造，形成了各种山川水流、水质、土质、岩层结构，这些地质构造之中又包涵和产生着各种有机和无机的化学元素，这些元素对人体会产生各种有益或有害的影响。例如：铁、锌、有机蛋白等，对人体是有益的，而镭、氡、锶等放射性元素，对人体与智力发展是有害的。由于这些化学元素的含量和组合结构的不同，对人类也会产生不同的正负面的效应。

为什么有的地方的人能健康长寿，而有的地方的人就容易患病或早逝？这些都与当地水文地质条件密切相关。

传统风水学对所勘察的风水区位的地貌、水流、水质特别重视，有时还要闻尝土和水的气味，从中判断这个区位的风水是否有利于人的体力和智力、思维和事业。如水的味道甘甜应是吉地，如果水味苦涩则是不吉之地等。其中许多道理与现代水文地质学也是相合相通的。

尤其风水学中的“龙脉”思想，就是现代地质地理学关于山脉、水流与岩层的走向的学问。而风水中“保护龙脉”的思想，也与现代水文地质学说中的水土保持、环境保护等观念相融洽。

现代风水学的内涵与使命之一，就是系统地将传统风水学的数千年经验与现代水文地质学知识相互联通，从而研究出山川河流、地质地貌、山脉走向、水土关系及其产生的各种化学元素，对人类生理与心理、健康与事业的正反影响，使人们更好地了解自然，利用自然，改造自然和顺应自然，使人类生活得更健康、更美好。

中国传统人居思想

中国自古以来就注重对居住环境的选择，尤其崇尚“山环水抱，天人合一”的文化思想，这种思想早已在中国山水画中表现得淋漓尽致，是历代中国文人追求的至高精神境界和心灵家园。

三、环境景观学与风水

人类生存在自然大环境之中，这种大环境中的山川水流、花草树木和各种组合，形成了各种自然的环境景观。人们为了营造舒适、美观的生存环境，还会创造一些人文景观和人造园林等建筑景观。这些自然形成和人为营造的环境景观，都会对人类产生种种物理、生理和心理效应。人是自动化程度很高、对外界事物的反应能力很强的有机体，周围环境景观形成的构架、色彩乃至引力、气场等等都会对身心健康和事业发展等多方面产生重要的影响。

例如，当人们处在一种美观舒适、色彩和谐的环境景观中，就会感到心旷神怡，甚至思维更加清晰敏捷，创造灵感也格外活跃。

我国古代非常重视庭院美化，也非常重视庭院风水，认为庭院建筑、花草树木、假山流水的组合布局，要符合风水的要求，这样就能有利于身心健康和财运事业，这是传统风水学中朴素的环境景观意识。如苏州园林就是人造环境景观风水的典范。

慧缘风水学的内涵与使命之一，就是要将传统风水学中的朴素真理，与现代环境景观学相互嫁接，不仅研究环境景观的美学规律、建筑学规律和植物学规律，更要进一步研究环境景观的结构、方位、材料、色彩、外形及其场态信息对人类生理和心理的各种作用力，从而探索选择和营造出有利于人类自身健康和事业发展的环境景观的科学规律和方法。

四、生态建筑工程学与风水

生态建筑学是研究人类建筑环境与自然界生物共生关系的生态学，是探索地球上生命活动能够均衡持续发展的生态学延伸于建筑学领域的一个分支。生态建筑学一方面把人类聚居场所视为整个大自然生态系统的一部分，因而要求建筑物应当符合大自然生态系统平衡共生的规律；一方面把自然生态视为一个具体建筑结构和对人类产生影响力的有机系统，因而要求人类在建筑规划选址时，应考虑其自然生态环境的结构功能和对人类的各种影响，从而合理利用、调整改造和顺应其建筑生态环境。

当率先研究生态建筑学的西方学者偶尔把目光投向东方文化时便惊讶地发现：延绵发展了几千年的中国传统风水学理论，其环境观、自然观与建筑观，竟与当代生态建筑学的新思潮理论产生了历史的共鸣！

自有人类伊始就产生了建筑学。人类出于生存的本能，需要寻求一种遮风避雨、防范天敌虫害的寓所。仅仅依赖自然山洞土穴蔽护，已不能适应人类生存与发展的需求。于是便出现了人工建造的简陋的居所。如有巢氏在树上搭建的茅棚，山顶洞人挖掘的窑洞，便是人类为避免自然灾害和天敌伤害而建造的人工建筑的原始形态。

随着人类文明的发展，人类逐渐对居住的建筑寓所提出了更高的要求，除了对寓所建筑的实用性、安全性要求之外，还增加了美观性、私密性、健康性的需求，并希望其寓所与周围环境协调，有利居住者身心健康。

随着人类建筑的多样性发展，民房建筑与官邸建筑，寺庙建筑与宫廷建筑对于生态环境的关系和要求各有不同。这些建筑所处不同的地理位置、建筑材料、建造形态、规模、风格、方位与色彩等都不同，这种因素对于不同身份职业、不同生命信息的人会产生不同的影响力、作用力，并产生不同的正反效应。

慧缘风水学的内涵与使命之一，就是要将传统风水学的合理内涵与当代生态建筑学相融合，即研究建筑的方位、形态、材料色彩等等对于不同人的身心健康与事业发展的正负效应，也研究建筑的种种要素组合格局对于大自然生态的正反影响，掌握对建筑要素及其格局的调整、优化，使之与人体生命信息和整个自然生态更协调、更同步，以更有利的科学方法，探索人、建筑物、自然生态三位一体和谐共生的客观规律。

五、宇宙星体学与风水

地球是宇宙星河中的一分子，它每时每刻都受到周围星体对它产生的吸引力、排斥力、作用力的影响。宇宙中的各种光电信息、磁力、热能、超级宇宙能，无时不对地球产生各种正负效应。而人，是地球上生存的感应能力最强的高级生物，自然也随时受到宇宙星体对地球产生的各种效应的影响。

例如：太阳对地球产生的光能热能效应，使万物得以生发，而太阳黑子也对地球人类及其他动植物产生着严重的负面影响。又如：月亮的圆缺和运转周期，对海水的潮汐涨落产生明显的作用力，同时也对人类女性的月经周期产生一定的影响力。日蚀月蚀及彗星等特殊的星体变异，对地球的磁场、气温、地震、旱涝灾害产生特殊的作用力，同时也对人类的生理、心理、思维、情绪乃至疾病、灾荒等等，产生多重的影响力，由此也可能进而产生社会的动荡与变迁。再如太阳黑子对人类健康产生众所周知的影响，日蚀、月蚀对地球和人类产生的特有的作用力等等，无不印证了宇宙星体和地球、人类的感应联系。

上述种种现象和规律，恰恰与传统风水学探求的“天、地、人”和谐对应的统一的理念相通合。承传千年的风水学经典《黄帝宅经》早已提出勘舆风水应达到“人宅相扶，感通天地”的境界。

慧缘风水学的内涵和使命之一，就是要将传统风水学中的“天、地、人”和谐统一学说与现代宇宙星体学接缘，研究和预见星体及其对地球与人类产生正负效应的规律，掌握、调整和减免宇宙自然能量的动变对地球与人类负面影响的方法，控求宇宙、地球与人类三位一体的同步对应及和谐共存的理想境界。

六、气象气候学与风水

中国南方与北方的气候大不一样，有时南北地区的温差达摄氏50度至60度之多。当北国边陲已是冰天雪地之际，南国椰岛却仍是春暖花开。这种气候差异对人体的影响，对人们饮食起居，尤其是住宅的影响也是显而易见的。

例如北方，寒气重，患哮喘等呼吸道疾病的人较多，但若到了四季如春的海南岛生活，绝大多数都可以不治而愈。南方湿气重，患风湿病的人较多，但到了空气干燥的新疆等地生活，也可自然痊愈。

再如北方的房屋要防寒保暖，墙壁砌得很厚，有的是双层玻璃双层墙，古人就干脆挖窑洞避寒，具有冬暖夏凉之效；南方的房屋要防热防潮，门窗开得多，有的还有天井，以利通风透凉。有些山里人干脆用竹木搭起悬于地面的吊脚楼，既可通风防湿，又可防御野兽虫蛇的侵害。

从传统风水学的观点看，北方的房屋建筑方位一般要以坐北朝南方为吉宅；南方的房屋坐向就不一定要坐北朝南，而只要顺势，即根据房屋周围的山形水势或路的走向来合理选择，调整方位和坐向，即为吉宅。

从气象学的观点来看，北方的房屋之所以要求坐北朝南为主，是因为要以门窗朝南向阳采光取暖，以后墙朝北避风御寒；而南方的房屋，就不一定有这个要求了，只要顺势通风，凉爽防潮即可。

可见传统风水学和气象学也有天然相切相接之外，此外，传统风水学特别讲究建筑与风与气的关系，这与气象学中研究的气候学亦不无相同之处。

慧缘风水学的内涵和使命之一，就是要将传统风水学同现代气象学相契合，探索人类居所建筑的布局面与调整如何适应气象、气候的变化，以有利于人的身心健康、家庭和谐与事业发展。

七、磁场方位学与风水

地球磁场学认为：地球是一个以南北两极为端点的强大的磁力场，这种磁力场对稳定地球自身的动转平衡，对地球表面物体的稳定性，起着举足轻重的作用。

具有强大磁场的地球在自转和围绕太阳公转的过程中，产生了一种强大的磁向吸引力，这便是地球磁力的方向性。由于这种带有鲜明方向的地球磁力的传感作用，地球上的某些物体亦会产生一种磁性感应，使这些物体也产生一种相应的辨别方位的能力。例如我国自古发明的指南针，还有人类、鸟类体内辨别方向的感应机能，正是地球磁向的感应使之具有的功能。

这些，正是地球磁场方位学所要研究的现象。上述磁场、磁向及其方位，对于人类及其住宅状况会产生巨大的影响力。例如人们床位的设置和睡觉时的方位，也会受到地球磁场引力的影响，北半球的人如果头朝北睡，就会有一种安定舒适的感觉，因为北极磁场会对人的大脑产生一种安定、调节的作用，使人的睡眠更安稳，大脑休息更充分。而南半球的人睡觉时则以头朝南为最佳，原因相同，只不过是南极磁场在起正面作用。如果头朝东或朝西睡，睡眠就可能较差，一方面与南北极磁场作用力不同步，另一方面与地球自转磁向引力不协调。当然，由于某个点位的磁场作用力的特殊改变，有时头朝东西睡，也可适应磁场的方位。如果卧室床方位与地球磁向不对应，则可能会影响身心健康甚至家庭和睦。

同样道理，北半球的房屋一般以坐北朝南为宜；而南半球的房屋一般以坐南朝北为吉。

这些，正是传统风水学观测研究数千年得出的结论，只不过昔日无法用自然科学的要领和原理去解释它而已。

慧缘风水学的内涵和使命之一，就是要将传统风水学与现代地球磁场方位学相叠合，从而探研地球磁向、方位对人类及其居住状态影响的规律性，求索出人类及其建筑顺应地球磁向方位并有利于身心健康和事业发展的方法。

八、人体生命信息学与风水

人类是地球的主宰，是宇宙的精华，万物的灵长。我们所研究的一切，包括慧缘风水学，都是为了人，都是为人类服务，使人类在这个星球上生活得更健康、更美好、更舒心。

然而，人类每时每刻都受到地球和宇宙大自然中各种因素和信息、能量的正反影响。要研究这些能量、信息对人体生命影响的规律，从中找出趋利避害、趋吉避凶的方法，就必须研究人体本身，研究人体生命信息的规律。

人体是由多种化学元素构成的最高级的有机生命体，人体本身也不断地产生各种信息与能量；这些信息、能量必须与自然界的信息、能量协调同步，才能达成和谐共振效应，人类才能更好地生存与发展。

传统风水学认为：每个人的生命个体具有各自不同的“命格”。用人体信息学的话来阐释就是：每个人体，具有各自不同的生命信息、能量及其不同的组合机构。这些不同的“命格”或曰不同的生命信息能量状态（我称之为“人体风水信息”）与所处不同点位和不同的自然能量信息相对接、相交换，就会产生不同的正负效应。

这些，正是人体生命信息学和风水学都应研究的对象。

慧缘风水学的内涵和使命之一，就是要将传统风水学与现代人体生命信息学相结合，从而探索如何双向调节各种不同的人体生命信息，和不同点位的自然信息，使两者信息同步对应，使两者能量优化组合，以利于人们的身心健康、家庭和睦及事业发展。

医学，其实也是调节人体信息与自然信息和谐对应的一种方法。中药是直接采自大自然的不同信息能量载体，西药也是间接来源于自然。有些矿物质、矿泉水可直接用于人体疾病的治疗。对症服药，就是将恰当的自然信息能量与人体能量信息相调节、相交换，以期对人体产生一种和谐、健康的效应。

人有五脏六腑，天地有阴阳五行。五脏者，心、肝、脾、肺、肾。五行者，金、木、水、火、土。二者相谐对应。如果人的五脏的五行属性关系失调，就会产生疾病，出现健康问题。凡事采用恰当的自然信息来调整（治疗）人体的生命信息，使之和谐、健康。

风水与内经图

《内经图》，又名《内景图》，为人体侧身剖面图。源于《黄帝内经》之有关内容。内容包括了阴阳、五行、太极、八卦、前三田、后三关等，形象地表达了脏腑经络的功能活动及其互相制约、互相依存的制化关系，突出地体现了养生修真金丹大道的修炼过程及后天返先天的规律。历代各家各派，如医、道、儒、释都是根据先天生后天、后天养先天，人天相应的自然法则，注重培养真气、沟通任督、修性固命、返朴归真的。《内经图》提示了这些环节的关键至理。

内經圖

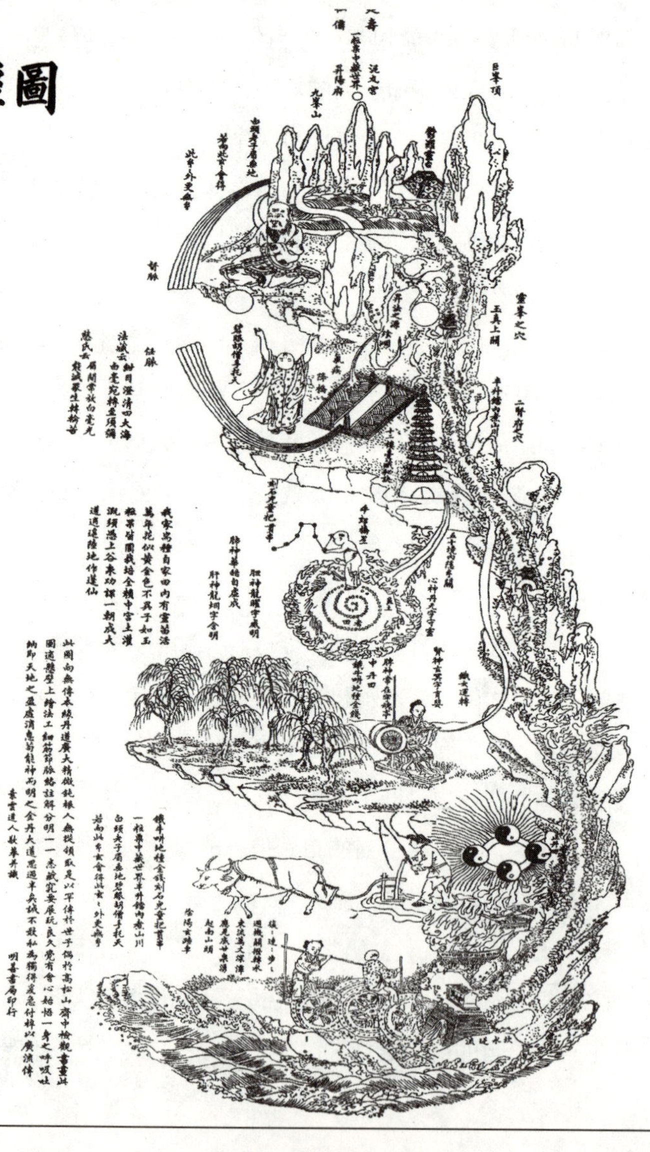

如果说医学是从调节人体生命信息入手，以适应自然信息，那么调整建筑风水则是从调节自然信息入手，以利于人体生命信息的运行。有些房屋建筑的方位、格局、材料、色彩等产生的各种能量信息，会对人体的健康、心理、思维与情绪产生干扰与损害，也就自然有损他的事业乃至家庭。这种建筑就必须调整、改造其风水信息。

每一个人体的生命信息群都是一个小宇宙，既受其周围自然物体与人的信息能量影响，也可以影响周围的人或事物的信息。例如带有病毒信息的人体对周围的健康人体会产生不良影响。而有些能量较大的生命信息体，也可对周围的人和事物产生良性作用力。如修炼得道的气功师，可以通过各种信息传递方式对周围人体甚至某些自然信息进行良性调整。

因此，每个人体的生命信息也可以通过身体锻炼与气功修炼等方法进行自我调整与优化。

第三章

慧缘开运风水学的科学基础

慧缘认为风水学重在论“气”，“气”不仅是中国传统文化的重要思想，也是古人的世界观。事实上，从现代科学的角度看，这种气与当代最新的微波技术是相同的。

本章导航

一、风水之气是微波

二、古今人类建造的微波天线

三、微波对人体的作用

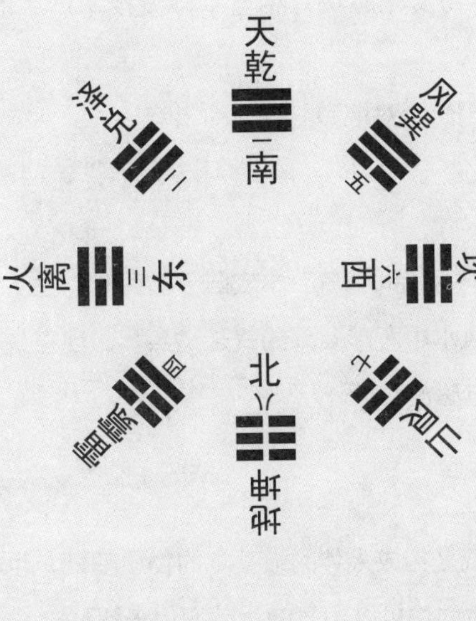

一、风水之气是微波

当今，风水学受到世界各国的重视，美国有多所大学开设了风水学课程，无数跨国企业和国际名人对风水趋之若骛，高薪聘请风水师为其相宅改运。风水学在全球范围的广受重视有力地说明了它所具有的科学性和统一性。不能不说，风水学是被埋没了多年的应用科学。可喜的是，在科学向纵深发展的今天，全息论、生物钟、微波技术等新科学层出不穷，这就有助于我们逐渐揭去风水学神秘的面纱，还其本来的科学面目。

今天的微波技术，是风水学科学性的表现形式之一。

风水学中“山环水抱必有气”的山环水抱，尤其是“山环”，相当于微波技术中的铁锅状的微波天线。

风水学的马路、通道，相当微波技术的“波导管”。

风水学中的宅院、房子，相当于微波技术中的“谐振腔”。

风水学中的门前障碍物及化解法，相当于微波技术产生的“驻波”及“匹配元件”。

风水学中气的影响，相当于对流层对微波的影响。

笔者认为风水学中的“气”和传统文化神秘的“气”与当代最新的微波技术是相同的。

那么，何为“气”呢？古代的“气”字实际上有两种写法：“炁”与“气”。炁是先天的，气是后天的。而风水中所涉及到的气是“炁”，现在统一写作“气”。“气”就是超微粒子，是场、是电磁波。

中医之气

中医讲气，中医认为气是构成人体的最基本的物质基础，也是人体生命活动的最基本物质。人体的各种生命活动均可以用气的运动变化来解释。

气的生成来自于三个方面：

1、先天之精气：即受之于父母的先天禀赋之气。其生理功能的发挥有赖于肾之所藏精气；

2、水谷之精气：即饮食水谷经脾胃运化后所得的营养物质；

3、吸入之清气：即由肺吸入的自然界的清气。

作为人体生命活动的基本物质，气的功能主要有以下几个方面：

1、推动作用：气可以促进人体生长发育，激发各脏腑组织器官的功能活动，推动经气的运行、血液的循行，以及津液的生成、输布和排泄。

2、温煦作用：气的运动是人体热量的来源。气维持并调节着人体的正常体温，气的温煦作用保证着人体各脏腑组织器官及经络的生理活动，并使血液和津液能够始终正常运行而不致凝滞、停聚。

3、防御作用：气具有抵御邪气的作用。一方面，气可以护卫肌表，防止外邪入侵；另一方面，气可以与入侵的邪气作斗争，以驱邪外出。

4、固摄作用：气可以保持脏腑器官位置的相对稳定，并可统摄血液防止其溢于脉

中医之气

气是中医理论的核心，中医基本理论、临床诊断和治疗都是围绕气展开。中医所讲的气是对具体实体物质概念进行哲学抽象而形成，与中国古典哲学有着密切关系，

外；控制和调节汗液、尿液、唾液的分泌和排泄，防止体液流失；固藏精液以防遗精滑泄。

5、气化作用：气化作用即在通过气的运动可使人体产生各种正常的变化，包括精、气、血、津液等物质的新陈代谢及相互转化。实际上，气化过程就是物质转化和能量转化的过程。

风水之气

相术观人以气，其实就是观察中医所言之气的外在表现。风水同样观气，则是观地以气。气是能量的表现。无论谈中医还是学堪舆，都要讲这个气。

那么到底什么是气呢？

有人认为，气是一种场，像磁场一样存在。

有人认为，气是宇宙形成初期遗留的物质。

有人认为，气是反物质或暗物质。

中医理论认为，气是宇宙间的精微物质。这种物质，小得人的肉眼看不见，大得充盈宇宙间。如人体经络里所运行的气是常人肉眼看不见的，甚至目前最先进的科学仪器也检测不到。但是针灸师的银针能有效调节这种气，借以治病救人。

风水理论认为，天地万物都是由气组成的，气有阴阳，在不停地运转。不同空间不同气的组合会对人产生不同的影响，带来不同的吉凶变化。如果把气想象成空气那就不能正确理解风水理论。风水把气分为生气、死气、阴气、阳气、土气、地气、乘气、聚气、纳气、气脉、气母等。

气即微波

科学发展到了今天，在人类对宇宙的创生所进行的不断探索中，对“气”也有了新的认识。

1978年的诺贝尔物理学奖发给了美国两位射电天文学家——彭齐亚斯和威尔逊。为什么？请看瑞典科学院的颁奖决定中是怎么评价的：

“彭齐亚斯和威尔逊的发现，是一项带有根本意义的发现：它使我们能获得很久以前，在宇宙创生时期所发生的宇宙过程的信息。”

我们先来看看他们发现的过程。1964年，他们在新泽西洲架设卫星通讯天线时，收到了来自天空的3. 5K（K是绝对温度，273K=摄氏零度）的干扰信号（因温度较高，电子运动越剧烈，干扰信号也越大。所以用绝对温度表示干扰信号的大小）。

他们的天线不是我们常见的杆状无线电天线，而是微波用的喇叭型天线，外形颇似昂首朝天的一口“大铁锅”，这种大铁锅我们在地面卫星通讯站或在楼顶部以及军队的雷达基地都可以见到。来自天空的3. 5K干扰信号使两位科学家百思不得其解，在他们反复检查确信不是天线本身的故障后，于是利用整整一年时间，把大铁锅分别按季节朝向四面八方，这个干扰信号依然如故，这说明干扰信号既然不随季节和方向而改变，那么它不是太阳系造成的，当然也不是太阳系某个星球发来的，而是弥漫于整个宇宙太空的辐射，即4080兆赫上的微波。后来人们把彭齐亚斯和威尔逊的发现誉为“开启了探讨宇宙整体物性演化的大门”。

那么，这种产生于“天地之始”，不愧为“万物之母”，弥漫于宇宙太空的微波到底是什么呢?

微波是电磁波家族中的一员，最年轻，它和光的频段毗邻，按波长这是光的“哥哥”。它们的次序是：

长波、中波、短波、微波、红外线、可见光、紫外线、X射线。

微波很有“个性”，被专家们誉为“黄金区”。顾名思义，“微波”是波长极短（也就是频率很高）的电磁波，量变到一定程度会引起质变，形成自己的风格特征。

首先，微波类似光波特征。众所周知，光波空间是直线传播的，所以微波也在空间直线传播，遇到障碍物时则传播受阻。

光波遇到镜子会产生折射，微波也是这样，就像用太阳聚焦而制成的“太阳灶”那样，微波也可以通过抛物面反射镜而聚焦用于接收或者照射。这种抛物面反射的外形就像一个巨大的铁锅，由于微天线的尺寸与波长有关，一般大铁锅都做成直径几米左右，这是工艺制造容易实现的。如果无线电的中、短波也要“赶时髦”，配个大铁锅天线，那它的尺寸将大到难以制造的程度。

其次，微波还有穿透“电离层”的透射特性。电离层是位于大气上层的稀薄空气，被太阳和宇宙射线的作用发生电离而形成的。它对无线电通讯的电磁波产生折射，但却挡不住微波，微波可以“天马行空，独往独来”。

第三，是宽频带特性，它是短小频带的一万倍。就是说，它的信息容量很大。

第四，抗低频干扰的能力。能将雨天的雷电和晴日的星辰电磁干扰拒之门外。

其实，到了明、清时代，由于受到洋务运动兴科学、办学堂的影响，少数对易经八卦研究有素者，对“气”与科学的联系，就已经提出了大胆的设想。

我们在“气本质”中曾经谈到，明末清初的杭辛斋在《读易杂志》中提出，《周易》上言光言气，都不是泛指光明与气象，皆与物理上所说的光与气有关。物理讲的光当然指红、橙、黄、绿、青、蓝、紫七色光，还有两端的“红外”、“紫外”。所以杭氏又说，“光分两种，一种可见，一种不可见，X光即不可见之光，或称放射线”。杭氏指物理之气非气象之气，即非大气之气，当指“电气”了。电之气，无非是指电场、磁场那些看不见、摸不到的东西。物理研究表明，有电则有电场，有磁则产生磁场，所以电、磁和场是一家。“场动生波”，所以电磁场与电磁波也是统一的，而光是可见的电磁波，微波是见不到的光。

彭齐亚斯和威尔逊发现宇宙创生时就充满了太空的那种微波辐射，当然是光，看不见的光。它诞生在天地之始，它有能量，故名万物之母。我们不妨可以认为，光中有气，气中有光，光气一体，气是看不见的光，光是看得见的气。所以，由于受到历史的局限，杭氏认为“光为气始”以及同意《易经》上说的“光盛生气”观点是不妥的。事实上，光气是一回事。总之，本质是同一事物，名称各异而已。如果没有射电天文学家的新发现，我们今天认识气的本质还将停留在笼统的光的范畴，而不会抓住气家族的一个成员——微波，也只停留在仅仅是对太阳的歌功颂德。

事实上，在诸多方面，气与微波是不谋而合的。

风水学和气功都以气为核心，近年来，对气功之外气检测发现有：受低频调制远红外线、8毫米微波、静电富集、微粒子流等。

在医疗上，它们是并驾齐驱的，微波可以引起某些生理效应，易被人体吸收。微波可以用于诊断也可以用于治疗，然而气功有素者也可以用气探测疾病和发放外气治疗疾病。

在轻工业上，微波可以提高种子发芽率，而气功有素者发放外气也可做到。

近年来，微波已经进入家庭，“微波炉”成了时髦的用具。总之，虽然一个是无生命之微波，一个是人体之气，其实是一个本源。正如古人认为“天人相应”，人体就是一个“小宇宙”。

中国人一日三餐离不开炒菜做饭用的铁锅，最近被科研人员引进科学大雅之堂。他们在大、中、小不同口径的铁锅的中心点加装一个转换器，经调试竟能收到卫星转播的清晰图像，其效果不亚于索尼牌微波天线。可以想象，一旦这种廉价天线上市，国人将会直呼其名大铁锅了，像当年称收音机为“戏匣子”、“话匣子”那样。

这不禁使人联想到“山石之锅”——盆地为什么富庶的奥秘，难道不是较好地吸收宇宙微波的缘故吗？所谓气场宝地，不无道理！

在研究中发现，微波近似光波，在空间沿着直线传播，与照到物体或雷达一样，地球上的植物要想较多接收宇宙之气，也得具备一个微波天线，一个铁锅状、喇叭状天线。当然，达不到铁锅或喇叭那样完美的程度，但只要有一定弧度、一定环状，也就可以了。如人的耳朵、手掌、眼睛、肚脐等部位都是一个个微波天线。

人类选择好的气场——山环水抱，或许也是一种不自学“仿生”。如果我们仔细观察一番生机盎然的大自然，就会发现形形色色的植物也都长有接收微波的天线。

先看植物的叶片，大多数是勺形，往往还向上翘，而且它们与整株植物构成一个面向太空的环状。莲花之王——王莲的叶子状如澡盆，是个完整无缺的绿色微波天线。

再看花朵，它们大多是由汤匙状的花瓣拼成喇叭状，有的甚至干脆就是个完整喇叭状，牵牛花最典型，“喇叭花”由此而得名。

微波与自然

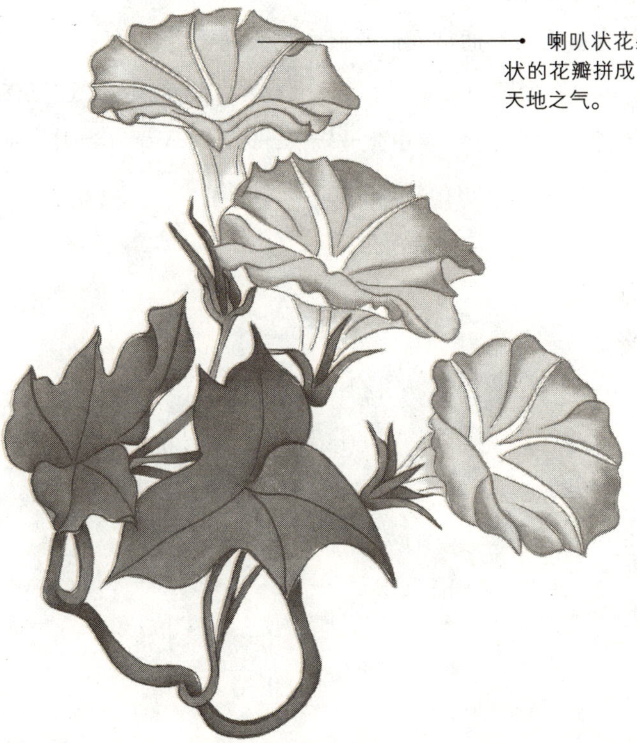

喇叭状花朵，由汤匙状的花瓣拼成，以利接收天地之气。

中国传统文化的大宇宙观点来看，它们之所以不是扁平的而是勺状的，则是为了接收更多的宇宙之气——微波。这一发现，恰恰是植物学的空白。

众所周知，植物的叶子和花朵的功能是光合作用，但若站在中国传统文化的大宇宙观点来看，它们之所以不是扁平的而是勺状的，则是为了接收更多的宇宙之气——微波。这一发现，恰恰是植物学的空白。

实验证明，植物本来就是微波天线。

1979年，当得知国外科学家测到宇宙背景辐射是微波的消息后，又看到植物的叶子、树冠形状颇似微波天线，于是我将院内的大树，室内盆景用导线引入电视天线插口，果然不出所料，图像比用室内天线清楚多了。由于植物叶子是全方位的，所以不必像室内的拉杆天线那样转来转去，寻找最佳方向。

1990年5月科技杂志上发表一条最新消息，内容是“印度科学家发现香蕉树不仅可以提供人们香甜可口的香蕉，其树叶还是绝妙的微波天线。方法是将导线刺入其杆的脉络，另一端再接到电视机上，可得到清晰的图像”。

有两位学者发现：“鸟的羽毛起着微波介质天线作用。”认为“羽毛在感受微波场强度方面，可能起着接收器的作用”。

什么是介质天线？通常人们的概念是天线要用金属导电材料制成，而介质天线则可以是非导体、非金属的。如羽毛、山石树木和建筑物等，这将有助于我们理解为什么石头的“文笔峰”可以接收宇宙微波辐射，以及“天之气为阳”故有“山地生男”的诊断；“地之气为阴”，故有“泽地生女”的规律。

二、古今人类建造的微波天线

人为万物之灵。人与动物的区别在于能创造工具，主动地改造世界。

人无需在自身结构上长个喇叭状微波天线，但却可以做出各式各样姿式，创编多种功法来采集宇宙之气，这在练功术语中称“采气”，其姿式大多由肢体或躯干弯成弧状而面向天空。然而生命的三分之一是睡眠，光靠练功是远远不够的，必须选择一个天然的微波接收天线——山环水抱。以投身于一个天然的较强气场中，或者以土石建筑仿造一个山环。山环，是接收宇宙之气——微波的介质天线，而“水抱”也大量收集微波。因为研究发现，水是一种易于吸收微波能量的“积极分子”。这就是对“山环水抱必有气”的科学理解。

环形山、喇叭花、勺状叶、羽毛，乃天生地造的微波天线。从微波的直线传播特性，从抛物线状天线，从气功感气等方面来看，都无懈可击。如果不懂气功，也不懂微波，则很可能提出这样的问题：光的反射需要水银玻璃，古代则为铜镜，现代微波天线也是个金属的“大铁锅”。那么，自然环境中的土石之山、普通之水怎么能与之相提并论呢？

如果怀疑土石之山、砖瓦之房、江河湖海它们不是镜子，不会聚光反光，那么就请举头望明月吧。每月的阴历十五，一轮明月高悬空中，其光照度可供老大娘月下纺线。月亮与地球都是不会发光的，光源来自太阳。其实地球也可以反射阳光，如明月当空照，不过这得随阿波罗号飞船去登月，方能大饱眼福，看看地球是如何像明月高悬一般。

地气差，是否应多收天之气？香港原是石头岛，地气不算好，但由于得到海的环抱，海之气弥补了一些。此外，那些林立的大厦，犹如一个个微波天线，又收到了许多天之气。

建筑构形对接收天之气很有关系。如北京的国际饭店、悉尼的大剧院等，就像一个个微波天线，有的像环形山，有的像盛开花朵的花瓣。

值得一提的世界建筑奇观：福建客家的土圆楼，一般圆楼直径在50米左右，高三四层，周围有百余间房屋，可住几十房户数百人，宛若一个个古朴的土制微波天线。

香港维多利亚湾。

“文笔峰”是某地高山上人们建筑的一座塔，人称文笔峰。过去实行科举制选拔人才，那个地方年年有人中举，后来却连连落选，原来是文笔峰倒塌了。于是集资修塔，结果次年又出了人才。

古人发现，欲出人才，必要有高物，才能接天之气。如今民间仍懂得盖房要比别人家高些的道理，哪怕高一块砖也好。假如比邻居的房矮，也可架起电视天线予以弥补，因为天线能引入宇宙气场（气场包括电磁场）。

气，通过气功外气测试，已发现有远红外线、微波等，说明气的内容包括了电磁波，故可从天线引导而下。

大家知道，气功可以健身和开发大脑智慧。气功之气与宇宙之气同一本源。故先得多得宇宙之气，自然有助于开发大脑智慧，变得聪明起来。北京的玉泉山塔、杭州的六和塔、延安的宝塔等都具有这种开发智慧的功能。

前面说过，接收微波要靠抛物面天线，也就是外形要像大铁锅。 那么，文笔峰相当于直的天线，又如何起作用呢?

广西某地文笔峰历史上出了11个状元。

原来，由于微波像光一样直线传播，遇到障碍物就要被阻挡而反射，所以城市的高大建筑物上，往往安放一个或多个白色大铁锅模样的微波天线。由于高，便避免了微波反射的损失。

微波的远距离传输，需要像田径场上的接力赛那样。因为光线不会随地球的圆弧而拐弯，因此接力天线就要架得很高，名曰“微波接力天线塔”。该塔或建在楼顶，或设在山巅。当然，顶端还是要有个铁锅状的天线。总之，杆状与抛面状相结合的天线才能神通广大。

所谓文笔峰，并不是全指尖形的山，也指山上修的塔。塔顶上的“楼阁”本身就具备了类似铁锅的天线作用。至此，我们可以恍然大悟：为什么先哲们修道要进入深山？我曾体验过河南少林寺“达摩洞”、山东崂山顶上的“张三丰洞”、陕西汉中紫柏山张良的“神仙洞”等，这些山洞我都勘测过，洞中某一方位的气感很强，难怪成就了一代宗师！

近年，尖型建筑物初露头角，大概设计师们懂得了文笔峰的道理吧。

三、微波对人体的作用

按古人天人感应的道理，人体应是小宇宙。宇宙有微波，人体怎么能没有呢？不过，一般人体微波较弱，但经过气功锻炼，就可强化了。我们可以从酒与摩掌和微波的关系，看看微波在人体的客观存在。

说起饮酒，中国有句古话，叫做“英雄海量”。这是形容身体强壮或武术造诣深的人能饮大量的酒而醉不倒。

1985年，我在主持全国气功考察时，发现郑州一位气功师有“变酒”的本领：桌上好端端地放着一杯酒，他的“摩掌”一挥，酒的浓度明显变淡了，而且浓度越大的酒，对比的感觉就越明显。此外，他接触过的糖果味道也更加适口。

茅台酒一般需贮存5～8年，才能达香醇可口的适度，而刚经发酵酿造出来的新酒，总带有辛辣，甚至苦涩味，很难饮用。

能否用人工方法使酒提前熟化，缩短酿造周期呢？

实验表明，用微波处理新酒，能在一两分钟内把新酒杂味去掉。处理后的新酒，基本上可与自然老熟的酒相媲美。微波是频率极高的电磁波，用于催熟生酒时可使用频率为915— 2450兆赫的微波。用微波催酒熟的原理在于：微波可迫使水分子与乙醇分子组合，加速其化学反应与物理变化，所以能使酒味变得醇香。

气功师的“摩掌”和微波都能促使酒味变化，使新酒老熟，这二者之间有什么联系呢？

人体的新陈代谢产生生物电、生物磁，因而产生生物磁场，这种场在人安静、瞑想时最强，国外科学家称之为“人体能场”。近年来，我国气功科研人员从气功师手掌中也测到了电磁波的发放，其中有的是低频调制的远红外辐射，“摩掌”之谜就在于远红外辐射对酒的化学影响。

微波与远红外的波长毗邻。当电磁波的波长为1毫米至1米时，就叫做微波，而小于1毫米的一段叫做远红外辐射，或叫亚毫米波。

当然，气功有素者所发放的电磁波远不止远红线。最近，有人又从气功师身上测到了8毫米的微波信息。实际上，对于人体经过特殊训练而产生的全部电磁波，还有待

宇宙微波与风水之气

无论天地，还是人类都与生俱来地具有微波，都源于宇宙。好的风水讲究藏风聚气，其目的就是为了更多地吸取天地之气——微波。古代先哲普遍认为，气无处不在，气构成万物，气不断运动变化。《老子》云：“万物负阴而抱阳，冲气以为和。”

无论中医中的“气”，还是风水中的“气”，通俗点说，就像物理中的“力”、“势”、“场”一样。力的物质形态是什么？看不见摸不着，它只能寄存于某个实体中，两物体发生作用时才体现出来。同样还有微波、磁场、电场，也看不见摸不着，但是，现在应该没有人否认它的存在。

于测试手段的不断完善。不过，目前所测到的远红外辐射和微波信息就已经能初步解开“摩掌”对酒产生影响的谜团了。

近年来，许多高等院校也对气功发生了浓厚的兴趣。西安交通大学在一位气功师手掌上测到功率为65微瓦微波；在另一位气功师手掌上测到功率为46微瓦微波。

这些例子说明，无论天体，还是人类都与生俱来地具有微波，但源泉在于宇宙天体。人体是一个开放系统，每时每刻都在与天体进行能量交换，但更多的是索取。“万物生长靠太阳”这句话并不尽然，还应该靠浩瀚的宇宙。

研究发现，微波辐射4080兆赫频率，对人体的气血运行有利。假定依据是天人相应理论，即今天所称的全息理论。通俗地说，母亲的乳汁无需化验，必定对婴儿有益无害。

水可以吸收微波能量，而人体有70%为液体，所以人体亦能较好地吸收微波的能量。

微波透入活体组织深度取决于其频率。具体说，透入肌体的深度随频率增加而减少，即成反比。实验表明，微波频率在2~3兆赫时，能量主要被皮肤吸收。频率在1千~3千兆赫时，能量会被表层和中深部吸收；1千兆赫以下被深部组织吸收；150兆赫穿过人体就浪费掉了。

我们从中不难看出，微波频率从高变低，透入人体部位是：皮肤—表层—深度—穿透。而我们感兴趣的则是“皮下组织”，按中医经络学说，经络存在皮下的筋肉之间，这是人体所说的“气”的通路，人体十二正经脉及奇经八脉均在这个层次。

我们现在来选择一个合适微波频率的范围，前面谈到，1千~3千兆赫时，可以进入人体表层或深部。希望浅一些，不要到深度，根据频率与深度成反比规律，就必须使频率比2千兆赫再大些，似乎4千兆赫比较合适。

宇宙背景辐射的微波频率是4080兆赫，正巧是4千多，真是令人拍案叫绝！就好像是万能的造物主专为疏通人体的气之路——经络而专门设计的微波频率！

现在我们知道了风水之气乃天地之气，就是宇宙微波。“天、地”，古人是指整个自然界而言，“天地一体”就是说自然界是一个统一的整体。关于这一点，早在《黄帝内经》里就有明确论述，如《内经素问·阴阳应象大论》里指出：“天地者，万物之上下也。”“天有四时五行，以生长化收藏，以生寒暑燥湿风。人有五脏化五气，以生喜怒悲忧恐”，这就是说，天地万物不是孤立存在的，他们之间都是互相影响的、相互作用、相互联系、相目互依存的。天地之间有四时五行的变化，产生各种不同的气候，在不同的气候下，一切生物有生长、发展、消亡的过程，人体五脏也有不同的变化，产生喜怒悲忧恐五态。这个学说即为中医理论的核心思想。古代先哲不仅将这种学说运用于医学保健，更融会贯通到生活中的各个层面，如风水术。

总而言之，风水学的科学性就在于人们利用自然、改造自然、顺应自然的方式，包括微波辐射在内的各物理能量，使其居住环境更符合人体生理的需要。这就是现代科学风水学的真谛所在。

第四章

你必须了解的八宅风水学基本知识

八宅风水里严格地将一家宅分为八部分。分别是东方、南方、西方、北方、东北方、东南方、西南方、西北方。这八个方向对人们的影响是不同的，有的方位很吉利的，而另一些方位则是不吉利的，这需要通过研究个人的命卦而定。本章将讲解如何结合个人命卦勘察风水。

本章导航

一、八宅风水入门

二、八宅的八种卦象

三、家宅坐向决定卦象

四、命卦与宅卦是否配合

五、命卦计算公式

六、东四宅与西四宅

七、以户主命卦为依据

八、八卦的五行属性

九、五行颜色之利用

十、如何化解五行煞气

十一、卦象亦主六亲

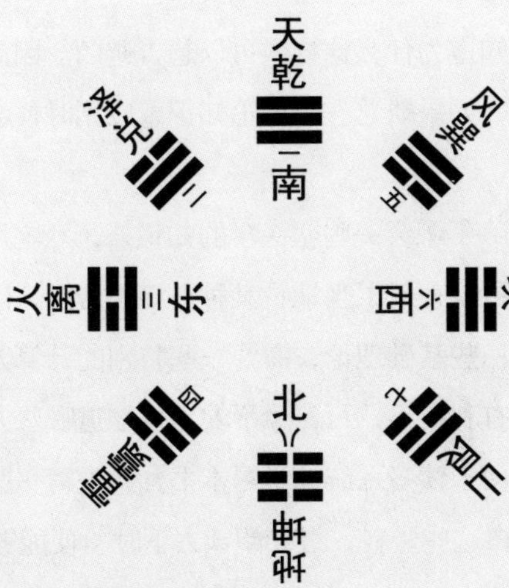

一、八宅风水入门

八宅风水学是我国古代重要的风水理论之一，具有重要的研究价值，也有一定的实用性。在自然科学十分现代化的今天，我们将它作为一种传统文化加以研究，去除糟粕，吸取精华，并且掌握它、运用它，将会对现代科学风水起到重要的辅助作用。

八宅风水学是研究命卦与方位的关系。对于有心研究风水学这门深奥的学问的读者，当然最好是逐门深入，由各种风水学的基础学起，直到能全面继承，并且能结合现代自然科学，朝着科学实用的方向发展，使其更好地为人类服务。

本书的宗旨是向读者推荐一套系统的、科学的、实用的风水学知识，并能即学即用这些知识，以判断家宅风水的好坏，从而吉的保留，凶的更改，以保障一家大小平安吉祥，健康幸福。

以上述的目标为前题，原本是应该尽量避免使用抽象理论的，可是，没有抽象理论的建立，便没有具体技巧的应用，读者或者只知其然而不知其所以然，只知道怎样做可以趋吉避凶，却不一定需要知道为什么这样做可以趋吉避凶。因此，抽象理论还是需要的，即使是最初的风水技巧，如果缺乏一些理论知识，应用时便会有很大的限制，无法得心应手。

在本书的系统理论中，除了融会一些峦头学的知识外，八宅风水学的应用也非常普遍。大峦头和小峦头的应用可以直截了当地看某种环境的吉凶，比较简单，可是，八宅风水学却不是如此，它需要一些基础理论，需要一些特别的计算方法。只有了解这些因素，方能知道哪些方位是最有利自己，可保障平安，也知道哪些方位大凶、犯煞，并掌握化煞的技巧。因此，为了便于读者系统地学习本书，我先写一些篇幅小，介绍八宅风水学的基本知识，教读者明白这些资料，继续阅读去下时，便能够得心应手。

八宅风水学严格地将一家宅分为八部分。分别是东方、南方、西方、北方、东北方、东南方、西南方、西北方。从理论上讲，这些方位对于某些人来说，有些方位是很吉利的，而另一些方位则是不吉利的，这需要通过研究个人的命卦而定。

八宅定方位

勘察办公室或居室风水，首先要正确测定八宅方位。如图所示：确定八宅方位时，将正北方向对准罗盘归零度的0度。

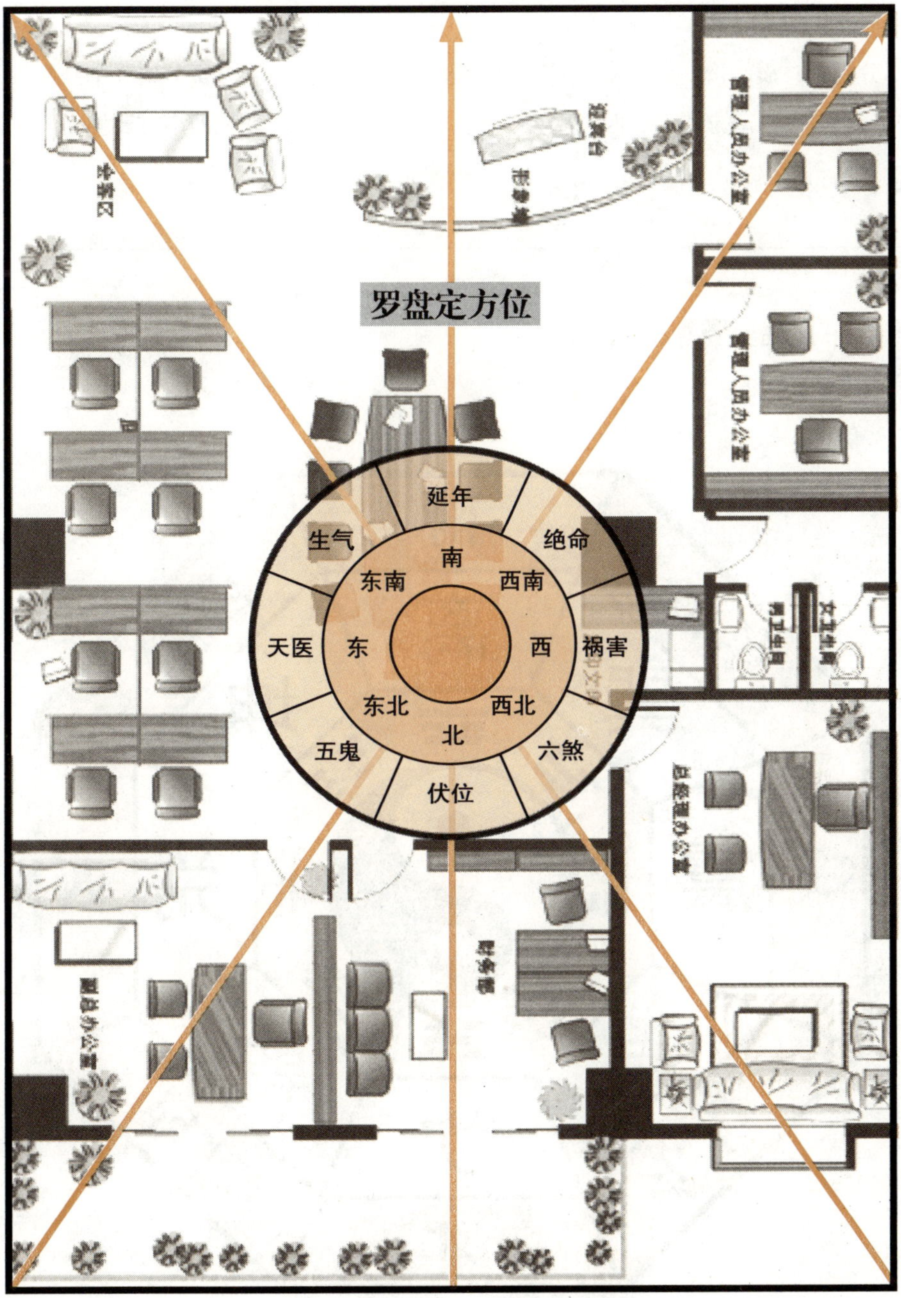

二、八宅的八种卦象

分别是：震、离、兑、坎、巽、坤、乾、艮。家宅的八个方位分属八个卦象。分别是：东方属震、南方属离、西方属兑、北方属坎、东南方属巽、西南方属坤、西北方属朝乾、东北方属艮。

八宅的八种卦象

三、家宅坐向决定卦象

因此，根据第三项的原则，我们便能依照一个家宅的坐向来决定该家宅究竟属什么卦。如何决定坐向呢？那是按大门所向的方位而定。我们站在屋内，面向着大门，则所面向的方位便是“向”，而与“向”相对的方位便是“坐”。例如，大门向西，则家宅坐东；大门向东南，则家宅坐西北；大门向西北，则家宅必坐东南，如此类推。坐与向的方位一定是相对的，不管家宅的屋形如何，都没有例外。

我们看看家宅坐于哪方，便能够知道此家宅到底属哪一卦，即属于哪一宅，这些宅的分类共有八种，详见下表。

依照八卦而定的八宅，读者也就明白了为什么被称为“八宅风水学”。

在八宅中，还分为东四宅和西四宅。东四宅分别是震宅（坐东向西）、离宅（坐南向北）、巽宅（坐东南向西北）、坎宅（坐北向南）。西四宅则是乾宅（坐西北向东南）、兑宅（坐西向东）、艮宅（坐东北向西南）、坤宅（坐西南向东北）。

读者必须记熟东四宅和西四宅的分类，这是八宅风水学基础中的基础，对以后的学习很有用处。

八卦与八宅

1	东四宅	震宅	坐东方	大门向西
2		巽宅	坐东南方	大门向西北
3		离宅	坐南方	大门向北
4		坎宅	坐北方	大门向南
5	西四宅	兑宅	坐西方	大门向东
6		乾宅	坐西北方	大门向东南
7		坤宅	坐西南方	大门向东北
8		艮宅	坐东北	大门向西 南

四、命卦与宅卦是否配合

知道了东四宅、西四宅的划分后，便需要知道一个人的命卦是不是和自己家宅的宅卦配合，互相配合则吉，不配合则凶，以下将从基础的知识开始，教读者找出计算命卦的方法，希望读者能好好掌握。

计算一个人的命卦，必须先从《后天洛书》说起。《后天洛书》是一幅十分简单的图像，相传在中国的夏朝时代，有一只神龟从洛水浮出，它的北上分成九个部分，每一部分都是一组数目：一点白色近尾部，九点紫色近头部，四点碧色在背的左方，二点黑色在背的右方，六点白色在近右足处，八点白色在近左足处，三点碧色在左肋，七点赤色在右肋，背中央有五个黄点，有一口诀把上述九组数目组织起来，便于记忆。“戴九履一，左三右七，二四为肩，六八为足，五十居中。”这九组数不但可用来计算命卦，它还是其他各类术数和风水学的基础。

除中央的五数外，其他八组数都与卦象相配合。分别是：一属坎；二属坤；三属震；四属巽；六属乾；七属兑；八属艮；九属离。

一个人的命卦是根据出生年月计算的。每一年出生的人都有不同的卦象，所谓“一年”，并不是由农历一月一日到年底大除夕，也不是由阳历一月到十二月三十一日，而是由一年的立春到翌年的立春前夕。

命卦的卦象计算方法，其原理较精细，在此从略，我可在以下列出的一百年里找出每年出生的人的命卦所属，而男性与女性是不同的。再强调一遍：“一年”是指由立春日到翌年的立春日前夕，若忘记此一原则，便差之毫里，谬之千里。

男女命卦速查表

公历生年	农历年	男性卦象	女性卦象
1901年	辛丑年	男性属离卦	女性属乾卦
1902年	壬寅年	男性属艮卦	女性属兑卦
1903年	癸卯年	男性属兑卦	女性属艮卦
1904年	甲辰年	男性属乾卦	女性属离卦
1905年	乙巳年	男性属坤卦	女性属坎卦
1906年	丙午年	男性属巽卦	女性属坤卦
1907年	丁未年	男性属震卦	女性属震卦
1908年	戊申年	男性属坤卦	女性属巽卦
1909年	己酉年	男性属坎卦	女性属艮卦
1910年	庚戌年	男性属离卦	女性属乾卦
1911年	辛亥年	男性属艮卦	女性属兑卦
1912年	壬子年	男性属兑卦	女性属艮卦
1913年	癸丑年	男性属乾卦	女性属离卦
1914年	甲寅年	男性属坤卦	女性属坎卦
1915年	乙卯年	男性属巽卦	女性属坤卦
1916年	丙辰年	男性属震卦	女性属震卦
1917年	丁巳年	男性属坤卦	女性属巽卦
1918年	戊午年	男性属坤卦	女性属巽卦
1919年	己未年	男性属离卦	女性属乾卦
1920年	庚申年	男性属艮卦	女性属兑卦
1921年	辛酉年	男性属兑卦	女性属艮卦
1922年	壬戌年	男性属乾卦	女性属离卦
1923年	癸亥年	男性属坤卦	女性属坎卦
1924年	甲子年	男性属巽卦	女性属坤卦
1925年	乙丑年	男性属震卦	女性属震卦

1926年	丙寅年	男性属坤卦	女性属巽卦
1927年	丁卯年	男性属坎卦	女性属艮卦
1928年	戊辰年	男性属离卦	女性属乾卦
1929年	己巳年	男性属艮卦	女性属兑卦
1930年	庚午年	男性属兑卦	女性属艮卦
1931年	辛未年	男性属乾卦	女性属离卦
1932年	壬申年	男性属坤卦	女性属坎卦
1933年	癸酉年	男性属巽卦	女性属坤卦
1934年	甲戌年	男性属震卦	女性属震卦
1935年	乙亥年	男性属坤卦	女性属巽卦
1936年	丙子年	男性属坎卦	女性属艮卦
1937年	丁丑年	男性属离卦	女性属乾卦
1938年	戊寅年	男性属艮卦	女性属兑卦
1939年	己卯年	男性属兑卦	女性属艮卦
1940年	庚辰年	男性属乾卦	女性属离卦
1941年	辛巳年	男性属坤卦	女性属坎卦
1942年	壬午年	男性属巽卦	女性属坤卦
1943年	癸未年	男性属震卦	女性属震卦
1944年	甲申年	男性属坤卦	女性属巽卦
1945年	乙酉年	男性属坎卦	女性属艮卦
1946年	丙戌年	男性属离卦	女性属乾卦
1947年	丁亥年	男性属艮卦	女性属兑卦
1948年	戊子年	男性属兑卦	女性属艮卦
1949年	己丑年	男性属乾卦	女性属离卦
1950年	庚寅年	男性属坤卦	女性属坎卦
1951年	辛卯年	男性属巽卦	女性属坤卦
1952年	壬辰年	男性属震卦	女性属震卦
1953年	癸巳年	男性属坤卦	女性属巽卦
1954年	甲午年	男性属坎卦	女性属艮卦
1955年	乙未年	男性属离卦	女性属乾卦
1956年	丙申年	男性属艮卦	女性属兑卦
1957年	丁酉年	男性属兑卦	女性属艮卦

1958年	戊戌年	男性属乾卦	女性属离卦
1959年	己亥年	男性属坤卦	女性属坎卦
1960年	庚子年	男性属巽卦	女性属坤卦
1961年	辛丑年	男性属震卦	女性属震卦
1962年	壬寅年	男性属坤卦	女性属巽卦
1963年	癸卯年	男性属坎卦	女性属艮卦
1964年	甲辰年	男性属离卦	女性属乾卦
1965年	乙巳年	男性属艮卦	女性属兑卦
1966年	丙午年	男性属兑卦	女性属艮卦
1967年	丁未年	男性属乾卦	女性属离卦
1968年	戊申年	男性属坤卦	女性属坎卦
1969年	己酉年	男性属巽卦	女性属坤卦
1970年	庚戌年	男性属震卦	女性属震卦
1971年	辛亥年	男性属坤卦	女性属巽卦
1972年	壬子年	男性属坎卦	女性属艮卦
1973年	癸丑年	男性属离卦	女性属乾卦
1974年	甲寅年	男性属艮卦	女性属兑卦
1975年	乙卯年	男性属兑卦	女性属艮卦
1976年	丙辰年	男性属乾卦	女性属离卦
1977年	丁巳年	男性属坤卦	女性属坎卦
1978年	戊午年	男性属巽卦	女性属坤卦
1979年	己未年	男性属震卦	女性属震卦
1980年	庚申年	男性属坤卦	女性属巽卦
1981年	辛酉年	男性属坎卦	女性属艮卦
1982年	壬戌年	男性属离卦	女性属乾卦
1983年	癸亥年	男性属艮卦	女性属兑卦
1984年	甲子年	男性属兑卦	女性属艮卦
1985年	乙丑年	男性属乾卦	女性属离卦
1986年	丙寅年	男性属坤卦	女性属坎卦
1987年	丁卯年	男性属巽卦	女性属坤卦
1988年	戊辰年	男性属震卦	女性属震卦
1989年	己巳年	男性属坤卦	女性属巽卦

1990年	庚午年	男性属坎卦	女性属艮卦
1991年	辛未年	男性属离卦	女性属乾卦
1992年	壬申年	男性属艮卦	女性属兑卦
1993年	癸酉年	男性属兑卦	女性属艮卦
1994年	甲戌年	男性属乾卦	女性属离卦
1995年	乙亥年	男性属坤卦	女性属坎卦
1996年	丙子年	男性属巽卦	女性属坤卦
1997年	丁丑年	男性属震卦	女性属震卦
1998年	戊寅年	男性属坤卦	女性属巽卦
1999年	己卯年	男性属坎卦	女性属艮卦
2000年	庚辰年	男性属离卦	女性属乾卦
2001年	辛巳年	男性属艮卦	女性属兑卦
2002年	壬午年	男性属兑卦	女性属艮卦
2003年	癸未年	男性属乾卦	女性属离卦
2004年	甲申年	男性属坤卦	女性属坎卦
2005年	乙酉年	男性属巽卦	女性属坤卦
2006年	丙戌年	男性属震卦	女性属震卦
2007年	丁亥年	男性属坤卦	女性属巽卦
2008年	戊子年	男性属坎卦	女性属艮卦
2009年	己丑年	男性属离卦	女性属乾卦
2010年	庚寅年	男性属艮卦	女性属兑卦

五、命卦计算公式

我列出了共一百年的命卦。我不必计算，只要核对上一节的每一条，便能知道什么人司于什么命卦，非常方便，不过也有些读者可能对此并不满足，而希望能够好好地计算出第一命卦，不用翻查书籍。因此一来书籍并非经常在身边，二来我们总不能保证在出版过程中，从撰书、打字到编辑校对等，不会出现遗漏和差错。因此，我将提出一种现代化、很简单的计算方法，供大家参加。

计算男性命卦的公式是：（100－出生年份）/ 9

计算女性命卦的公式是：（出生年份－4）/ 9

利用上述两条公式，使可以获得一个余数，如果没有余数，那便把余数视为9。

读者需要注意的是，上述公式所说的出生年份，是分取个位数与十位数的，例如一九四五年出生的人，我们便要以45代入公式内，一九八六年出生的人，则以86代入公式。兹举出两个例供读者参考。

例1：1963年出生的男性：

（100 – 36）/ 9 = 64 / 9

商数是七，得余数一，一数属坎，故其人为坎卦。

例2：1940年出生的女性：

（40 – 4）/ 9 = 36 / 9

商数为四，无余数，则余数视作九，故其人属离卦。

换句话说，我们是把余数所属的卦象，视为该人的命卦。

在此再重复一遍各数之所属：

一属坎、二属坤、三属震、四属巽、六属乾、七属兑、八属艮、九属离。

那么，如果余数是五又如何呢？原来，凡计算得余数五，则男性为属坤，女性视为属艮。

六、东四宅与西四宅

我们在前面已经知道什么是东四宅，什么是西四宅。震宅、巽宅、离宅、坎宅是东四宅；坤宅、兑宅、乾宅、艮宅是西四宅。

同样，命卦属震、属巽、属离、属坎，最适合他们的居所是东四宅；属坤、属兑、属乾、属坎，最适合他们的居所是西四宅。

东四命喜居东四宅，西四命则喜居西四宅。

在中国地理堪舆术中，对阳宅风水的吉凶配合，东西四宅八宅派理论为一主要流派，如流行甚广的《阳宅三要》、《八宅周书》、《八宅明镜》等古代风水著作，均以此为立论根据。民间术士更是大量应用东西四宅分类，为人们判定阳宅吉凶。

东西四宅的分配是：乾坤艮兑为西四宅，坎离震巽为东四宅。坐山立向是西四宅的，其西四宅的四个方位为吉，可用于立灶、开门、住人，东四宅的四个方位为凶，不可开门、作灶、住人。坐山立向是东四宅的，其东四宅的四个方位为吉，可用于开门、作灶、住人，而西四宅的四个方位为凶，不可开门、作灶、住人。这一配合原则是用后天八卦方位来判断，而其理论来源，实出于先天八卦河洛阴阳交媾生成规律。

东西四宅配合符合五行相生规律

从先天八卦配洛书图中可以看到：

西四宅乾坤艮兑，其洛书为9、1、6、4

东四宅坎离震巽，其洛书为7、3、8、2

河洛五行是：1、6北方水，4、9西方金，2、7南方火，3、8东方木。

1、6、4、9一组为金水相生，

2、7、3、8一组为木火相生。

因此，西四宅乾兑坤艮为金水相生局，东四宅离震巽坎为木火相生局。

图解八宅易理

命卦属震、属巽、属离、属坎，最适合他们的居所是东四宅；属坤、属兑、属乾、属坎，最适合他们的居所是西四宅。从先天八卦配洛书的数理分析就能明白其中的道理。

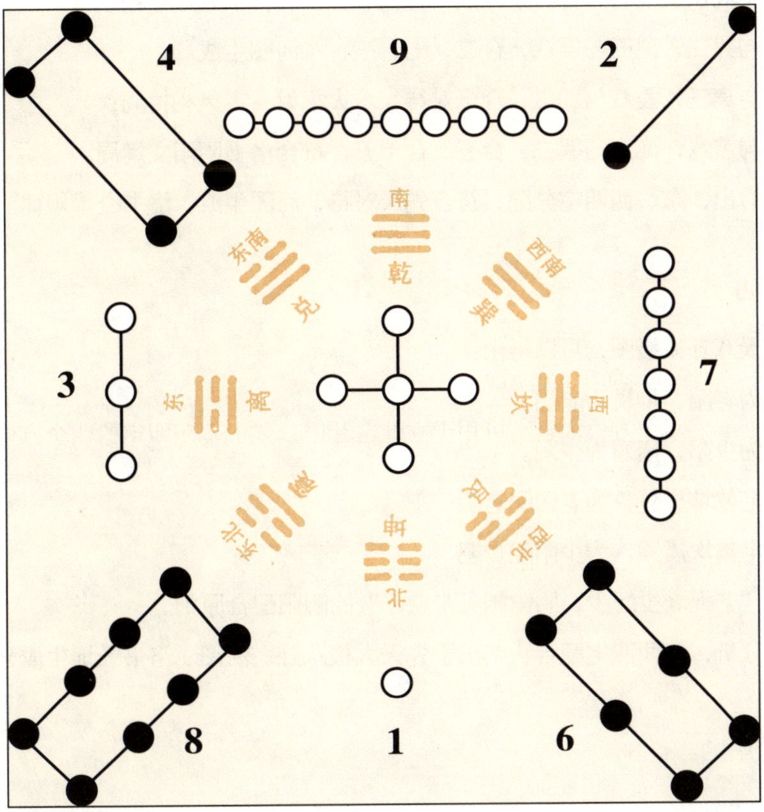

西四宅乾坤艮兑，其洛书为9、1、6、4
东四宅坎离震巽，其洛书为7、3、8、2
河洛五行是：1、6北方水，4、9西方金，2、7南方火，3、8东方木。
1、6、4、9一组为金水相生，
2、7、3、8一组为木火相生。

东西四宅配合符合河洛合五、合十的生成规律

西四宅乾兑坤艮，符合河洛生成，合五、合十、合十五的规律：

乾九与兑四，坤一与艮六，合一、六、四、九河图生成局；

乾九与坤一，兑四与艮六，合十对待，合先天天地定位、山泽通气局；

乾九与艮六，坤一与兑四，合十五、合五，符合洛书阴阳交媾局。

东四宅离坎震巽，符合河洛生成，合五、合十、合十五规律：

坎七与巽二，离三与震八，合二、七、三、八河图生成局；

坎七与离三，震八与巽二，合十对待，水火相射，雷风相搏局；

坎七与震八，离三与巽二，合五、合十五，符合洛书阴阳交媾局。

从上看出，东、西四宅分配，符合先天对待，河图生成，洛书交媾规律。

东西四宅分配符合阴阳相配规律

从先天八卦太极图，可以得出：

乾兑为老阳，坤艮为老阴，

巽坎为少阳，离震为少阴。

西四宅乾坤艮兑，为老阳配老阴

东四宅离坎震巽，为少阳配少阴

符合“老配老少配少，阴阳相见亲意好”的阴阳配合原则。

综上分析，东西四宅配合，实出于先天太极八卦、河图、洛书天地生成之阴阳交媾规律。

七、以户主命卦为依据

一个家宅有很多家庭成员，父母子女济济一堂，甚至孙儿孙女满堂，那么，应该根据谁的命卦以决定该住宅是否适合这家人居住呢？是按照户主的命卦的，只要户主的命卦配合宅卦，这居所便是吉利的，有保障家宅安全的基本条件。至于家宅其他成员的命卦，则可以不予与理会，这对家宅的运程并没有特别影响。

相宅看户主

在八宅风水学中,通常是根据户主的命卦来相宅，只要户主的命卦配合宅卦，这房屋便是吉利的，之所以有这样的理论传承，是因为中国古代历来就是以父权社会为主，男人在家庭中占有绝对支配地位。

八、八卦的五行属性

八卦是其五行所属的，能认识其五行所属是十分有用的，因为五行相生相克，有时候，某一方位的五行现煞气，于是便要用此一五行元素和另一五行原素相对治。现在，我们看看各卦的五行所属：

震属阳木，巽属阴木，离属阴火，坎属阳水，乾属阳金，兑属阴金，艮属阳土，坤属阴土。

即知道八卦的五行所属，那么，我们也就能知道八个方位的所属。

八卦与五行

1	东四宅	东方	震	属木
2		东南方	巽	属木
3		北方	坎	属水
4		南方	离	属火
5	西四宅	东北方	艮	属土
6		西南方	坤	属土
7		西方	兑	属金
8		西北方	乾	属金

五行的每一原素不是独立自存的，而是相互依赖，也是互相制约。

这即是五行相生相克的道理，其相生的次序是：金生水、水生木、木生火、火生土、土生金。相克的次序则是金克木、木克土、土克水、水克火、火克金。

五行相生相克的道理并不是胡乱建立的，而是有一定的现实依据。

火生土，是当烈火燃一些物件后，物体便会化为灰烬，这灰烬就是土，因此火生土。

土生金，是我们从大地上挖掘金矿，矿石是土，但却蕴藏了黄金的品质，经提炼后，便造出了纯净的金块金饰，故此是土生金。

金生水，金如果是被火溶解，金便形成液体状态，此液体便被视为水的一种，故金生水。

水生木，这道理也非常浅显。树木的成长需要水的灌溉滋润，因此是水生木。

木生火，这道理也很简单。古人是钻木取火的，火来自木头，故木生火。

五行相克的道理如下：

火克金，是因为坚固的黄金在烈火燃烧下，便会一点一滴地溶化，所以是火克金。

金克木，是因为金属可以造成刀剑斧头，这些工具可砍断树木，故金克木。

木克土，是因为树木在成长时，其树根会不断在上下伸延，它能突破所有土壤和岩石，以尽其所能抓紧泥土及吸收水分，所以是木克土。

土克水，是因为土能够造成墙壁或堤坝，起到挡水的作用，这就是所谓的“水来土掩”，故土克水。

水克火，这道理也十分浅显，任何火灾、任何火种，只要有水泼于其上，都能够减轻火势，甚至熄灭，谓之水克火。

五行生克图

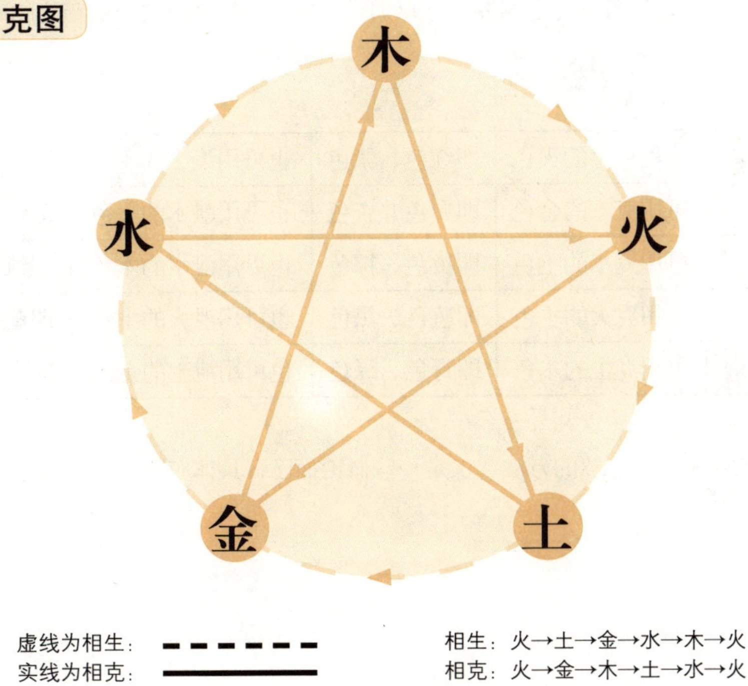

九、五行颜色之利用

掌握了五行相生相克的道理，不但对学习本书的内容有所帮助，甚至将来研究其他各种风水技巧，都十分有用处，以下，仅提出如何利用五行颜色，对治大门五行之煞的方法。

五行的颜色：

属金的颜色有白色、杏色和金色；

属木的颜色有青色、绿色；

属水的颜色有黑色、蓝色；

属火的颜色有红色、紫色；

属土的颜色有黄色、棕色。

当家宅的大门口有五行之煞冲射时，则可利用大门的颜色或门前踏垫的颜色，把煞气克制泄去。

遇到金煞时	可用克金的火色	即红色、紫色	也可用泄金的水色	即黑色、蓝色
遇到木煞时	可用克木的金色	即白色、杏色	也可用泄木的火色	即红色、紫色
遇到水煞时	可用克水的土色	即黄色、棕色	也可用泄水的木色	即绿色、青色
遇到火煞时	可用克火的水色	即蓝色、黑色	也可用泄火的土色	即黄色、棕色
遇到土煞时	可用克土的木色	即青色、绿色	也可用泄土的金色	即白色、杏色

以上的克制五行之煞的方法，仅是一些概论而已，具体应用时还另有一些限制，在此从略。

十、如何化解五行煞气

五行的煞气如何产生，及以如何避免大门口有五行煞气冲射，其实是八宅风水学的精粹之一。前面曾提过，东四命的人适宜东四宅，东四命若住在西四宅便为不吉。相反，西四命的人适宜住在西四宅，如果是住在东四宅，则为不吉。然而，某种命卦获得适合的住宅并未算是功德完满，如果其家宅大门开在不吉的方位，那仍旧是不吉的。

我们若找出一家宅的中央点，然后把这中央点四周，按东、南、西、北、东南、西南、东北、西北等方位分为八份，则东四宅可找出东、南、北、东南四个吉位；西四宅亦可找出东北、西北、西南、西四个吉位，大门开在这些吉位便为吉，开在其他位则为凶，而在凶位上开门，则按其凶位的五行所属而得知所遇到的是哪一种煞。

例如，东四命的人，其大门位开在东方，东方是凶位，属木，则该家宅的大门便为木煞所冲。

再例如，西四命的人，其大门位开在东方，东方是凶位，属木，则该家宅的大门为木煞所冲。

八宅五行煞

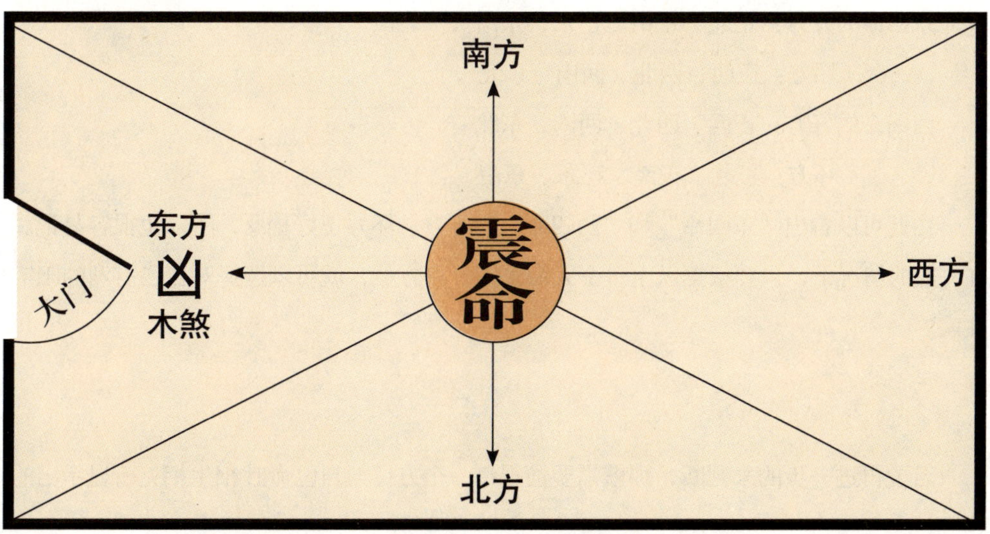

十一、卦象亦主六亲

卦象所主六亲

所以，如果某一方位被煞气干扰，家宅内某些亲属受到伤害的机会便会较大。兹把各卦所主的亲属列举如下：

1	乾卦	西北方	主父亲
2	坤卦	西南方	主母亲
3	坎卦	北方	主中男
4	离卦	南方	主中女
5	震卦	东方	主长男
6	兑卦	西方	主少女
7	巽卦	东南方	主长女
8	艮卦	东北方	主少男

在确定自己的组别之后，就可凭之判断自己特定的吉凶方位，在八个方位中，每个人都有四个“好方”和“坏方”。

东四命的好方：正北、正南、正东、东南

坏方：正西、西北、西南、东北

西四命的好方：正西、西北、西南、东北

坏方：正北、正南、正东、东南

由此可以看出“东四命”和“西四命”的好方、坏方正好相反，所以也很容易记。在一般的情况下，只要根据以上一个人命卦的好坏方位，就可以选择对自己有利的阳宅住家。

认识四吉星与四凶星

若要再进一步的来判断，那就需要懂得每一个方位与自己命卦相生相克所显示出的不同含义，这一点也不难，首先要认识“四吉星”和“四凶星”。

四吉星：生气、延年、天医、伏位；四凶星：绝命、五鬼、祸害、六煞。

其中延年所在的方位，便是桃花位。不同的家宅成员，由于命卦有别，故各人的桃花位也有异，可在桃花位上催动桃花运。每一命卦都有四个吉方及四个凶方，但并不是四个方位的吉利程度都相同，也不是四个凶险程度都一样。八宅风水学采用了先天八卦的组合，按不同的组合而获得四颗吉星和四颗凶星，再依其吉凶而排出一个次序，其次序如下：

1	生气	为贪狼星	乃大吉之星曜	吉
2	延年	为武曲星	乃中吉之星曜	
3	天医	为巨门星	乃次吉之星曜	
4	伏位	为左辅星	乃小吉之星曜	
5	祸害	为禄存星	乃小凶之星曜	凶
6	六煞	为文曲星	乃次凶之星曜	
7	五鬼	为廉贞星	乃大凶之星曜	
8	绝命	为破军星	乃至凶之星曜	

不同命卦的八星分布

不同的命卦，其八星分布的位置亦不同。为便于读者学习，我把八种命卦的八星分布扼要地列如下：

（一）离命

生气在东方，天医在东南方，延年在北方，伏位在南方。祸害在东北方，六煞在西南方，五鬼在西方，绝命在西北方。

（二）坎命

生气在东南方，天医在东方，延年在南方，伏位在北方。祸害在西方，六煞在西北方，五鬼在东北方，绝命在西南方。

（三）震命

生气在南方，天医在北方，延年在东南方，伏位在东方。祸害在西南方，六煞在东北方，五鬼在西北方，绝命在西方。

（四）巽命

生气在北方，天医在南方，延年在东方，伏位在东南方。祸害在西北方，六煞在西方，五鬼在西南方，绝命在东北方。

（五）乾命

生气在西方，天医在东北方，延年在西南方，伏位在西北方。祸害在东南方，六煞在北方，五鬼在东方，绝命在南方。

（六）坤命

生气在东北方，天医在西方，延年在西北方，伏位在西南方。祸害在东方，六煞在南方，五鬼在东南方，绝命在北方。

（七）兑命

生气在西北方，天医在西南方，延年在东北方，伏位在西方。祸害在北方，六煞在东南方，五鬼在南方，绝命在东方。

（八）艮命

生气在西南方，天医在西北方，延年在西方，伏位在东北方。祸害在南方，六煞在东方，五鬼在北方，绝命在东南方。

在八宅风水学中，这八颗星曜是非常重要的，除了与大门风水有关外，炉灶的安放也需要先研究这八颗星曜到底如何分布，因为炉灶必须坐凶向吉才吉利，即炉灶压著凶星而火门朝著吉星。其他情况则应按照房主人和该住宅的综合信息去考量，亦是顺应风水的原则。

风水对人的健康及生活幸福非常重要，所以如果发现家宅内有什么可能招来恶运的布局，便应该设法改善，不能让那些不利家宅平安的不良因素继续存在下去。可是，人往往只能与环境协调，即是与“天”协调，“人定胜天”是初生牛犊不畏虎的观点，慧缘我认为这个提法有待探讨。人固然需要奋斗努力，但努力的方向是顺天的，而不是逆天而行。我们行事一般都有很大的环境制约，不能越过这些界限，在改造风水方面亦不例外。

我们不是负责决策城市规划的政府官员，也不是建筑发展商或建筑工程师，因此，对于一个住宅区的环境如何，是不是符合风水法则，便往往不能自己作主，随意更改。例如我们看见居所前马路的形状有强烈的煞气，损及家宅的运气，但却没有权力按风水要求把马路的形状改掉。所以家居四周的环境对家宅平安的影响巨大，最好是在选购或租住一个住宅单位前，先仔细观察家居环境的风水，这比搬迁进来后，家庭成员出了问题才设法改善要好得多，虽然亡羊补牢，未为晚也，但最好还是防患於未然。

八宅八星方位表

	生气	天医	延年	伏位	祸害	六煞	五鬼	绝命
离命	东方	东南方	北方	南方	东北方	西南方	西方	西北方
坎命	东南方	东方	南方	北方	西方	西北方	东北方	西南方
震命	南方	北方	南方	东方	西南方	东北方	西北方	西方
巽命	北方	南方	东方	东南方	西北方	西方	西南方	东北方
乾命	西方	东北方	西南方	西北方	东南方	北方	东方	南方
坤命	东北方	西方	西北方	西南方	东方	南方	东南方	北方
兑命	西北方	西南方	东北方	西方	北方	东南方	南方	东方
艮命	西南方	西北方	西方	东北方	南方	东方	北方	东南方

第五章

慧缘开运风水学中“风”的重要意义

风即是气，风水的精髓在于将有益的生命能量——气——保留在家里，给人带来好运，这可以通过改造室外的地形或改变室内的布置或装饰来达到此止的。风水学中“藏风聚气”这四个字，可谓道尽内中天机。

本章导航

一、“风”的风水学概念

二、“气”的风水学概念

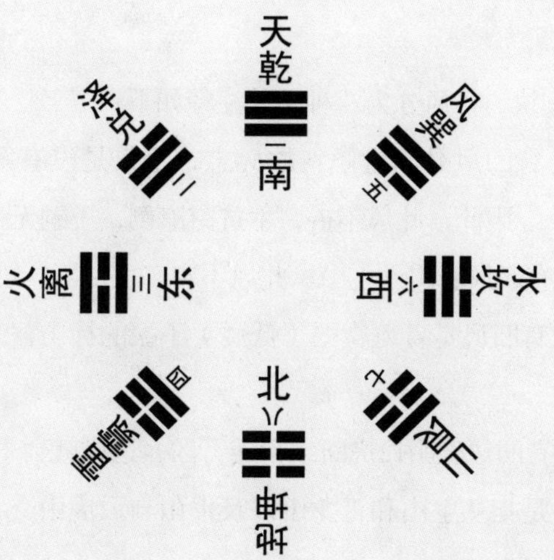

一、“风”的风水学概念

风水学中的“风水”二字表明风和水一直是选择吉地的两个最重要的条件。《葬书》认为阴阳二气运行地下则为生气，喷发出去，则为风，风和生气是同种物质（阴阳二气）的两种不同存在状态。因此，当生气露出地面，升入空中，就变为风，如果风被吹散荡尽，就会无法利用，故为了将生气聚止于某地，有必要防止生气荡散。不管怎样，只有环绕吉地的层层山峦才能遮住风。这就是吉地之所以通常是为群山所环抱的盆地的原因。所以从理论上讲，若有风很易吹进吉地，该地就不值得用了。

风即是气

风乃气，四季农作，万物生成，安居乐业，风调雨顺，人之所在，不可无风，亦不可无水。古文《风水辨》云：“所谓风者，取其山势之藏纳……不冲冒四面之风；所谓水者，取其地势之高燥，无使水近夫亲肤而已……”近山之好处在于既可避北风，亦可藏南风。

《地理八十八向真诀》将风分为八种，并注释如下：

（1）前凹风：前有凹风是明堂倾斜的标志，不仅是没有案山，就是有案山也带凶，并且不能聚止生气。因此，此风不吉，主贫穷潦倒，子嗣无继。

（2）后凹风：后有凹风表明无主山。此风不吉，主贫困，短命，人丁不旺。

（3）左凹风：左有凹风是青龙软弱（低矮）不振的标志，为凶，这样就会丧夫寡居。

（4）右凹风：右有凹风表明白虎断续不连，凶，这样就会子嗣无继。

（5）两眉凹风：是指从主山和青龙山以及主山与白虎山交会处吹来之风。凶，这样就会伤家主和子嗣无继。

（6）两足凹风：指来自青龙和白虎部尾之风（足指青龙、白虎两抱山的尾部）。大凶，主倾家荡产，满门灭绝。如果这些风吹自艮方（东北方）则凶险无比。

八方风简称八风，指来自八个方位之风。如上所论，这八种风均不吉利，风水中没有凸风，只有凹风，之所以称凹风是因为当山中有沟谷存在时，风才能由此吹进群山

辨风寻吉地

学会辨识八风

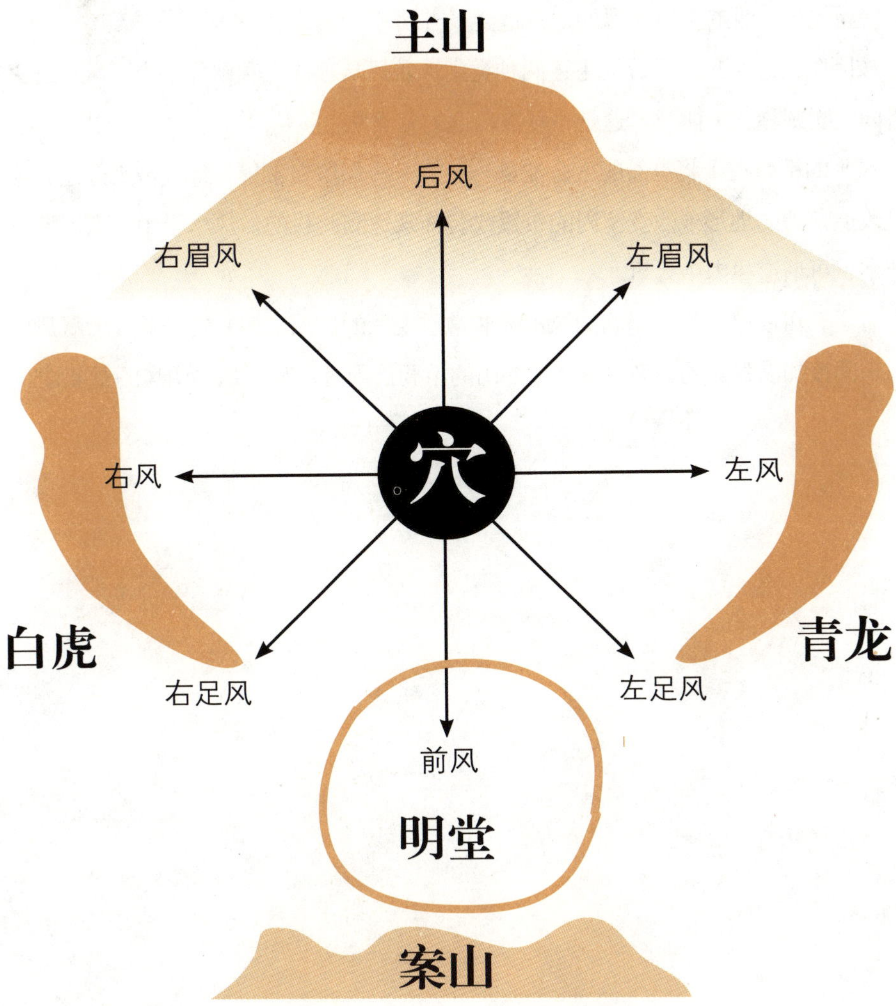

学会辨别八方风是勘察风水吉地的基础，上图简要地图解了如何辨识八方风，再对照前文所述，就知道了所勘察吉地的风是吉风还是凶风。

环抱的吉地。如果吉地为连绵不断的重山叠岭所层层环绕，密如完城，那么当风吹来时，就会越此而过，不会吹进吉地。因此，吉地中的风反映了环绕吉地的山峦的质量。现在可知，尽管《葬书》并未将“山”定为最重要因素，但它仍然是风水中最重要的因素，比风更加受到重视。

至于吉地中风的性质，风水学确信风水穴处不应有任何方向的来风。但不管怎样，在一些特例中，具有多方来风的地方也会很吉利。

按阴阳概念，风还可分为下述两种类别。若风从顶往下吹则称之为阳风；反之若从山谷向上吹则称之为阴风。这是一种很普遍的分类法。

风水的精髓在于将有益的生命能量——气——保留在家里，给人带来好运，这可以通过改造室外的地形或改变室内的布置或装饰来达到此目的。风水学中“藏风聚气”这四个字，可谓道尽内中天机。

总之，可以这么说，精明的风水师非常重视风的作用，但对它是通过为藏风所必需的山来间接加以强调的，环绕吉祥地的山的重要性同时反映了风水中风的重要性。

二、“气”的风水学概念

风者，气也。“气”在风水术中是一个很普遍、很重要的概念。有生气、死气、阳气、阴气、土气、地气、乘气、聚气、纳气、气脉、气母等等。气是万物之源，气变化无穷，气决定人的祸福。人要避死气、乘生气，就得请风水师“理气”。“理气”是十分复杂的，要结合阴阳五行、实地考得“旺象”，才能得到“生气”，有了“生气”就能富贵。因此，风水术实际是“相气术”。

气：中华文化的重要概念

气，在古代是一个很抽象的概念。先哲普遍认为，气无处不在，气构成万物，气不断运动变化。《老子》云：“万物负阴而抱阳，冲气以为和。”宋张载在《正蒙·太和》云：“太虚无形，气之本体，其聚其散，变化之客形尔。”

风与气是相互联系的。中国传统文化和哲学思想认为：“气”是万物内在的，流动的本质的体现，并对“气”的阴、阳表现分了类。除了这种具有哲学思想的“气”以外，事实上，世间还有金银之气、珠宝之气、人气、精气、剑气、唇气……

中国古代传统文化认为气为万物本源，《管氏地理指蒙》卷一《有无往来》云：“未见气曰太易，气之始曰太初。……一气积而两仪分，一生三而五行具，吉凶悔吝有机而可测，盛衰消长有度而不渝。”这就是说，世界是从无(未见气)到有(气之始)，气是本源(一)，它分化出阴阳(两仪)，又分出金木水火土五种物质(五行)，这些物质的盛衰消长都有不可改变的规律(有度而不渝)，并且有了祸福(吉凶悔吝)，这些祸福都是可以预测的。这段话，是对《周易》“太极说”的发挥，有朴素的唯物辩证法色彩。

气是无穷变化的，它可以变成水，也可以积淀为山川。明代蒋平阶在《水龙经》论“气机妙运”时说：“太始唯一气，莫先于水。水中积浊，遂成山川。经云：气者，水之母。水者，气之子。气行则水随，而水止则气止，子母同情，水气相逐也。夫溢于地外而有迹者为水，行于地中而无形者为气。表里同用，此造化之妙用，故察地中之气趋东趋西，即其水之或去或来而知之矣。行龙必水辅，气止必有水界。辅行龙者水，故察水之所来而知龙气发源之始；止龙气者亦水，故察水之所交而知龙气融聚之处。”由此可知，山脉和河流都可以统一于“气”中，寻找生气就是要观察山川的走向。

“气”和“形”的关系如何呢？气是无形的，形体是有实质的。形体是由气形成的，气则寄居于形体中；气由天降临大地，而大地的功德，就是接载着下临的气。

气属阳，地属阴，两者互为依靠，互相冲激，有冲激且要势力平等，人不被其相互克制，才能各得其所，永远保持福寿康宁。如果阴阳互相克制，祸害休咎就会接踵而来。

星宿带动天的气，山川带动地的气，万物依赖天地之气才能生存。因此天地的气，因形体而止，留而不去，与万物合而为一。万物变化生存皆因有气可纳，因而形气合一。人死后魂魄因和天地气脉相感应而合一，福德亦应之而来，故此人要和天地之气混为一体，才可以得到福泽，这就是造化的机缘。

宇宙在混沌未开时，是无极（后化成太极）的世界，空无万物。混沌初开时，太极生两仪化四象，四象变八卦，八卦而变成六十四卦，于是产生了万事万物。理气是寄托在气象之中，而形体的凝聚产生气象。日月星辰的刚阳之气向上腾升，山川草木阴柔之气向下凝集。阳气因太极而昌旺，阴气因太极而成就。太极在阳德中是形象，在阴德中

天地之气润万物

气为万物本源，它可以变成水，也可以积淀为山川。山脉和河流都可以统一于“气”中，山川带动地的气，万物依赖天地之气才能生存。因此天地的气，因形体而止，留而不去，与万物合而为一。

是方位，地有四种形势。气从八方而流动，地因气的流动而成形。气在大地积聚造化万物，因形止而气蓄；万物得以生生不息。

人与气的关系

阳气从风而行，乘势四散；阴气从水而行，因受到山的限制而停止。人用五行的形态定万物的形象；用八卦的兴旺断方位的吉凶；用六十甲子的纪年批命运；以八个方位的气之背合，审查气数；以六十甲子的虚盈，推定岁运吉凶，用六气的新陈代谢审查时令，人类依此顺应大地五德，循环不息。圣人制礼作乐，定人伦法纪，建立人道。智者知道人道因大自然的阴阳变化而来，故卜地葬亲，是为了慎终追远，而后人因大自然而得到福荫。因此人道以大自然为始为终的宏大道理，就是造化的成功。

自晋代郭璞《葬书》之后，“气”的理论便成为风水的中心问题，一切具体的风水活动都必须以得气为主而展开。所谓“乘气”、“聚气”、“顺气”、“界气”……“凡着地理者总以气为主。”它要求人的小宇宙之气必须同周围环境的大宇宙之气相协调，相统一，秉乘天地之气而大有作为，这是中国风水观的最基本的要点。因而，风水特别忌讳“死气”、“煞气”、“泄气”、“漏气”，认为这会带来恶运，放跑财源，乃至导致疾病。

风水学认为太祖山之上，于夏秋之交，雨霁之后，丑寅之时，必有上升之气，因而风水常以气的形态辨吉凶。一般来说，如果气发一山巅，直起冲上，下小上大如伞，就是真气。如果气横于山腰，则是云雾之气，而不是真气。以质而论，气清者主贵，气浊者主富。端正者出文，偏斜者出武。比较出众的风水先生还能够辨出气的色彩，以赤黄色为上，青白黑次之。望气似乎更多地同人的气功状态联系在一起。

气决定人的祸福。有土就有气，人生得于气，人死归于气。郭璞《古本葬经》论述得很详细：“葬者，乘生气也。夫阴阳之气，噫而为风，升而为云，降而为雨。行乎地中而为生气，行乎地中发而生乎万物。人受体于父母，本骸得气，遗体受荫。盖生者，气之聚凝，结者成骨，死而独留。故葬者，反气内骨，以荫所生之道也。经云：气感而应鬼福及人，是以铜山西崩，灵钟东应，木华于春，栗芽于室。气行乎地中，其行也，因地之势；其聚也，因势之止。丘陇之骨，冈阜之支，气之所随。经曰：气乘风则散，界水则止，古人聚之使不散，行之使有止。”这一段话，可谓风水的总纲，而这个总纲的核心是气。由这段话，我们可知风水师对气的总看法：生气是一元运化气，在天则周流六虚，在地则发生万物。天无此则气无以资地，地无此则形无以载。生气藏于地中，人不可见，唯循地之理以求之。葬者若能知其所在，使枯骨得以乘之，则能得福。父母骸骨为子孙之本，子孙形体乃父母之枝，本与枝相应，得吉则神灵安、子孙盛，这叫作“气感而应鬼福及人”。

不论是阴宅还是阳宅，都要注意乘生气、避死气。《黄帝宅经》云：“每年有十二月，每月有生气死气之位。……正月生气在子癸，死气在午丁；二月生气在丑艮，死气在未坤；三月生在寅甲，死气在申庚；四月生气在卯乙，死气在酉辛，五月生气在辰巽，死气在戌乾；六月生气在巳丙，死气在亥壬；七月生气在午丁，死气在子癸，八月生气在未坤，死气在丑艮；九月生气在申庚，死气在寅甲；十月生气在酉辛，死气在卯乙；十一月生气在戌乾，死气在辰巽；十二月生气在亥壬，死气在巳丙。”这是说每个月都有生气和死气，具体的方位，则是罗盘上用八卦、天干、地支表示的方位。风水先生看地时，手持罗盘，首先看清本月中生气和死气所在的方位，以生气方位动土为吉，以死气方位动土为凶。

寻龙秘诀：藏风聚气

在入山寻龙过程中，望气寻龙也是其中的一个组成内容。大抵山川之气，和太阳的出没有着很大的关系，由于中午时太阳高悬空中，“其气潜伏，无可觇验”，所以一定要在太阳还没升起，阳气始兴，或在太阳才一下山，阴气渐萌之时，方是验山川之气的最佳时刻。古书有云：“黄富而青贫，赤衰而白绝，唯五色之气氤氲，乃绵绵而后杰。寻龙至此，能事已毕。爱银海之明，欲灵犀之活。”同时，又有福喜之气、衰败之气的种种不同。“福喜之气，上黄下白，如牛之触人，如羊群之相迫，如人持斧以腾身，如将举首而向敌。或如堤坂（其气横亘）或如木埴（其气森列）”关键是其气凝聚有力。又如“衰败之气，下连上擘，聚而复兴，澈而复赫，如卷石扬灰，如乱穰坏帛，如惊蛇飞鸟，如偃鱼（气不踊跃）巨舶（形体横卧，没有振兴之象）”，问题在于其气零散不凝。

风水学家们将“天人感应”理论引进风水学说中，形成受荫学说，即所谓“气感而应，鬼福及人”（《青乌经》）。环境何以能荫佑生活在其中的人呢？原来天地之间都是气，环境接地气以纳天气，天地之气，以转授生人，让生活在其中的人得到以后便大吉大福。这就是所谓以气感气，其吉凶祸福丝毫不差。有一种人，只以富贵利达为其心，损人利己，这样就破坏了和谐的基础，是得不到大吉大福的风水宝地的。而心存公、义，也可以形成吉祥和顺之气，化不利的环境为吉利的环境。

何为风水中的“龙”

堪舆地理中所称的龙，就是勘察山脉走向，寻龙的目的是为了找穴，风水学中重要的寻龙秘诀就是望气，即“观龙脉走势，察生气所止”，气所止之处，即为灵气所出之位——穴位。其步骤为：觅龙、观砂、察水，点穴。

寻龙即寻气

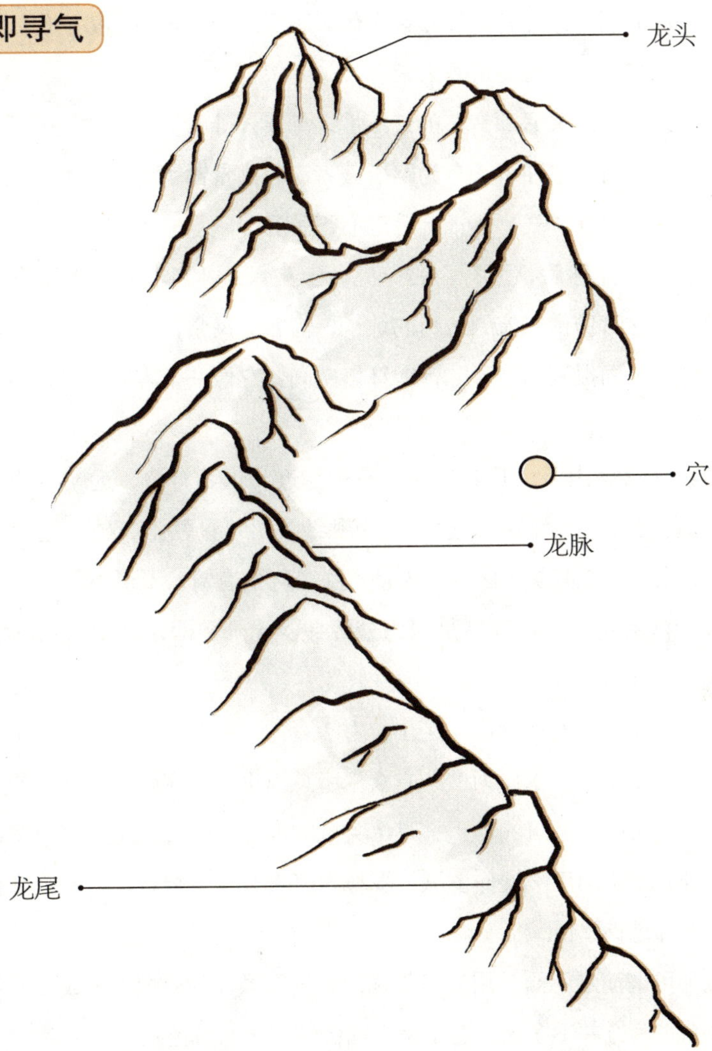

龙脉（山脉）结穴，犹如果树之结果。真穴有种种印证，地理明师一看便知，有结穴处，便有吉利地灵，所谓“锺灵毓秀”就是这个意思。

择基选址的步骤

风水实践证明，择基选址有几个步骤：觅龙、观砂、察水、点穴，把气从山上引下来，聚之于穴，即“山气茂盛，直走近水，近水聚气，凝结为穴”。首先是觅龙，即寻长祖山。古人认为山是气之源，在《望气篇》中谈到山的形势与气的关系：“凡山紫色如盖，苍烟若浮，云蒸霭霭，四时弥留，皮无崩蚀，色泽油油，草木繁茂，流泉甘冽，土香而腻，石润而明，如是者，气方钟未休。”反之，“凡山形势崩伤，其气散绝谓之死”。可见环境和“气”的关系多么紧密。

当“气”运行中，又必须有气的连续性，郭璞《葬书》说：“气因形来而断不可葬也。然断有几等：有为水冲者，有为路所截者，有为畚锸所伤者，龙行至此，未有不遭其害者也。”这里龙指“气”，气流希望不要受阻。

“气”被引下龙脉后，又有左右龙虎砂山夹紧：“若非龙虎夹紧直走近水旁，则水动而气散。”这时仿佛气流到达目的地了，需龙虎夹紧，否则就会漏掉。这里说的左右龙虎砂山就是上面提到的“形”，即环境空间，它像一个容器一样，容纳了“隐而难知”的“气”。

砂山之前还有朝山：“开面向里，不拘远近，俱名有情，远朝（朝山）及前后左右之砂皆以真面相向，无破碎尖射凶顽为融结。”可见朝山、砂山这一“形”不得与“气”冲突，应该“以其护卫区穴，不使风吹，环抱有情，不逼不压，不折不窜”。

朝山再向两旁是罗城，罗城是祖山分障包罗于外，即龙之余气也。余气还以罗城卫，以确保气不外溢。

因此前有朝山，后有大而高的祖山，左有青龙，右有白虎，仿佛一个大四合院，全院的惟一出口就是水口，水口为“一方众水所总出也”，真好像四合院的大门，既是进出村的关口，又可能是溢气的通道，是个关键的地方。四合院总作有影壁，以防漏气，村落也不例外：“祖山工障展作罗城，罗城余气去，作关阑重重，关锁缠护周密。”这里关阑，关锁都是指水口。

古人选形可谓滴水不漏，用形紧紧拢抱着气。虽说气形相辅相成，但是像这样全封闭的气形关系在西方并不多见，这正是中国传统文化的特色。

住宅内部也强调有一个核心，正堂中，一张条几居中，正墙是祖容，或将祖宗的牌位供在条几上；下方，还常供有“地脉龙神”牌位，象征着宅基的核心，即“穴”的所在。

何为风水中的“穴”

堪舆地理中所称的穴，是中国的地理明师研究出山之有穴窍，如人之有鼻窍，气之所出入处。山有灵气，其灵气可随山脉而来，比如人身有血，其血随血脉而流行，故龙脉者，是以人的血脉喻之，山灵有气，随山脉流行而去，到了山脉尽头便会结穴。此穴者，非石洞、土孔也，是山脉所止之处，灵气所出之位。

觅龙与点穴

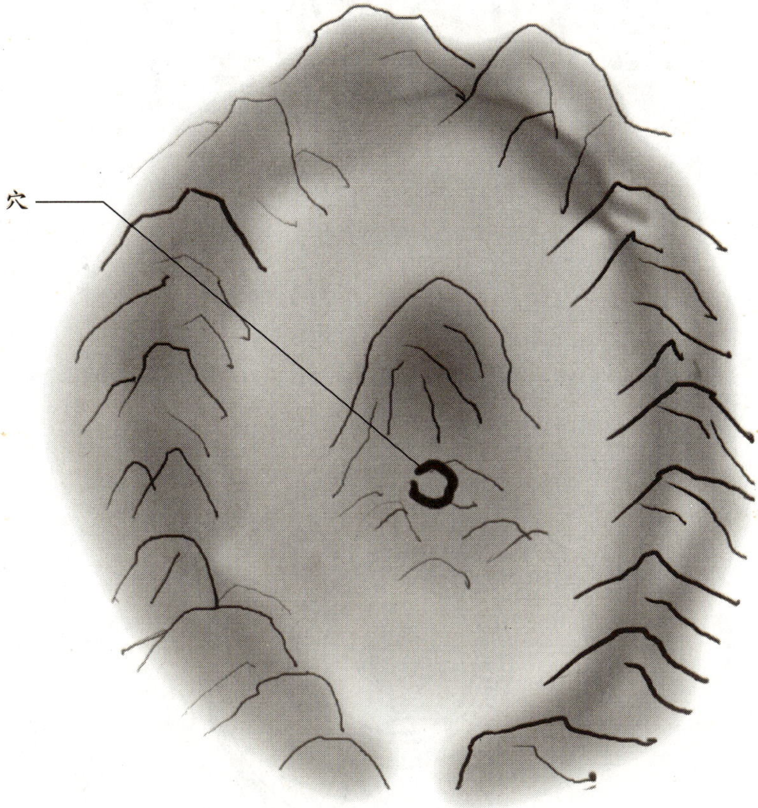

龙脉（山脉）结穴，犹如果树之结果。真穴有种种印证，地理明师一看便知，有结穴处，便有吉利地灵，所谓“锺灵毓秀”就是这个意思。

第六章

慧缘开运风水学中“水”的重要意义

风水理论尤其重视水及其方位，比如河流、湖泊、溪流，甚至后花园的排水系统。根据风水理论，气随水而行，如果水流将气带入家中聚集，则大吉大利。反之如果附近的水流把建筑物内的气带走，那么室内的人将好运尽失。

本章导航

一、“水”的风水学概念

二、水势与安宅原则

三、吉地水的作用

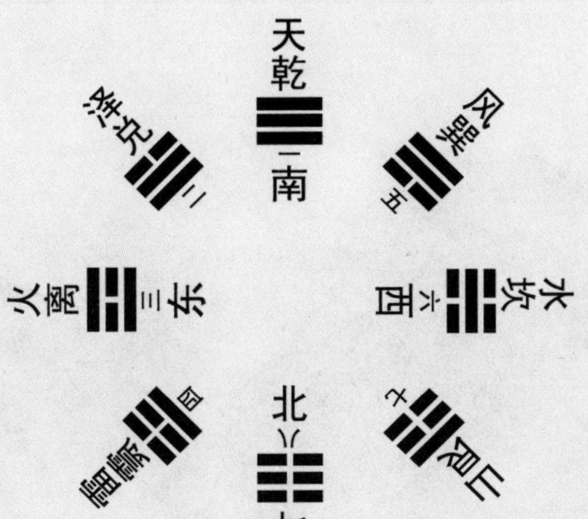

一、“水”的风水学概念

风水学中的“风”与“水”是相互依存不可分割的两个重要概念。前面说到近山之好处在于既可避北风，亦可藏南风。风水同样讲究近水，近水之好处在于既可避水，亦可用水。故古人历来把南坡视为风水宝地，住宅顺坡而上，座北朝南，房屋前低后高，南风徐徐而入。同时，顺坡而下建立排水沟，排出雨水和生活废水，保持宅基的干燥。南畔河道或建有池塘，方便生活用水。《阳宅十书·宅外形第一》如此描写良好住宅为：“凡宅左有流水，谓之青龙；右有长道，谓之白虎；前有污池，谓之朱雀；后有丘陵，谓之玄武，为最贵地。”

水聚生气：有水则地吉

在勘察风水过程中，我们认为“得水”和“藏风”都很重要。但在风水学中，水

有水则地吉

脉不如山势受重视，因为水道的特征在很大程度上依山势而定。吉地前必须要有水。从理论上讲，一条宽缓舒展的河流应从吉祥地前一定距离处流过，左右两边还应有条小水流。这些水流在风水中非常关键。因此，中国厦门地区的人们经常会在位置吉利的墓前挖一个水塘以弥补穴前无水的缺憾。阴宅中风水为什么这么重要？寻找答案时，我们在《葬书》中发现下面这段话：

“经曰：气乘风则散，界水则止。”

因此，位于吉祥地之前水有助于生气在风水穴中聚止，风水穴即自主山传递下来的生气的聚结处。如果前面无水，身为幸福源泉的生气就会从穴中荡散出去。这就是穴前之所以要求有水以及厦门人之所以在穴前无水情况下要修筑水塘的原因。

水道与水势：曲缓而藏气

笔者认为，吉利的水道流向不能与山脉走向平行，因为这样的水道不能贮藏无法穿越水流的生气。为了将生气聚积在某地，水道必须横跨山脉。因此，若水道和山脉走向一致，则不吉。理想的水道于曲行进，好像正欲从山脉走向的角度来拥抱吉地。无论如何，水道不应笔直地流过该地区。风水中所谓吉祥水道都流速平缓，蜿蜒迂曲。若水流

水缓而藏气

湍急或水路转弯陡急则太凶。若水流逶迤前行，荡荡悠悠，好像满怀留恋之情，一步三顾穴，则吉。所有风水物（如山脉、水系）的理想特征均是结构优美，形态秀丽。任何看上去对风水不敬的粗鄙刺目的形态或结构都表明该地不吉。若附近的水流平缓优雅，则称此水对该地有情，不忍离穴而去。

水流方向：从吉方流向凶方

水流方向也极为重要。吉利的水道应从吉利方流向凶方。若能如此，该地居民将永享富贵荣华。

这些是吉祥水应具备的一些重要条件。但它们对风水地为什么很重要呢？宋代舜申《地理新法》中说：

“山是静止物体，属阴。水为运动的物体，属阳。阴的特征是恒定不变，而阳性则变化无常。吉凶与水密切相关。（如果我们取譬于人体）则山可比作人体，水即为人体中的血管。人体的生长、衰老取决于血管状况。当血管绕周身循环，顺流畅通，则人体健康强壮。反之，则身罹疾病或死亡。这是人生的自然法则，无一人可例外。这条法则要求水路流向正确、山脉位置得当以便构成吉祥地。五山各有自己的吉凶位置，水路应自吉方流向凶方，如此则吉；若水路自凶方流向吉方，则凶，因为它冲破了该地的生旺方……”

水口的重要性

考察穴前的水道交汇（水口）也很重要：自白虎和青龙而来的水道应交会于明堂之中，明堂为风水穴前的平台。水口应闭合并与两座抱山的距离相等。当水口距两山远近相当时，青龙和白虎二者平衡。可见，地形的平衡对称是风水基本原则。

水意味着财富。因此，为了带来财运，有流水穴前聚集是必要的。水道交会使水流缓慢，平缓的流水正是风水所要求的条件。

“得水”与“破水”

观察“得水”、“破水”的方向也很重要。水道流向比流水的其他条件都重要。当从流水状况来看某地的吉凶时，进水（得水）方向和去水（破水）方向都很关键。源自青龙或白虎的水道从风水穴穿过，其流向应自生位（吉方）至衰位（凶方）为佳。

水流方向更为重要

水流方向极为重要，吉利的水道应从吉利方流向凶方。考察穴前的水道交会（水口）也很重要：水口应闭合并与两座抱山的距离相等，则为吉利的水口。

水流与水口

道流向比流水的其他条件都重要。从流水状况来看某地的吉凶时，进水（得水）方向和去水（破水）方向应自生位（吉方）至衰位（凶方）为佳。

阴阳之水

阳水指由穴左流向穴右的水道，流自青龙的水即属此类。从右向左流动的水道为阴水，即自白虎流出的水道。在几种分类体系中，以阴阳法则为基础的分类法最为实用。

内水与外水

按水道距风水穴的远近，可将其划分为两种类别——内水与外水。

内水指风水穴附近的水道，外水则指远离风水穴的水道。源自玄武、青龙和白虎的水道都属于内水。而源自朱雀（案山和朝山）的水道那些由任一地方流进流过风水穴附近特定风水地形即局内的水道均属于外水。

总之，在找到一块由吉山环绕的地点之后，水道的方向和形态就是下一步要考察的重要因素。

观水在风水理论中与觅龙有同等重要的作用，所谓“水随山而行，山界水而止”，足见山水不可分离。又因水主财，因而作为风水宝地，观水应是一个极重要的方面。

内水与外水

水最伟大的杰作就是产生生命，没有水就没有人，它构成了万物和人体之中最重要的成分。

风水理论认为：“吉地不可无水”，“地理之道，山水而已”。甚至认为：“未看山时先看水，有山无水休寻地。”从今日观点来看，所以注重水法，首先因为水对生态环境即所谓“地气”、“生气”至关重要。风水学认为：“山之血脉乃为水，山之骨肉皮毛即石土草木。”俗称山管人丁，水管财。这不过是对以农为本，水为农业命脉的认识。因凡耕渔、饮用、去恶、舟楫之利以及调节小气候，莫不仰仗于水。风水家重相土尝水，鉴别水土质量的种种作法，可从当代诸如克山病、大骨节病等地方病的地理地质调查中，得到证明。其次，风水家相地重水，是出于交通和防御，正如《平洋全书》所说：“依山者甚多，亦须有水可通舟楫，而后可建，不然只是堡塞去处。”相土重水是考虑防水害。选址于河曲位，且以水流三面环绕缠护为吉，谓之“金城环抱”，“水之罗绕兮”，如故宫金水河、民宅前半月形风水池，都出于此。这一形式所以吉处，是出于基址安全。由现代水文地理可知，河流由于地球自转形成的偏向力作用，往往向南形

金城环抱

成河曲，北岸堆积成滩。而凹岸，则不断淘蚀挖深，导至坍岸。显然选址在河曲近岸一侧即水环三面的岸上是极为有利的。

《水地篇》引申出有关水的结论说："水者，何也？万物之本原也，诸生之宗室也，美恶、贤不肖、愚俊之所产也。"草木得到了"水"就生长得更加茂盛，鸟兽得到了水，就会长得更加肥壮。文中特别指出："水"的最精华部分凝聚起来就形成了人。人的"九窍五虑"都是从水中产生的。他们反复强调人的体质、容貌、性情和道德品质也是由水质不同所决定的：

"何以知其然也？夫齐之水遒躁而复，故其民贪粗而好勇。楚之水淖弱而清，故其民轻果而敢。越之水浊重而泊，故其民愚而垢。秦之水泔最而稽，淤滞而杂，故其民贪戾，罔而好事。齐晋之水枯旱而运，滞而杂，故其民谄葆诈，巧佞而好利。燕之水萃下而弱，沉滞而杂，故其民愚戆而好贞，轻疾而易死。宋之水轻劲而清，故其民间易而好正。是以圣人之化世也，其解在水。故水一则人心正，水清则民心易。人心正则欲不污，民心易则行无邪。是以圣人之治于世也，不人告也，不户说也，其枢在水。"

二、水势与安宅原则

一般地说，在山峦之中，水来之处谓之天门，若水来而看不见源流谓之天门开，天门开则财源茂盛。水去处谓之地户，不见水去谓之地户闭，户闭则财用不竭。这就是古人所说：“源宜朝抱有情，不宜直射关闭，去口宜关闭紧密，最怕直去无收。”

选择好这样的水势，接下来便要求找安宅之地，一般要寻找“纳位”落基，所谓纳位就是环抱的一面，通常水的水边不能落基。这很符合河水的力学原理。河的隈曲一边，由于水的惯性冲力，时间越久得到的地越多，若在相反的方向，则久而久之宅基地都有可能被河水侵蚀。

1、众水所汇则气聚

发源于万山中的大江，弯弯曲曲流向此方，在北面汇合后入长江，入大湖。在风水

天门与地户

水来之处谓之天门，若水来而看不见源流谓之天门开，天门开则财源茂盛。水去处谓之地户，不见水去谓之地户闭，户闭则财用不竭。

名著《水龙经》中，这属于难得的“聚水格”。

2、山环挡风则气不散，有水为界则气止

风水宝地的西北方有环形山挡住西北风，符合“山环水抱必有气”、“山环水抱必有发者”的风水定律。北方有九岭山、连云山、幕阜山等层层环抱，形与方向都恰到好处。“气遇水则止”，风水宝地北面为大江中游，还有著名的大山，也有著名的湖泊，把本区域气有效地止住，不使散去。

3、南为气口则生气源源不断

风水宝地较远的南方、西南方有纵行远山、近山等形成山川，成为来气之口。妙就妙在这个川上，若将山的走向改为横向，生气进不来，气场也就变坏了。

“大荡大江收气厚，涓流点滴不关风，若得乱流如织锦，不分元运也亨通。”

古都和近代大城市的选址也证实了古人的论断。翻开世界地图看便知，凡有大江大河的弯环处、入海处必有大都市，且往往作为首都或大商业中心。而不懂风水学的人只是看到其交通之便利，这是不全面的。

4、挑选支流水，水流徐徐则气聚

这个问题关键在于外气流速是否与人体气血流速相符合。犹如天公书符之速度应符合天之骄子气血运行之快慢。

大江大河必然流速大。当然，有湾抱就是好气场，即所谓“曲则有情”。但因流速较大，所以易散，或曰气冲。正如古人在《水龙经》中说，“大江大河虽有湾抱，其气旷渺。”所以古人又说：“须于其旁另有支水，作元辰绕抱成胎，则七气内生，并大小之气脉皆收揽无余。”意思是说在大河支流上可选好气场，其奥秘在于支流水量小，流速慢，比较接近人之气血流速。而不应在江河干流旁选宅址。

当然，这是指老百姓住宅而言。如若建设一城镇，大江大河附近则是难能可贵之处。由于城墙、院墙等遮挡及门的方位优选，也可将旷渺气收拢而纳入，而致使气流之速最终接近体气血速了。

5、曲水收气

“水抱”很重要，占了风水学的大半个内容。尤其到了没有山的平原，“水抱”的

支流安宅，曲水收气

大江大河流速大，因流速较大，所以起气易散，或曰气冲。《水龙经》中说，“大江大河虽有湾抱，其气旷渺。”所以，不应在江河干流旁选宅址。

支流安宅为宜

“水抱”占了风水学的大半个内容。尤其到了没有山的平原，“水抱”就更重要了。风水学中称山为龙，到平原没山了，则应以水为准，通常好气场都表现在弯弯曲曲的地方。

道理不可不知。

《水龙经》说："龙落平洋如展席，一片茫茫难捉摸，平洋只以水为龙，水绕便是龙身泊，故凡寻龙，须看水来回绕处求之。"意思是说，风水学中称为龙的山，到平原不见了，则应以水为准，但好气场表现在弯弯曲曲的地方。

龙的象征意义

在中国文化中，龙有着重要的地位和影响。从距今7000多年的新石器时代，先民们对原始龙的图腾崇拜，到今天人们仍然多以带有"龙"字的成语或典故来形容生活中的美好事物。风水学中的龙脉之说同样是为了寄寓吉利，所谓龙脉就是勘察山水形势。

三、吉地水的作用

自古以来，水在中国传统文化里有着重要地位。古代先贤关于水的论著俯拾皆是，甚至将水的意义上升到治理国家的高度，更重要的是，将“水”的种种特性融入了中国传统哲学思想，后人能从中得到很多智慧。古代先贤管子对水的见解就甚为精妙。先贤的思想自然对整个民族精神和文化都是有影响的。

在风水堪舆中也一样，“水”也是极为重要的条件，并且有一套系统的方法来勘察水对风水吉地的影响。毫无疑问，吉地不可无水。相度风水须观山形，亦须观水势；甚至“未看山时先看水，有山无水休寻地”；讲究水的功用利害与其形势、质量之间的关系。诸多论说，概称“水法”。所以注重“水法”，首先因为水与生态环境即所谓“地气”、“生气”息息相关。认为“山之血脉乃为水”，山之骨肉皮毛即石土草木，“气血调宁而荣卫敷畅，骨肉强壮而精神发越”。俗谓：“山管人丁水管财”，盖以农为本，水为农业之命脉，喻水为血脉财气。凡耕渔、饮用、去恶、舟楫之利，以及调节水

管子论水

地者，万物之本原，诸生之根菀也，美恶、贤不肖、愚俊之所生也。

水者，地之血气，如筋脉之通流者也。故曰：水，具材也。

何以知其然也？曰：夫水淖弱以清，而好洒人之恶，仁也；视之黑而白，精也；量之不可使概，至满而止，正也；唯无不流，至平而止，义也；人皆赴高，己独赴下，卑也。卑也者，道之室，王者之器也，而水以为都居。

……

人，水也。男女精气合，而水流形。

……

是故具者何也？水是也。万物莫不以生，唯知其托者能为之正。具者，水是也，故曰：水者何也？万物之本原也，诸生之宗室也，美恶、贤不肖、愚俊之所产也。

……

是以圣人之化世也，其解在水。故水一则人心正，水清则民心易。一则欲不污，民心易则行无邪。是以圣人之治于世也，不人告也，不户说也，其枢在水。

气候，莫不仰给于水。故风水理论认为："水飞走则生气散，水融注则内气聚"；"水深处民多富，浅处民多贫；聚处民多稠，散处民多离"。至于"水是移人形体情性如此"，即水质与人疾病夭寿关系，种种事象，不惟风水家之言，见载史籍也甚多，不必赘引。

风水家相地重水，还在备水害的考虑。不惟水淹之虞，而由水流冲刷、浸蚀、淘切等而引起诸多灾害，也为风水家注重，通过合理选址兼以城防、堤坝及人工河渠而避免之。最典型莫过河曲处的选址，认为："大江大河一二十里而来不见回头环顾，中间虽有屈曲，决不结穴。直至环转回顾之处，方是龙脉止聚。"

如何相水

水在风水中有重要的作用。它跟龙的关系密切。水是龙的血脉，水大，龙来长。水小，龙来短。水来处是发龙，两水相会，水尽处龙亦尽。水又是构成风水景观的基础。水曲则财禄聚，水直则贫贱夭亡。前水不宜直射，后水水宜直流，全以屈曲为贵。平洋地区水又代表龙脉。行到平洋莫问龙，只看水绕是真龙。水与气有密切关系，水飞走则

水曲则财禄聚

水直则贫贱夭亡

前水不宜直射

后水水宜直流

生气散，水融注则生气聚。众水停注之地，为沼为涉，为池为湖，乃真龙憩息之所。气为水母，水为气子，子母相随，环聚斯美。

水是自然界一种非常重要的物质，它对调节气候，净化环境具有重要作用，人类更是离不开它。但选址不当或使用不善，它也可促成无情的洪水吞噬庄稼和房屋，或者引起污染，破坏生态系统。所以建筑的选址中如何处理水的问题也就是至关重要的问题之一了。

风水学中，择水具有极其重要的意义。风水理论认为“吉地不可无水”，所以“寻龙择地须仔细，点穴先须观水势”，“未看山，先看水，有山无水休寻地”，水受到了风水学家们的特别重视。他们认为水是山的血脉，凡寻龙至山环水聚、两水交会之处，称为“水龙”，堪舆书《水龙经》就是专门讲水系形势与择地之关系，其中汇总了上百种关于阴宅和阳宅的吉凶水局，以供人参考。在无山脉可依的平原地区，风水学家择地便是以水代山，“行到平原莫问纵（山脉），只看水绕是真龙。”《水龙经》便专门讨论了水龙寻脉的要旨和法则。

“然水有大小，有远近，有浅深，不贸然见水便为吉。当审其形势，察其性情，

水斜飞倾流则生气散

水斜飞倾流则生气散

别其吉凶，以作取舍之标准。”风水学家取舍水标准，主要是以水的源流和形态为依据的，“水飞走则生气散，水融注则内气聚”，“水深处民多富，浅处民多贫，聚处民多稠，散处民多离。”认为来水要屈曲，横向水流要有环抱之势，流去之水要盘桓欲留，汇聚之水要以清净悠扬者为吉；而水有直冲斜撇，峻急激湍，反跳倾泻之势者为不吉。

风水理论中对水的认识除了考虑了灌溉、渔耕、饮用、舟楫、没险之利外，还很注重对水患的认识。古人早就认识到了水的刚柔两面性，水淹、冲刷、浸蚀等水害已使人们总结了许多合理选址和建筑防御水患等措施。较典型的例子是在河流的弯曲成弓形的内侧之处，其基地为水流三面环绕。这种形势称为“金城环抱”，按五行，金象圆，且金生水；水亦为险阻，环抱之水故有“金城”、“水城”之称。风水学中又称其为“冠带水”、“眠弓水”，是风水水形中的大吉形势。所以皇家如故宫中的金水河，颐和园万寿山前的冠带泊岸，到民宅前的半月形风水池和众多纳位住宅均由此衍出。

这种水局之所以被认为是吉利的，除了近水之利外，主要于其基地的安全，不断扩展和环顾有情。由现代水文地理学可知，河流夺形岩性的限定和地球自转引起的偏向

潴则静(停留)

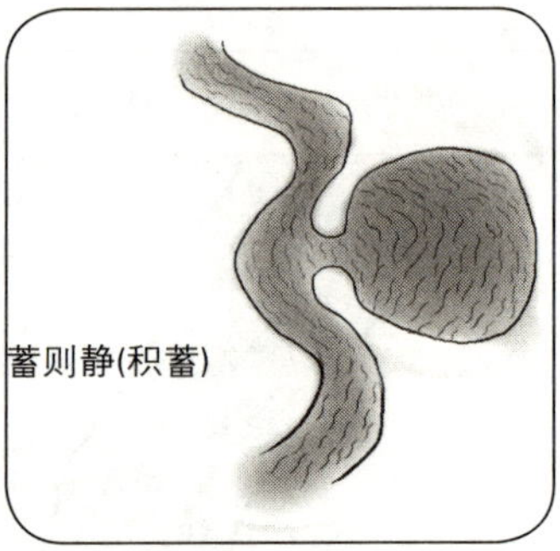
蓄则静(积蓄)

平则静(平直)

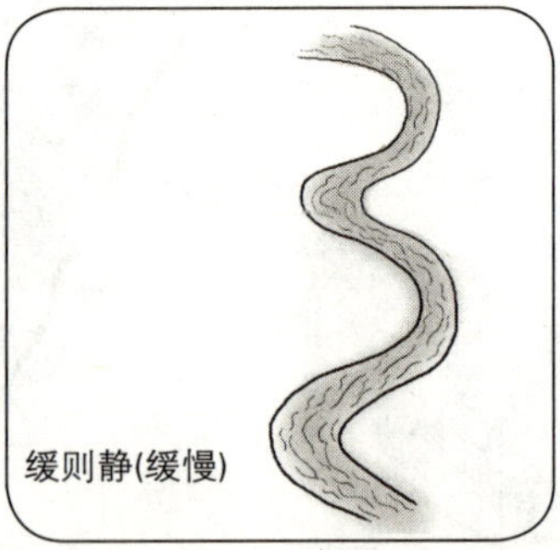
缓则静(缓慢)

水体本动，妙在静止。静者为何？潴则静，蓄则静，平则静，缓则静。

力，形成了弯曲婉转的状态，弯曲之处便有了许多河曲之处，由于水力惯性的作用，河水不断冲击河曲的凹岸，使其不断淘蚀坍岸，而凸岸一侧则水流缓慢，泥沙不断淤积成陆，既无洪涝之灾又可扩大基地，发展住宅。同时，冠带状的水流曲曲如活，给人以良好的视觉感受。而“反弓水”被认为会“退散田园守困穷”，十分不吉利。

古代风水学中关于水的认识，大多符合科学道理，故可多为今日选址所借用。如可选择河流凸岸的台地上，且要高于常年洪水水位之上，避免在水流湍急、河床不稳定、死水沼泽之处建房等等。除此之外，对水源水质也要详加注意。就水源来说，不外有三种，其一是井水，井址的选择应考虑到水量、水质、防止污染等因素，尽可能设在地下水污染源的上游，方便取水处。要求井位地势干燥，不易积水，周围20~30米内无渗水厕所、粪坑、畜圈、垃圾堆场和工业废水等污染源。其二为泉水，常见于山坡和山脚下，水质良好和水量充沛的泉水不仅是适宜的水源，而且还有净化空气和美化环境的作用，所以住宅周围有山泉者，当为吉利住宅。风水书也说：“有山泉融注于宅前者，凡味甘色莹气香，四时不涸不溢，夏凉冬暖者为嘉泉，主富贵长寿。”其三为地面水，如

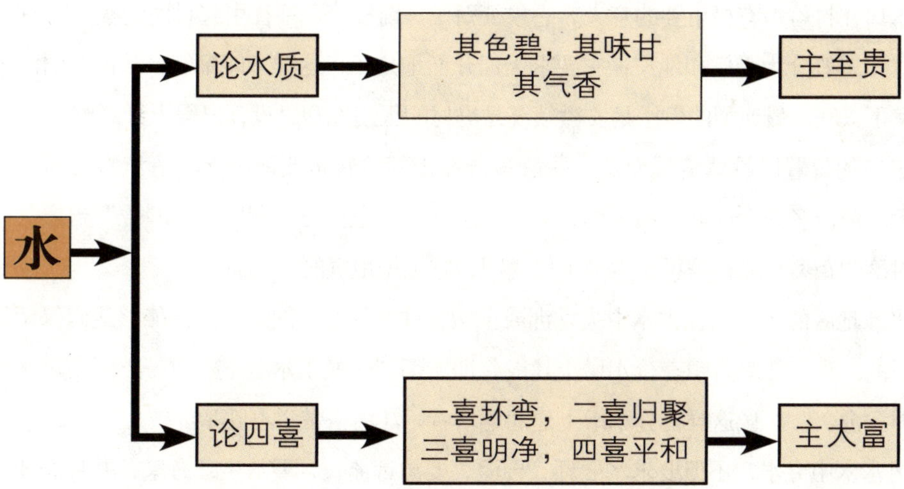

左水为美，要详四喜，此乃形势，与法理无涉。

江河湖泊和蓄存雨水等，此类水污染情况较井水和泉水严重，所以水的饮用取水点尽量选在聚落河流的上游，排污点设在下游。如有条件饮用的水最好在岸边设砂滤井，净化水质，提高清洁卫生程度。

就水质方面来说，以观察品尝的简单易行的方法来判断时，当掌握水应清澈、透明、无色、无臭、无异味、味甘等。有条件的应当作化学生物试验，检查水的软硬度、矿物含量和细菌含量等。看来，对水环境的考虑不外注意水势、水源、水质三方面而已。

水口的重要性

风水中还有一个常见的因素谓水口。城市与村镇一样，一般都有水口，只因距城市较远，常被人忽视。例如泉州市就有三大水口，以三塔层层引入，形成了城市的极为丰富的外部空间形态。第一水口为溜江石塔，第二水口为石湖之塔，第三水口为姑嫂塔，又叫“关锁塔”，这三座塔构成了泉州市的门户。

城市水口的位置与环境要求与乡村大同小异，如泉州第一水口处的溜江石塔就与两侧的凌霄、宝盖二山成鼎足之势。而福建明溪县城东面的水口，右岸为象山，左岸为狮山，两山对峙，被形家称为狮象交牙，足见其为风水宝地。

水口在村落中有极重要的意义，它象征财源、前程等，往往引起村民的极大注意。

水口一般分为天门和地户，它要求天门开而地户闭，这样才能聚气，从而使财源滚滚、家丁兴旺。最典型的例子是安徽绩溪县冯村的天门地户之设，显得十分规整。

水口的位置以具体情况而定，一般多选在山脉的转折或两山夹峙清流左环右绕之处。我国河流多源自西北流向东南，故水口多在东或东南方，即所谓“巽位”吉方。水口距村落的距离一般在一里至六七十里之间，它根据地气的大小而定。

平原地区的水口常在去水中央立洲或土墩，并在其上建阁或庙同样能够达到保留风水的目的。如浙江乌青镇在分水墩上建阁，即所谓“今又于水墩之左建一杰阁则风水愈固，财源愈美”。像这样在分水墩上建阁建塔者，江浙一带举不胜举。

风水术中寻水，不但要求水要环，要澄，要源远流长，要从生旺方来，并且还要求水要朝对山脉的来龙。所谓“水口”，就是一方众水的总出之处，也就是聚会之处。原来山的贵贱，格局大小，都和水口有关。比如祖龙开展，形成罗城样的格局，而罗城余气，又各自延伸回环成关阑。这种术名为砂的关阑，不管是缠护周密，或起捍门，相对持峙，还是锦旗，或出禽曜，或如狮象蹲踞，都要有止水回护前面而留得生气的，才能身价倍增。如果在群山之中，又必须有交互水口的，生气才有能力。如果寻找帝王落葬的山陵佳地，还必定要有北辰尊星坐镇水口，高昂耸异，远远看去能够惊摄住人的，方才能够称为“上格”。又有正局和偏局的不同。正局水口砂势两面合抱收回，偏局水口砂势一面单卷，一面借辏。然而不管正局也好，偏局也好，那水口的砂势，又要以“跌断或星体”的为贵。以上这些，都是就总水口而说的。正水口也叫大水口。

如果大格局里不只一龙，不只一穴的，则必定每龙每穴之身，又各自有着自己的小水口。古人有云：“大水之中寻小水。”就是指由大水口中派生出来的小水口。因为水口和砂势有着极为密切的关系，所以对于两者的巧妙结合，又有“专结”的说法。这种专结，就是说，不管小水口还是中洋，外洋，周围最好都要有一重重的砂势收结，这样水澄砂环，以水口作为咽喉的门户，墓地的风水自然就趋吉了。用一句话来说，就是：“关门若有千重锁，必有王侯居此间。”

然而，以上这些风水术中的问水方法，都是就总体要求而说的。其实在自然界中，水的形态千差万别，千姿百态，因此，有关干水、支水、顺水、曲水、缠水、界

寻水察水口

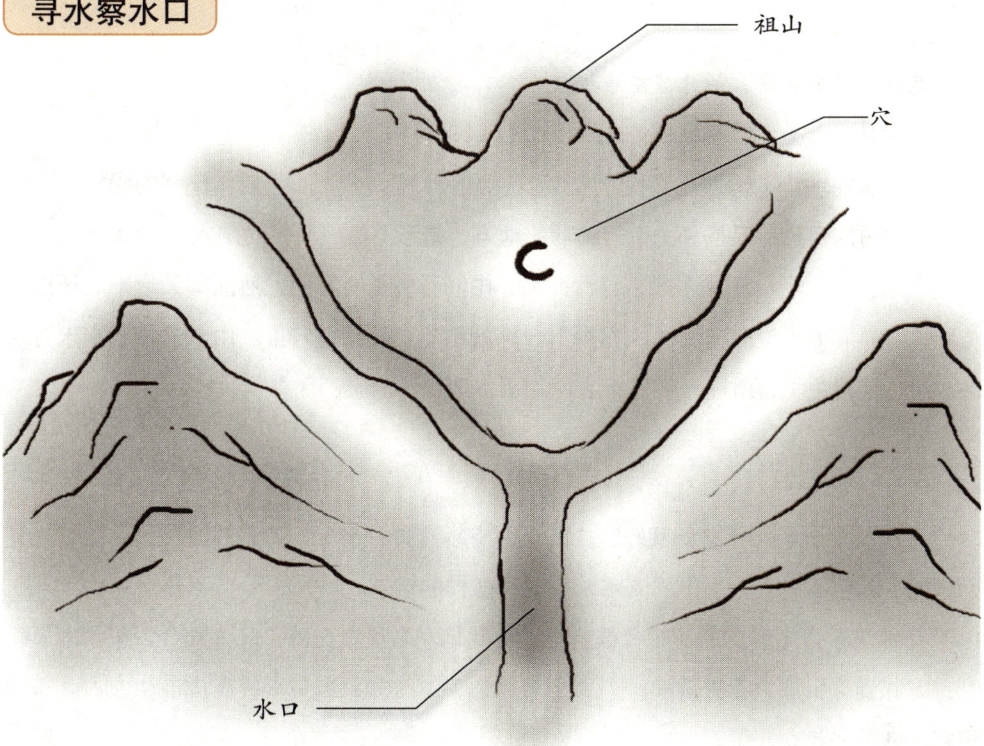

水、湖荡水等自然水法，以及所谓的“五星”分类和异形之法等等，也就引起风水家们的重视。

自然水法的范围包罗很广，这里仅就干水、支水、曲水顺水等等，作一扼要的探讨。

干水

所谓“干水”，就是大江大河的主干之水，就好比树木一样，粗大的树身是干，分散的树枝是支。自然界的干水，就风水的看法来说，大致有两种情况，一种是干水成垣，另一种是干水散气。前者可用，而后者不可用。

干水成垣。垣就是墙，风水家认为，迢递而来江河之水，也只有形成了环形的“墙”，才能围住地气而为葬者所用。在平原中看取宅地或墓地，水也是龙。如果水流泻而去，不见回头环绕之处，那末流过之处即使偶然有着一些屈曲的处所，也决不可能结成生气凝聚的吉穴。原来地中生气，直至环绕回顾之处，才是龙脉止聚的地方，这就是古葬书所说的“气乘风则散，界水则止”，“界水所以止来龙”了。如果水流迢递而来，十里二十里处还不见水流回环成墙，那就说明以往的屈曲之处，就是行龙之处。古诗有云：

龙落平洋如展席，一片茫茫难捉摸。

平洋只以水为龙，水缠便是龙身泊。

因此，在地势平坦之处寻找龙穴，必定要在水城大缠大回之处作仔细的探求，一些小许的屈折的回头，只是真龙束气结咽的地方，是形不生气凝聚的结穴的。

干水聚气。干水汪洋恣肆，斜行而来，中间看去虽有屈曲，然而却又形不成环抱之势，这时其间如果没有支回水以作内气，那就结不成凝聚之穴了。由于这种干水未有回环成垣，聚得生气，所以人们便管它叫“干水散气”。

支水

支水就是干水的分支，就好比树的枝。支水有种种情况，如果直流而去，不能交界回抱的，就结不成穴。交界的支水，有各种各样的状态。

几种交界的支水，不是前后重重交锁，就是左右重重交锁，几分几合，说明束气结咽，龙脉到头，加之看去圆净端严，形势秀逸，这时如果再见局内龙虎前生左右，护卫周密，就可在此立穴了。

曲水

水流曲曲回环，形成墙垣，往往有结穴。其中又有两种情况，一是“曲水单缠”。这种单缠，就是曲水一支，回环缠绕，形成种种不同形式的墙垣。这是曲水单缠中较为有名的。据说葬得这种吉地吉穴，家属爵尊福厚，富贵悠久，美不可言。

另一种是“曲水朝堂”。曲水不只一支，或三曲五曲，回收周匝，各各包裹朝护着墓前生气凝聚的明堂。曲水朝堂有多种形式，除了“风摆柳条”稍逊一筹外，绝大多数都能钟秀聚神。

顺水

水流顺势而来，只要不径直流去，到止息处有所回抱的，也能结穴而聚生气。刘基《堪舆漫兴》说：

顺水之龙穴要低，有砂交锁始堪为。

面前若见滔滔去，纵是龙真罹祸危。

综上所述，水在风水学中占有非常重要的分量，加上其科学性和实用性，值得进一步研究和发扬。

第七章

教你如何勘察建筑形势风水

风水的理论特点：一个讲“峦头形势”，一个讲“气之方位”，从而形成“形势派”和“理论派”，二者建立在各自的理论基础之上。形势派也就是形与势这两个最基本的概念的实际运用。

本章导航

一、风水形势的意义

二、紫禁城风水形势设计

三、建筑形势风水的实用价值

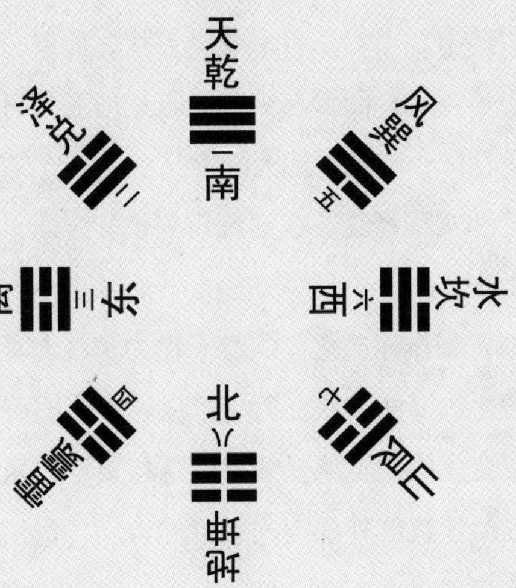

一、风水形势的意义

风水形势学说，就是风水理论中的“形”与“势”这两个基本概念的实际运用，就本质来说，实际上就是运用建筑形体及其他环境景观构成要素，如地形地貌、山川植被以至光色等等，进行空间组合，使在体量、尺度、造型形式及至质地肌理等方面大小高低、远近离合、主从虚实、阴阳动静等变化，都能适合人的生理和心理要求，在感受效果上，特别是视觉感觉效果上，引起审美愉悦，并臻于艺术上的完善。而建筑外部空间设计理论，也不外是有关这些空间组合处理技巧规律的概括和抽象。事实上，如后文将要论证的那样，中国古代风水形势学理论，就正具有这种理论思维的内涵与特征。

形和势的概念

关于形和势的概念，早在先秦诸子著述中就见广泛应用，甚至还有专以“形”、“势”为题的论述，如《管子》中的《形势》、《形势解》诸篇，《孙子》中的《形篇》、《势篇》等等。其中，“形”有形式、形状、形象、表现等意义，“势”则指姿态、态势、趋势、威力等意义；而形与势相比较，形还具有个体、局部、细节、近切的涵义，势则具有群体、总体、宏观、远大的意义。

正是基于这种理论和实践经验，在建筑规划设计方面，也形成了如《周礼·地官》所载述的所谓“形体之法”。

曾以“数术穷天地，制作侔造化”饮誉于世的东汉大学者张衡在《冢赋》中：“宅兆之形，规矩之制，望之东以丽，践而行之广以巧。”明确表达了建筑外部空间设计注重远近行止不同而巧于变化的视觉感受效果。这与更早的西汉王褒《甘泉赋》“却而望之，郁乎似积云”等描绘建筑群外部空间意象的诗句，也正是异曲同工，反映了当时士人对建筑审美的共同取向。

三国时，曹魏大风水家何晏云：“远而望之，若朱霞而耀天文；迫而察之，若仰崇山而戴垂云”等等。他还借用“形”与“势”有关局部与整体的不同涵义，明确地指出了建筑艺术上处理局部形体细节各自独立而在结构上保持整体有机统一的意象。

在风水理论的发展过程中，对于建筑环境景观中空间构成方面诸如高低大小、远近离合、主从虚实、整体局部、动静阴阳等等视觉感受效果及内在规律，遂逐步得到认识和把握；终于衍为一套系统而深刻、内涵丰富而科学，并具有哲理性的理论。

风水中的形与势

风水形势说的有关理论，主要围绕着“形”和“势”的基本概念而展开，规范了二者的不同涵义和不同的空间尺度界限，并说明了它们相反相成、对立统一和相互转化的辩证关系及相应处理技巧。传世较早的风水要籍如《管氏地理指蒙》、《郭璞古本葬经·内篇》等所载：

“远为势，近为形；势言其大者，形言其小者。”

“势居乎粗，形在乎细。”

“势可远观，形可近察。”

“千尺为势，百尺为形。”

“势为形之大者，形为势之小者。”

“形即在势之内。”

“势即在形之中。”

“势如根本，形如蕊英；英华则实固，根远则干荣。”

“势与形顺者吉。”

“势来形止，前亲后倚者为吉。”

“形势相登，则为昌炽之佳城。”

“形全势就者，气之旺也。”

形，概指近观的、小的、个体性的、局部性的、细节性的空间构成及其视觉感受效果。

势，概指远观的、大的、群体性的、总体性的、轮廓性的空间构成及其视觉感受效果。

风水形势说在理论上的阐发，一如古代中国其他学术理论，内涵丰富深刻，而概括性极强，言简意赅。惟其言简，或用当代有关理论对照诠释，则其内涵的多方面意义与价值将更为彰明显著。

例如形势说的核心，除定性概括了“形”和“势”这两个基本概念外，还定量给出“千尺为势，百尺为形”的规定，作为外部空间构成的尺度权衡基准。这规定，由现代有关理论及相应成果来分析，则明晰可见它们实际上是古代哲匠们在深刻认识和把握了

形势：传统文化的审美思想

所谓风水形势，实际上就是运用建筑形体及其他环境景观构成要素，如地形地貌、山川植被以至光色等等，进行空间组合，使在体量、尺度、造型形式及至质地肌理等方面大小高低、远近离合、主从虚实、阴阳动静等变化，都能适合人的生理和心理要求，并臻于艺术上的完善。

形与势的意义

在中国传统文化中，不只是风水理论中讲究形与势，在古代先贤的哲学思想中对“形势”早就有重要论述，并对整个社会产生了深刻影响。中国的建筑、绘画艺术就是对“形势”思想的完美体现。

有关人的行为及知觉心理规律的基础上，极其准确凝炼地给出的“外部空间模数”，是十分科学的。

对于“形”其“百尺为形”的基本尺度规定，依中国古尺，从周尺到康熙量地官尺，折算为公制，约为23~35米；“近以认形”，“近相住形”，以之为近参观时的视距标准，则正与当代建筑理论中以看清人的面目表情和细节动作作为标准的近观视距限制基准若合契符。这一视距限值，也正是广泛应用在影剧院、多功能体育馆，以及街道、广场、建筑群的外部空间等设计实践中的一项重要的基准尺度或模数。众多的有关理论著述曾强调指出，这一空间尺度予人的心理感受，以富于“人情味”为最显著特征；以此为准，可创出尺度宜人得体的外部空间。

按照风水形势说，百尺为形的空间尺度规定，对单位性的空间构成，还具有体量尺度的制约意义，即如建筑单位或建筑局部空间划分，其面阔、进深与高度，一般也应以百尺为限。由当代理论可知道，这也正是控制建筑体量不失之于“尺度超人的夸张”，而富于人情味的合宜尺度。而且，同近观视距一样，这一规定也具有内在的科学依据。

中国古代的千尺，合现代尺度230~350米左右。当代研究成果证明，这也正是一个外部空间设计中以人的活动为中心的科学尺度规定。其一，这是人作为步行者活动时，能保持愉快胜任的合宜步行距离。第二，这也是以人为观察目标的一个远观视距限制值，就是远以观人，虽然面目及动作细节无以辨认，却可以由人的轮廓、动态特征而加

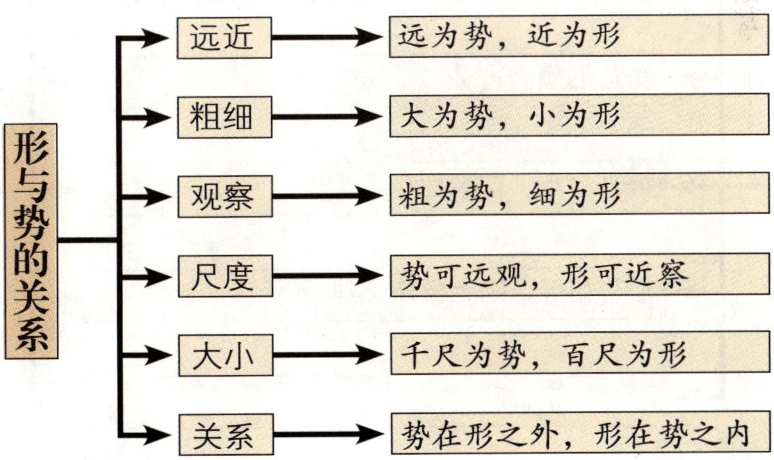

以识别的远观视距值。以这一限制值界定的空间，在远观的角度上说，仍然是一个具有“人情”味的空间。

此外，就当代理论分析，合于人的尺度即“百尺为形”的建筑或其他景观形体，在千尺之远观看时，视角为6度。这正是人眼最敏感的黄斑视域；同时也正是当代建筑外部空间设计中的一个重要极限视角。实际上，当视角小于6度时，空间的景观效果，尤其是空间综合效果，将明显消失，趋于空旷，并产生疏远感。

有鉴于此，为避免各单位性空间构成百尺之形在大范围的空间围合和远观时失之于空旷和疏远感，而仍能具有宜人的空间艺术效果，则在外部空间的总体布局上，把各单位性的百尺之形，控制其空间围合尺度及远观视距于千尺，即350米，当是十分关键的。风水形势说有关“千尺为势，百尺为形”的限制规定与具体运用，在这方面恰恰表现出明显的针对性，殊非偶然，而且具有很高的理论价值与实践意义。

在远景逾出千尺限外时，风水形势说还别具匠心，注重“驻远势以环形”、“形乘势来”、“形以势得”的艺术处理，即在远景上，使一些个体性的百尺之形，或者因借山地形，或者倚靠大体量、大尺度的群体性空间组合作为底景，得到衬垫烘托，从而获得远观上宜人得体的空间艺术效果，不致于疏远空旷。这戛戛独造的匠心，显然是非常

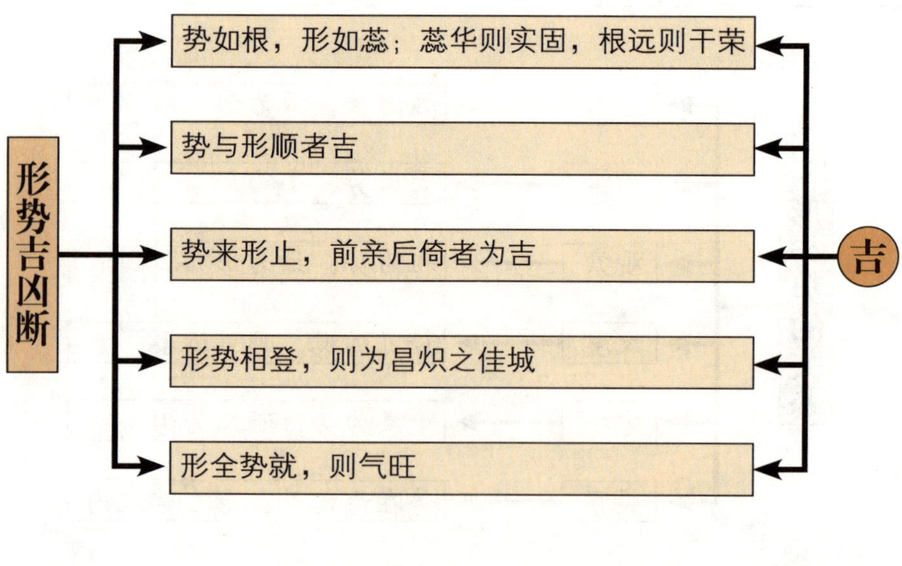

高明的。

风水形势说对外部空间设计深思熟虑、精湛高超的意匠，值得重视，还有其对远观、近观以及介乎这两极之间中景景观时空动静感和相应艺术处理原则把握和阐发。而在这方面，由当代有关理论来观照分析，则同样可以得到充分证明，其本质也是十分精湛科学的。

风水形势说的这一取向，从人的行为和知觉心理来分析，真是有道理。实际上，人在外部空间组群中作步行运动，当其近观时，景物细节，尤其是建筑艺术处理中造型、设色、纹理、质地等种种细节丰富多采，往往使人瞻亦驻足；而俟其远观景物，人虽移步，远观视角的变化却常较微小，景观微差变化也往往难以明显觉察。因此，近观和远观的视觉感受，多具有时空上的相对静态特征。与此明显成为对比的是，中景景观主要是在远近行止的显著变动中，被人连续感知而获得“知觉群”的综合印象，它具有时空上的显著动态感，也自在情理之中。

风水形势的处理原则

基于此，风水形势说在综合近景、中景和远景上的外部空间构成方面，提出了重要

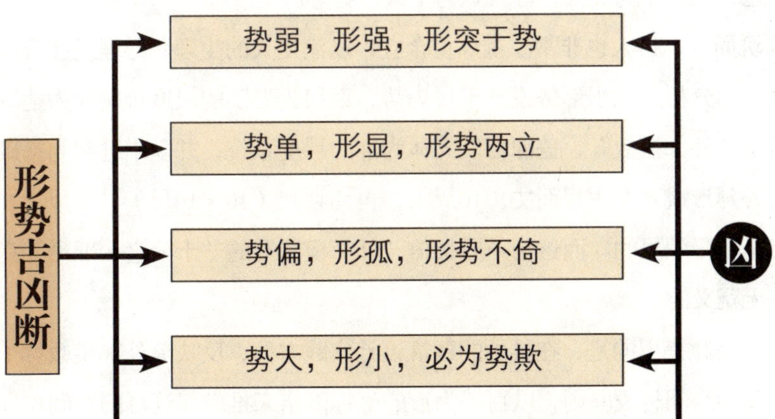

的处理原则：对千尺之势的大型空间组群，一方面，要从全局或整体上控制其具有特定性格或气魄；另一方面，要在此基础上，以百尺之形为率，把整个空间群划分成既各相独立、互有差别而又有联系的多个局部性空间，巧妙地组织其中各单位及局部细节的艺术处理。这样，空间组群便能一气呵成地显现出性格鲜明的有机统一的整体特色；而移行期间，在远、中、近的不同层次上，纷呈展现的形与势的时空转换，更能予人以一系列的不同感受并引起情感变化，形成富于戏剧性的生动有致而又连续不断的审美体验。

这一系列空间感的认知及其在外部空间设计中的广泛应用，就现代建筑理论而言，盖源自19世纪西方建筑界的视觉分析理论，本质上都是静止式的，即是在各不同视距的固定观赏点上为人所感知的。而风水形势说以百尺之形划分千尺之势的空间构成原则，虽然包含了这种静态空间感的认知与运用，但其更为注重或强调的，实际上是时空运动中一系列静态空间及其转换变化的连续综合印象。这一取向，其实是更吻合于弥补西方的经典性视觉分析理论的缺陷而发展起来的当代外部空间设计理论，例如日本学者芦原义信提出的“十分之一理论”和“外部模数理论”等。

中国古代的尺度系统。其标准取自人体并主要要以十进制而推衍形成，在古籍中原有很多记载。如《家语》谓：“布指知寸，布手知尺，舒肘知寻”；《风俗通》则有云：“步始于足，足率长十寸，十寸则尺，一跃三尺，法天、地、人，再跃则步”；“周制八寸为尺，十尺为丈，人长八尺故曰丈夫”；《论衡·气寿篇》也说：“人形一丈，正形也；名男子为丈夫，尊公妪为丈人”等等。

就建筑而言，古人也非常注重尺重合宜，以满足人的生理、心理及社会需要。由诸多史籍载述而分析，风水形势说“千尺为势，百尺为形”的尺度规定作为建筑外部空间设计的所谓“外部模数”，盖源自以人体为准的尺度系统，并以十进制为基础，由室内空间尺度外延形成，即由尺而丈（10尺），再而百尺（10×10尺）、千尺（10×10×10尺），当是十分明显的。而这与芦原义信“外部模数”的“十分之一理论”完全契符，也当是毫无疑义的。

还应当在此指出的是，在具体的建筑设计实践方面，反映着外部模数“千尺为势，百尺为形”的空间构成原则，以百尺为形的坐标网格来推敲建筑群的空间布局，即外部空间设计，实际也是中国古代传承弥久和应用普遍的一种方法。

通过以上各方面的比较分析，完全可以确信的是，风水形势说实际是中国古代先哲们在他们丰富的创作实践和审美体验的基础上，洞察并驾驭了外部空间构成和人对其感知过程的一系列本质特征及内在规律，经过深刻的抽象思维而形成的外部空间设计理论。这一理论体系具有很高的理论水平，也具有很强的实践价值，毫不逊色于现代外部空间设计理论。

风水形势说是和中国古代建筑创作实践紧密联系的，由此，得以产生许多光耀世界建筑文化之林的伟大作品，将可以更充分认识风水形势说作为中国古代外部空间设计理论的影响和价值；包括设计技巧，尤其是设计思想和理论。在这方面，观照和分析紫禁城这一最典型的杰作，特别是其大规模组群的外部空间设计意象，具有重要意义。

二、紫禁城风水形势设计

紫禁城的规划设计受风水理论制约或指导，是有文献可考的史实，学术界也多有认可；对紫禁城建筑布局的种种风水意象，在明初，尤其是在紫禁城经营之际，风水形势宗大行于世，并倚重永乐皇帝的青睐而势盛。在这样的背景下，有关风水形势理论被贯彻或影响于紫禁城外部空间设计实践，当是情理中事。而在事实上，观照和分析紫禁城大规模建筑群的外部空间构成，也不难获得大量有力证据，足可充分说明这一点。

虽然紫禁城的整体立意，极为注重“非壮丽无以重威”，竭力表现和强化其环境氛围的九鼎之尊，但这种艺术追求，却仍然具有鲜明的现实理性精神。构成规模恢宏、气势磅礴的紫禁城建筑组群的各个单位建筑，其外部空间构成的基本尺度，实际上也莫不遵循了“百尺为形”的原则，即以23~35米为率来控制单位建筑的平面及竖向尺度，而未以尺度超人的夸张来求取艺术上的成功。

以高度而论，紫禁城最高的单位建筑是午门。这一紫禁城的正门，最重要的功能，是征伐凯旋献俘之际，皇帝亲御其门楼，有明确且强烈的镇压威慑作用。虽其如此，自城下地平直到脊高，也只有37.95米。午门迤北的太和门全高，则只有23.8米。至于九五之尊的太和殿，连同三层硕大的台基，全高也才35.05米。除此之外，紫禁城其余所有单位建筑均在35米限下。

以进深而论，太和殿最大，进深33.33米，其余各单位建筑皆在此限下。

又以各单位建筑面阔而论，除中央路轴线上的主体建筑如午门、太和门、太和殿以至神武门，还有横轴线上的东华门、西华门、体仁阁、弘义阁等外，悉以百尺度控制其通面阔。而这些“居中为尊”，处在主轴线上，实际也是对称轴上的主体建筑，以其对称性而言，通面阔则都是按轴线两侧各控在百尺之内而确定的。如午门正楼通面阔为2×30米，太和殿为2×30米，体仁阁、弘义阁皆为2×23米，等等。

以近观视距而论，如东、西六宫的绝大多数内庭院，通面阔，通进深就都在35米限内。而最为显赫的三大殿，自其三台迤南而至北端，自东而西，进深和面阔逐段划分，也均在此限。其中三台南丹陛通深33米；台上层南边阶条至太和殿通深29米；太和殿台明通深35米；太和殿北丹陛至中和殿丹陛间距31米；中和殿明通进深23米；中和殿迤北

紫禁城的风水思想

紫禁城的风水思想反映了古人宏大的宇宙思想，紫禁城通过万岁山、金水河、天寿山、燕山、太行山与昆仑山一脉相连，通过山把宇宙的元气引入紫禁城之中，汇天地乾坤之气，以求江山万代。

北京城以中轴为界，分为东、西两半，以东属阳，以西属阴，以太和殿为中心，它的左边是阳，太阳升起的地方，它的右边是阴，太阳落下的地方，这是紫禁城的宇宙时空。

紫禁城全景图

西城为阴　　东城为阳

紫禁城以阴阳和谐的宇宙时空布局

紫禁城各单位建筑的平面尺度按百尺为形控制，近观视距亦以百尺为形限定，远观视距则控制在千尺为势的限界之内，其间行程又遵循以百尺之形划分于千尺之势的空间构成原则。紫禁城大规模建筑群的整体布局由此形成的艺术氛围，具有震撼人心的气势魄力，极为壮丽恢宏，在远观时尤为显赫。

至保和殿台明南边共深33.8米；保和殿台明通深25米；北面丹陛通深30米；丹陛北至乾清门台明34.8米等等，无不严格遵循了“百尺为形”的尺度控制原则。

在远观视距构成上华门、西华门距离过大，为仅有特例外，其余所有广场、街巷、或相邻单位建筑间距，以及城台、城墙各段落之长，最大的也只在350米左右，以“千尺为势”而限定，是显而易见的。

值得强调指出的是，正是由于紫禁城各单位建筑的平面尺度按百尺为形控制，近观视距亦以百尺为形限定，远观视距则控制在千尺为势的限界之内，其间行程又遵循以百尺之形划分于千尺之势的空间构成原则，因此，得以构成学者们曾以视觉分析理论而认知的一系列最佳观赏视角及空间感，保证了近观、远观以及移行其间在形与势的时空转换中获得最佳视觉效果。也正是在尊重并发掘研究了这一传统建筑意识的基础上，吴良镛先生等得以从容驾驭天安门广场规划中外部空间设计的尺度、视觉分析诸原则，最终取得成功，为学界共识。以此权衡风水形势说的理论与实践价值，无论对于古代，还是现代建筑创作，无疑都是不容低估的。

紫禁城大规模建筑群的整体布局由此形成的艺术氛围，具有震撼人心的气势魄力，极为壮丽恢宏，在远观时尤为显赫。对这一创作意象体现了中国古代建筑鲜明特色，也曾为学者们注重和强调。如李允鉌在《华夏意匠》中就曾着重指出：“中国建筑在远观时所呈现的十分完善的效果，并不是出于偶然，它们肯定是不知通过了多少人作实地勘察和深思熟虑才得出的结果。”他认为：“自古以来建筑设计颇讲究气势和魄力，这种性格也只有在远观中才可以充分地表现出来。在每一个重大的建筑设计上，相信首先注意的就是它们在远观上的效果。”

这些体验与分析，无疑都是相当合理的。然而，若以指导或制约着中国古代建筑实际创作的风水形势说来观照分析，则既能充分证实中国建筑确曾非常注重建筑组群总体布局远观效果表现，讲究其气势和魄力，从而使人们对中国建筑这一性格的认识与把握，由主观揣测而达于符合历史本来面目的理性认识；而且更重要的是，这也必将彻底否定中国建筑在这一艺术实践及成就方面乏于理论思维的偏见。

紫禁城的风水思想

构成规模恢宏、气势磅礴的紫禁城建筑组群的各个单位建筑，其外部空间构成的基本尺度，实际上也莫不遵循了“百尺为形”的原则，即以23~35米为率来控制单位建筑的平面及竖向尺度，而未以尺度超人的夸张来求取艺术上的成功。

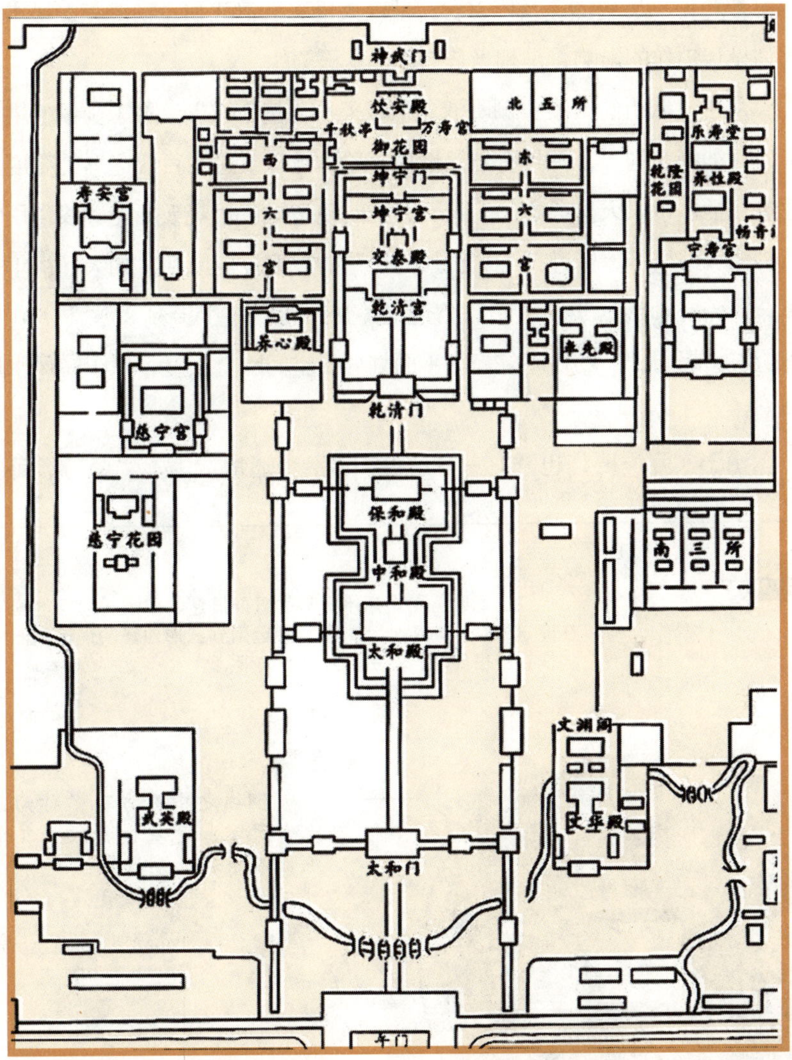

紫禁城由五大元素组成，土在中央，水在北方，金在西方，火在南方，木在东方，宫殿因此而建。内廷东西六宫按六六大顺卦象而建，东西七所按北方七宿星座而列。日东月西，天南地北，分布在紫禁城的四方，紫禁城的东边生成阳四命卦，西边生成阴四命卦，形成北京城两大阴阳宅区，这是紫禁城的宇宙大厦。

三、建筑形势风水的实用价值

从风水形势说的历史渊源及传承看，证以大量文献记载和实物遗存，风水形势理论对建筑规划设计创作的影响，是相当普遍和非常深刻的。

又如，从古代城市的典型实例明清北京城来看，整个城市，除了少量佛塔、佛楼，以其象征着“神的空间”，并具有点景性质，单体建筑或逾于百尺之形的高度，此外绝大多数建筑包括皇帝祭天盛典之用的天坛，控制整个城市景观天际轮廓线作用的最高大的城楼、钟楼、鼓楼等，皆遵循了“百尺为形”的尺度控制原则。如天坛祈年殿，从台明到宝顶全高为31.78米，就正合清代营造尺（光绪间1营造尺=31.83厘米）九丈九尺九寸。至于街道、胡同、广场、庭院等等平面划分及空间围合尺度，殊少违风水形势说基本原则的例外。

当然，由于实际需要，也常有一些建筑，灵活变通地运用了“聚巧形而展势”、

三形四势

“三形四势”是风水形势的重要概念，源出《管氏地理指蒙》。在建筑形势风水中，我们常常会运用到三形四势的理论。而中国古代的铜钱能很好地诠释三形四势的义理。

铜钱之中有方孔，称为三形，比喻元室，元室也称穴。其形须方正，不受利欲动摇。

铜钱外圆，称为四势。形必须在四势之中，所以四势须外圆。

“积形成势”的原理，如：令人瞩目的众多高台建筑、楼阁、明堂，以及至今尚有实物遗存可以证明的诸多佛塔、佛楼等等，就有力地显示出古代哲匠并不缺乏建造大尺度、大体量建筑的技术实力。

然而，历史上的这些尺度超大的建筑物，恰恰皆非人的空间，而不外是媚神、求仙、礼佛之用的“神的空间”，无不具有宗教性彼岸世界的崇拜的性质。它们虽因古代特定时期的社会精神需求而曾作为现实世界的对立物或补充物得到生存和发展，并在建筑技术与艺术方面显示出古代哲匠的惊人智慧与成就。但由于中国古代历史的发展，非但从未出现过西方世界那样的宗教迷狂，本土的和外来宗教，在始终关注着现实人生的文明形态中，也不断呈现出世俗化乃至弱化的趋势，所以作神的空间建筑，以尺度超人的大体量和向上发展的趋向，在数量与规模上毕竟只占中国古代建筑总体上的很小比例。

宗教建筑世俗化，也为古代建筑创作注进了新的形式与技巧，风水形势说运作天地的拓展，也反映出这一事实。典型的如南宋以来，尤其是明清以来，随着形势宗的风水学说大行于世，各地纷纷兴造的风水塔，或称文风塔、文昌塔、文笔塔等等，实际上就是由佛塔转型而改变了宗教性质的一种新的建筑类型。形势宗的风水家，利用其耸拔

远观势近认形

寻龙找穴，重在观察吉地之形及周围之势。形要近认，势要远观。好的穴是随着势的下降而成形结穴，势则随着形的止住而止住，势降才能聚气。

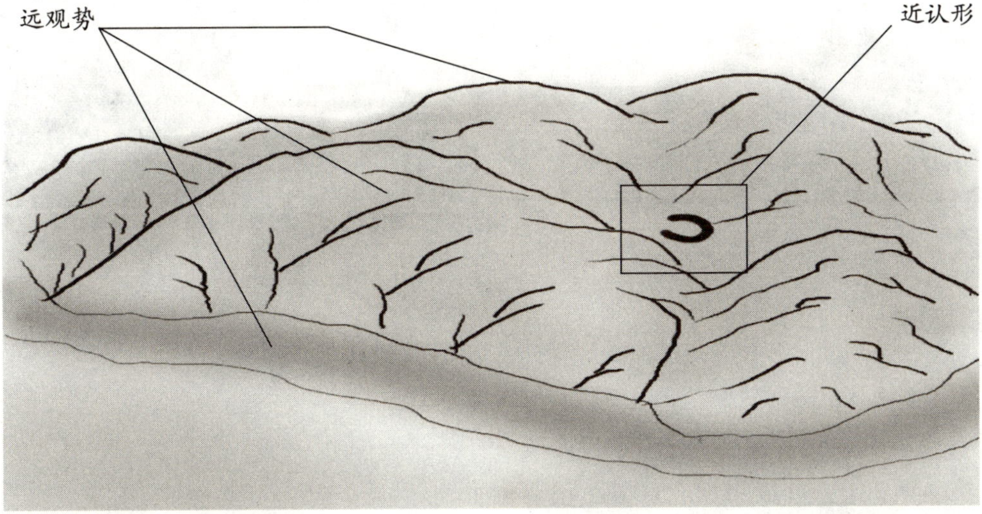

挺秀的形象，不是作为礼佛的崇拜物，而是作为“通显一邦，延袤一邦之仰止，丰饶一邑，彰扬一邑之观瞻”的标志建筑，在“风水”名义之下，来“培风脉，纪地灵，壮人文，正风俗”。类似的建筑，还有形形色色的风水楼，最著名的有武汉的黄鹤楼、南昌的滕王阁、昆明的大观楼、岳阳的岳阳楼等。这种主要用来装点山河、美化风景的建筑形式，往往都以“百尺为形”的尺度控制处理，实现了由神的空间向人的空间的转换。

由神的空间转向于人的空间而为风水形势说巧妙利用的事例，当然不仅止各地风水塔这类建筑的创作。实际上，为驾驭大的组群性建筑空间，以求其远观的气势与魄力，在诸如城市、大型自然风景区或大型园林中，适当布置少量大尺度、大体量的建筑，赋其以“神的空间”的名义，而为“人的空间”服务，也是惯常的处理手法。

如园林中大量的建筑，体量比较小巧，式样也讲究素雅，布局随意活泼，富于人情味。又有很多的庙宇，体量尺度超越了“百尺为形”的规模，居于园景的重要控制点，或全园的构图中心。如以佛香阁、须弥灵境作为构图中心控制了万寿山和昆明湖，也控

景观风水设计（一）

制了颐和园全园；以永安寺塔向心敛聚着琼岛以至整个北海的景物，构成点式构图中心；以外八庙的巨大体量，沿着避暑山庄北缘的山峦展开，构成了整个山庄围屏式底景等等。而这些庙宇，虽有礼佛的名义，属于神的空间，但在全园的规划意义上，不过借其超然的体量尺度，来装点以人的空间为主体的御苑罢了。这种规划匠意，结合实例而加以分析，实际也不过是风水形势说的变通运用而已。

当空间围合尺度远观视距逾出千尺之外时，风水形势说强调“积形成势”、“聚巧形而展势”的处理，以免产生空旷疏远感。通常情况下，只是以百尺之形的单体性建筑巧妙叠加组合或利用天然地势解决，不用增高加大单体空间的体量尺度来处理，以免近观时失之于超人的夸张，使人的空间情味丧失或削弱。然而，如清皇家园林面临着特大空间的处理，径直以大体量大尺度的宗教建筑，解决了全园的构图及远观效果；俟其近观时，在神的名义上，虽尺度超大也能作为神的空间或彼岸世界的境象为人接受；从总体上丰富了全园景物与功能内容。这不能不说是一个灵活巧妙运用风水形势说的手法。

景观风水设计（二）

第八章

你不可不知的风水罗盘运用

众所周知，指南针是中国古代四大发明之一，而罗盘就是由指南针演变而来的，是勘察风水必不可少的重要工具。由于风水派别繁杂，罗盘的形式，以及对罗盘的运用都或多或少有所区别，但总体上还是接近的。慧缘25层罗盘是应用最为广泛的，本章将具体对此进行介绍。

本章导航

一、罗盘的作用

二、慧缘二十五层罗盘精解

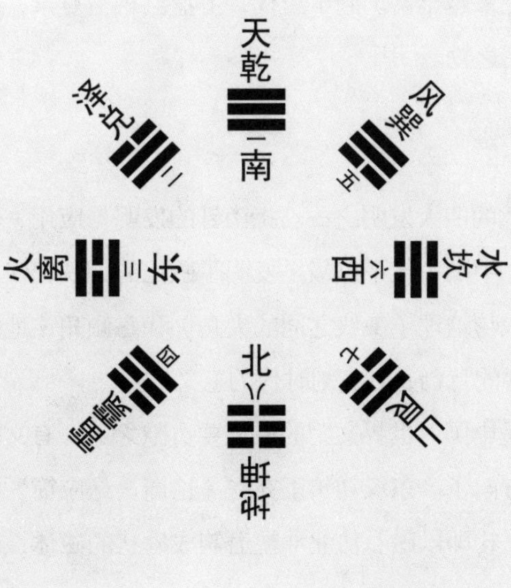

一、罗盘的作用

风水第一大系统是“形法”（形势派），它注重住宅周围的山水形势和宅的外形，论得失吉凶，不须要用“阴阳五行”的法则，人们比较容易明白。第二系统是“理法”（理气派），它强调方向方位的鉴定必合主人的八字，以阴阳五行的“生、克、制、化”以及易经“爻”变而推断吉凶。无论形势派还是理气派，都离不开一个重要的风水勘察工具——罗盘。

风水师取罗盘之包罗万象、经纬天地之义，所以尊称罗盘，或曰罗经，认为罗盘具有“呼风唤雨”的神力。既能相形气，“乘气、立向、消砂、纳水”，又能测地气，以辨其地之贵贱大小。还能推时辰，何时凶？何时吉？于是有人赞叹曰：“凡天星、卦象、五行、六甲，所称渊微浩大之理莫不毕具其中也。”罗盘是将气、理、形、数系统结合在一起而制成的一种时空合一的风水器具。罗盘最初出现在汉代，其发展经历了漫长的岁月，其内容也越来越丰富。到了唐代，罗盘已相当复杂，所包含的内容也相当丰富，成为风水师的必用之物。

罗盘与指南针

指南针是中国古代的四大发明之一。指南针的发明与应用，与中国古代精确的“辨方正位”的活动有关。中国古代不仅最早发明了磁化的钢铁，使之指示南北方向，也发明磁偏角（地磁子午线与地理子午线之间的夹角）和磁倾角（地磁体与地平面之间的倾斜角）。这些都是世界的首创，具有划时代的意义。

指南针的发明，是中国对世界文明的最重要贡献之一。有文献记载，早在战国时期就开始利用地磁测定方向了。东汉初年王充在《论衡·是应篇》中说：“司南之杓，投之于地，其柢指南。”杓即以磁石仿北斗星磨制成匙状的磁体；柢是匙柄；地是占卜盘的萌芽或早期形式。

指南针与方位盘配合装置，就产生了最初的罗盘。关于罗盘的记载，最早见于南宋曾三异所撰《因话录》，书中谈到“地螺”，即罗盘。罗盘方位盘的分度法源于汉代的地盘、八干、四维、十二支，以二十四向为基本方位。所不同的是，汉地盘为方形，而罗盘的盘体则发展为圆形。罗盘的发明，是风水师在传统的辨方正位方法上的一次变革。

北宋庆历元年（1041年）堪舆家杨惟德在《茔原总录》，已谈到用磁针定向的事，他写道：“客主的取，宜匡四正以无差，当取两午针。于其正处中而格之，取方直之正也。”40多年以后，北宋科学家沈括（1031～1095）在他的《梦溪笔谈》中详细地介绍了指南针的制造方法和磁偏角：“方家以磁石磨针锋，则能指南，在常微偏东，不全南也。”按此记述，我们可得到三条线索：一是指南针是借天然磁石和钢针的摩擦来传磁的；二是发现了磁偏角；三是以上两项成绩均为“方家”所为。“方家”就是古代的风水师。古代的风水师出于职业活动的需要，从“辨方正位”的长期探索中，直接引出了指南针的发明应用，引出磁偏角的发现，在人类历史上做出了重要贡献。

定向而居的测量工具

人类出于对居住本能的需求，住屋营造自古就有了用日光测坐向的方法，使住屋在采光取暖方面符合向阳背阴的原则，在适应气象方面多采取避风方向，在选择地利方

司南——中国最早发明的指南针

指南针的前身是中国古代四大发明之一的司南。主要组成部分是一根装在轴上可以自由转动的磁针，在地磁场作用下能保持在磁子午线的切线方向上。磁针的北极指向地理的南极，利用这一性能可以辨别方向。常用于航海、大地测量、旅行及军事等方面。指南针辗转传入欧洲后在航海大发现中发挥不可替代的作用。

罗盘主要结构图

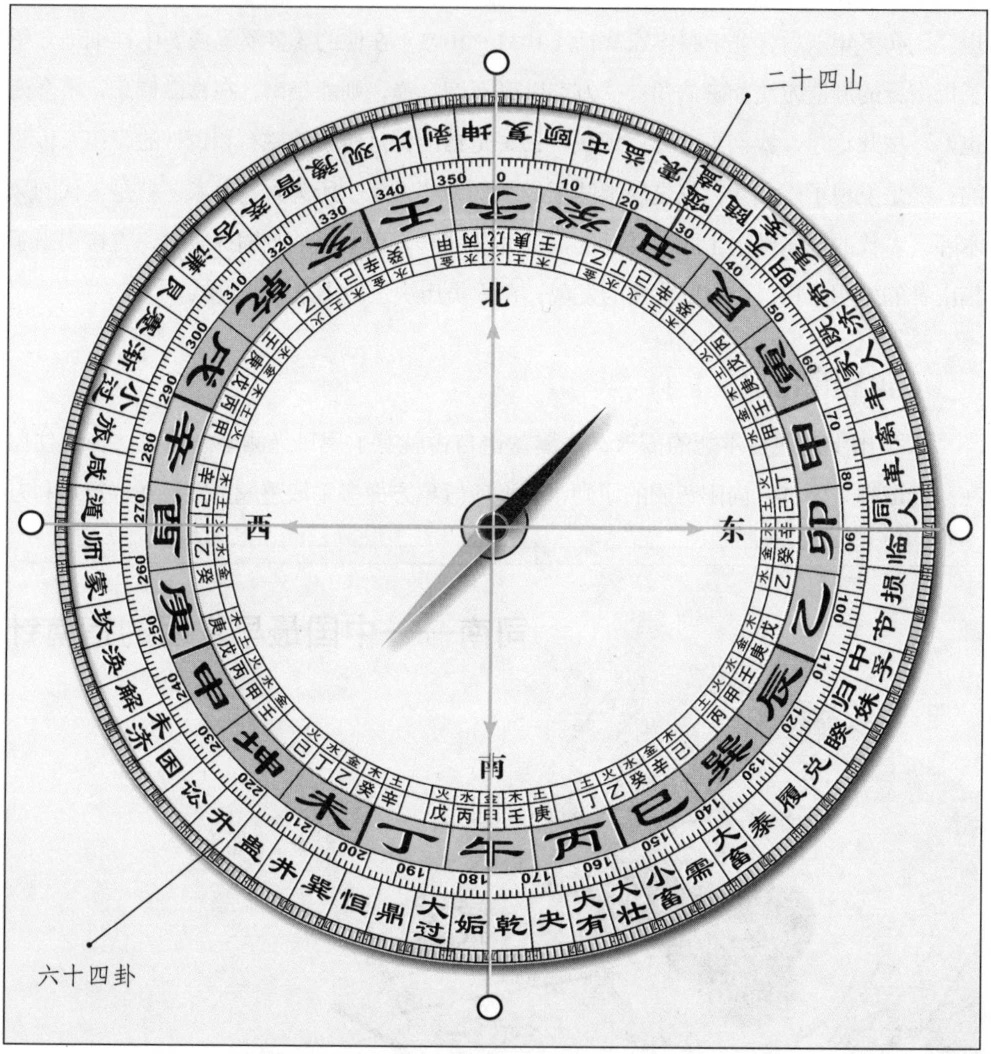

罗盘因于应用上的不同，有各种层次。一般少则二、三层多则数十层。

第一层显示东、东南、南、西南、西、西北、北八方。第二层即以地磁子午线为基准来测量房宅内各种器物之方位。一般称此层为地盘。

第三层为配合第二层使用时，所需考虑的纳音问题。

罗盘结构示意表

方位	卦位	二十四山	角度
正北	坎	壬	337.5 － 352.5
		子	352.5 － 7.5
		癸	7.5 － 22.5
东北	艮	丑	22.5 － 37.5
		艮	37.5 － 52.5
		寅	52.5 － 67.5
正东	震	甲	67.5 － 82.5
		卯	82.5 － 97.5
		乙	97.5 － 112.5
东南	巽	辰	112.5 － 127.5
		巽	127.5 － 142.5
		巳	142.5 － 157.5
正南	离	丙	157.5 － 172.5
		午	172.5 － 187.5
		丁	187.5 － 202.5
西南	坤	未	202.5 － 217.5
		坤	217.5 －232.5
		申	232.5 － 247.5
正西	兑	庚	247.5 － 262.5
		酉	262.5 － 277.5
		辛	277.5 － 292.5
西北	乾	戌	292.5 － 307.5
		乾	307.5 － 322.5
		亥	322.5 － 337.5

罗盘的种类很多，常用的有三元盘、三合盘、三元三合两用盘、易盘、玄空盘及各派所用户的独特盘。但无论是那门那派的罗盘，中间必有一层是二十四山方位的，从北方开始依次序排列分别是壬子癸、丑艮寅、甲卯乙、辰巽巳、丙午丁、未坤申、庚酉辛、戌乾亥，共二十四个方位。

面，又多是靠山面水，山上也取向阳山坡。如6000年前的西安半坡遗址，坐落在渭河的一条支流浐河阶地上，依山傍水，建筑物门多向南。随着人类实践的发展，辨方向的方法有了改进。《诗·大雅·公刘》是一篇歌颂周文王第十二世祖先公刘功绩的作品，诗中有“既景乃冈，相其阴阳”的诗句，意思是公刘在一个山冈上立物测影，以定方向，这就是说，大约在公元前15世纪末周代已能立表立向。

立竿见影的定向方法，具体记载最早见于《周礼》。《周礼·地官·大司徒》中有大司徒用土圭“测土深，正日景（影）”之说。《周礼·考工记·匠人篇》中有“匠人建国，水地以悬。置槷以悬，识日出之景与日入之景。昼参诸日中之景，夜考之极星，以正朝夕。”这段话的意思是，用绳悬重物，使木杆垂直于水平地面，然后以杆为圆心作圆，日入与日出时杆投于地面的日影与圆周相交成两点，这两点连线就为正东西方向，然后参考正午时杆的投影，或者夜晚北极星的方向用以校正。这方法，在《周髀算经》中也有记载。所以，自古至今，辨方向之法不断改进，从立竿见影到商周之时的土圭辨方，而后日渐精密，出现了圭表、日晷等仪器。这一系列的测向方法，简便准确，古代一直沿用。

与日辨向方法几乎平行发展的是地磁辨向方法，指南针的发明，在中国传说中是很早的。公元前3世纪战国时代，《吕氏春秋》上有“磁石如铁”的话，可见当时中国人已知道磁能吸铁。《韩非子》中记“先王立司南以端朝夕”，说明当时已发现了磁石的指极性。司南是用天然磁石制成，样子像一只勺，底圆，可以在平滑的盘体自由旋转，等它静止时，勺柄就会指向南方。

促成人类对世界的探索

由于司南是天然磁石琢磨而成的，磁性弱，和地盘接触时摩擦力大，效果不好，所以没有得到广泛的应用。到了宋代，人们利用磁石对钢针进行人工磁化，发明了指南针，这是对利用天然磁石制造的一次“革命”。人们从圭表或日晷的地理子午观测比较指南针的南北极向，那么磁偏角的发现，自然是在情理之中的了。

作为堪舆目的而发明的指南针，很快就被用于海上导航。公元12世纪初，朱彧的《萍洲可谈》和徐兢《宣和奉使高丽图经》中都谈到航海指南针，指南针成为我国古代航海家征服海洋，传播中国古代文明的重要工具。约在12世纪末或13世纪初，这一伟大的发明开始西传，西方资产阶级从此打开了世界市场并建立殖民地，从而深刻影响了人类社会的历史进程。

罗盘的演变简史

在指南针发明以前，古人是用天星来辨别方位的，晚上通过观察北极星定方位，白天通过日影来分辩方位。很早的时候，我们的祖先就发明了指南车和日圭用来分辨地平方位。日圭就是最早的罗盘。

在指南针发明以前，地平方位不可能划分得很细，只能用北、东北、东、东南、南、西南、西、西北八个大方位来描述方向和方位。风水术上用八卦来表示：坎卦代表北方，艮卦代表东北方，震卦代表东方，巽卦代表东南方，离卦代表南方，坤卦代表西南方，兑卦代表西方，乾卦代表西北方。

日圭定位则将地平面均分为十二个等份，用十二地支：子、丑、寅、卯、辰、巳、午、未、申、酉、戌、亥来表示方位。

随着加工业的发展，磁针由原来的匙行转变为针形，并由水浮磁针转变为用顶针，使指南针的测量精度发生了质的变化。唐代，杨筠松将八卦和十二地支两大定位体系合而为一，并将甲、乙、丙、丁、戊、己、庚、辛、壬、癸十天干除了表示中宫位置的戊、己二干外，全部加入地平方位系统，用于表示方位。于是，地平面周天三百六十度均分为二十四个等份，叫二十四山，每山占一十五度，三山为一卦，每卦占四十五度。二十四山从唐代创制后，一直保留到现在。所以，地盘二十四山是罗盘的主要层次之一。

北方三山——壬、子、癸，后天属坎卦，先天属坤卦；

东北三山——丑、艮、寅，后天属艮卦，先天属震卦；

东方三山——甲、卯、乙，后天属震卦，先天属离卦；

东南三山——辰、巽、巳，后天属巽卦，先天属兑卦；

南方三山——丙、午、丁，后天属离卦，先天属乾卦；

西南三山——未、坤、申，后天属坤卦，先天属巽卦；

西方三山——庚、酉、辛，后天属兑卦，先天属坎卦；

西北三山——戌、乾、亥，后天属乾卦，先天属艮卦。

二、慧缘二十五层罗盘精解

风水理论认为，选择住宅方位的主要目标是气的探求和阴阳平衡，方位的鉴定必须综合人的出生年，以阴阳五行之“生、克、制、化”以及“卦”、“爻”之变而论得失吉凶，这其中的很多内容反映在罗盘上，另外也有一部分是罗盘所不能容纳的。

的确，罗盘是集阴阳二气、八卦五行之理、河图洛书之数、天星卦象之形的大成，然而说法繁多，单就“五行”而言就有老五行（又名正五行）、双山五行、小玄空五行、洪范五行、宿充五行；其实就是金木水火土五种要素的不同关系排列。而八卦又有先天八卦，后天八卦。

观察山水的方位同考察其形态同样重要。人们可能会怀疑是否真有那种从地形、方位各方面按风水法测看富贵吉祥的风水宝地之事。汉城一位金姓风水师曾给我说，形态优美的山水通常都位于吉方，因为物以类聚是宇宙间的普遍法则。如果起始山形欲产生吉地，它们就会位于吉方，形态不美的山通常位于不吉利方位。

山水方位的重要性被概括成一句众所周知的风水格言，即“吉山自吉位，吉水向凶方”。“吉位”和“凶方”只有用罗盘才能检测出来。因此，有必要讨论一下风水罗盘的性质和用途。

风水罗盘有很多种类型，较简单的只有几圈，而结构复杂的会有好多圈。圈层数目不等可能表示每圈都有不同用途，并且只有某几圈观测某一地点很重要。这种差异还表明民间风水师要想确定阴、阳宅地并不总是需要精密定向。

罗盘的类型亦是数不胜数，有的只有两三圈，有的则多至四十几圈。但一般来说，罗盘可分为两大式，即沿海式与内地式。沿海式以福建漳州、广东兴宁为代表；内地式以江苏苏州、安徽休宁为代表。

第1层：天池

天池内置指南针。由于批南针的装置不同，有水罗盘和旱罗盘之分。水罗盘是一支磁针置入一条鱼形木片的腹中，木片浮在一盘水上，便自然转动指向南方，这盘水就是所谓的“天池”。这是中国传统的罗盘针。风水理论认为，指南针定子午、天池中藏金

图解罗盘使用方法（一）

罗盘的持法与观察位置

风水师察看风水，除审局面势外，总要以罗盘判明方向或方位。在精确做这一步之前，有时会手执罗盘先大概看看，其方法是稳定站立，双于执罗盘于胸前，并使罗盘保持水平状态和尽量使外盘边线与建筑墙体平行来初验。

建筑内看法

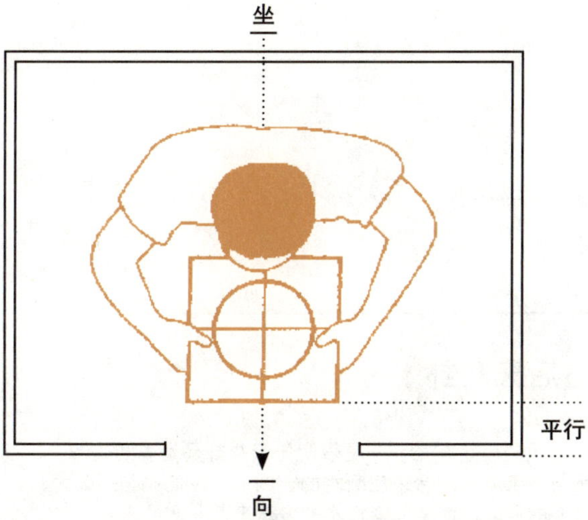

建筑外看法

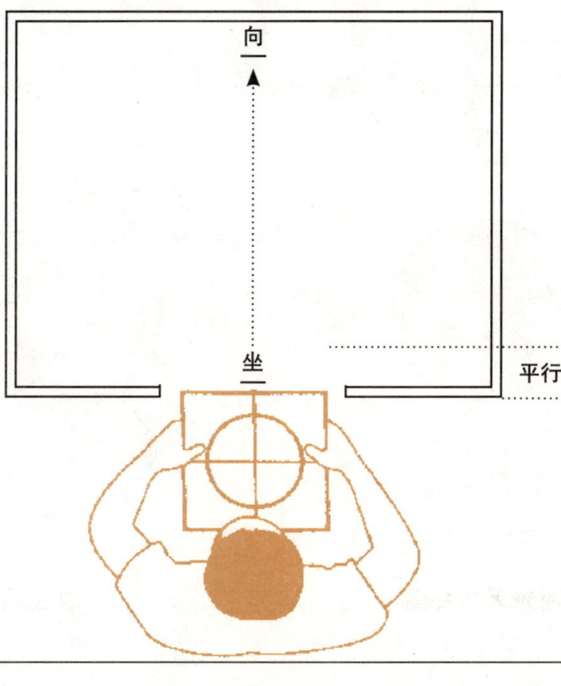

水、动而阳，静而阴，这样，“两仪判，四象分，八卦定”，就能搜罗天地之蕴，上揆星辰之躔度，下察山水之时流。（胡国桢《罗经解定》）

第2层：先天八卦

此层只有八个卦。根据卦列次序不同，有“先天”和“后天”之分。传说“先天”是伏羲所创，“后天”为周文王所作。八卦用来表示八方的位置，每一方位相隔四十五度。先天八卦的方位是：乾南，坤北，离东，坎西，震东北，兑东南，巽西南，艮西北。

第3层：后天八卦

后天八卦的方位是：离南，坎北，震东，兑西，巽东南，艮东北，坤西南，乾西北。

先天八卦与后天八卦

罗盘上先天八卦层的用途有三：一是表明先天八卦是世界的本源；二是表示先天八卦的方位，即四正四维八方；三是与后天八卦配合来论断水的吉凶，以及明确与后天大八卦方位的相互关系。

八卦层在罗盘上的具体作用是以消亡水的方法来判断水的吉凶。

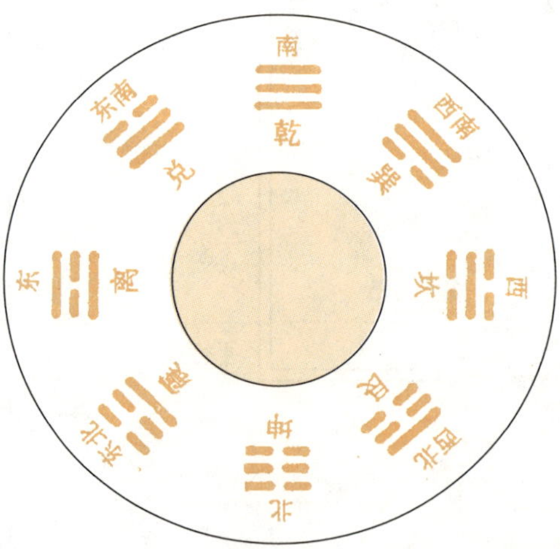

伏羲先天八卦图

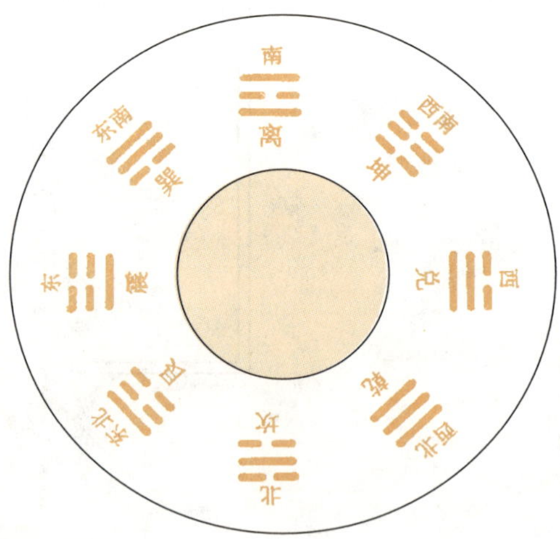

文王后天八卦图

图解罗盘使用方法（二）

如何定中线

建筑物定中线在风水勘察中是很重要的。所谓定中线，即测量确定建筑物的坐向和门向的线位。方法是在建筑物的中心下罗盘，或在门口中线下罗盘，需要弹线或拉线通过建筑平面中心十字线，以与罗盘天心十道线相吻合，或与十字线交点与罗盘天池中心吻合，十字线线向应与建筑物墙体平行。如此，当转动内盘时，通过十字线或天心十道，可知建筑物的坐向如何。

简易的方法是用有天心十道线的罗盘，可将外盘靠于建筑的墙体或家具上测量，但其精确度稍差。

习惯上，为使罗盘易处于水平状态，在罗盘下垫上3寸厚的米，俗称“米盘”。一些现代罗盘在外盘上还设有水平仪。

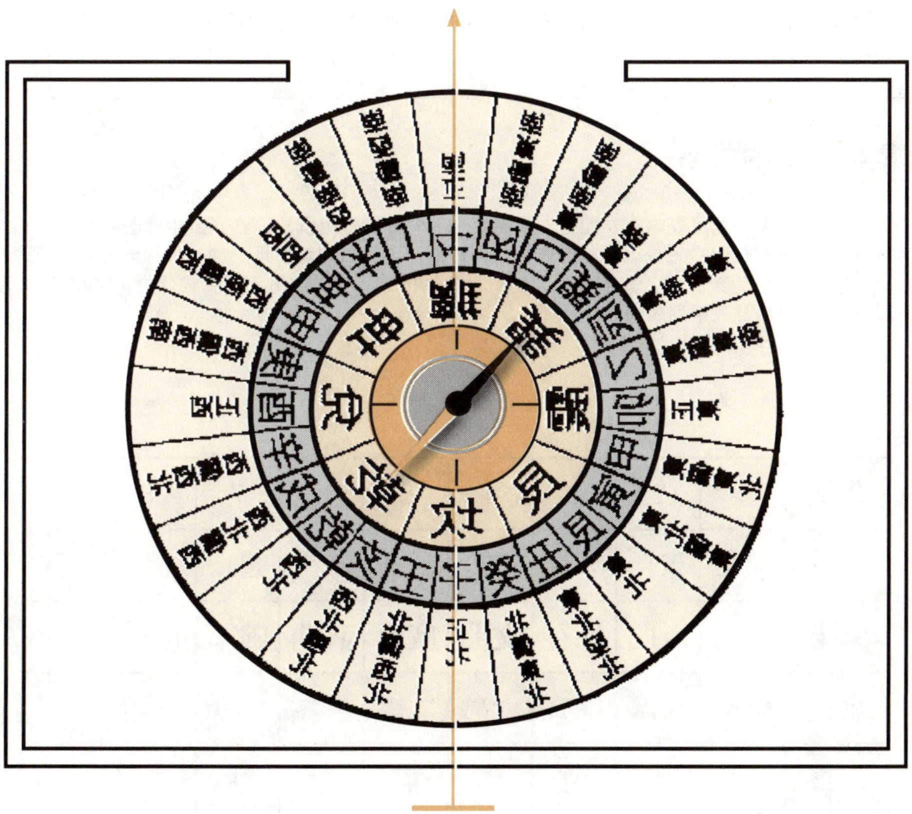

使用罗盘定建筑中线

第4层：地支十二位

此层用地支十二位，子、丑、寅、卯、辰、巳、午、未、申、酉、戌、亥表示十二方位，每一方位隔三十度，午指南，子指北，卯指东，酉指西。

第5层：坐家九星

坐家是方向、方位的意思。九星指贪狼、巨门、禄存、文曲、廉贞、武曲、破军、左辅、右弼，前七星指北斗七星，后两星指旁边两颗移动时看不到的星，但当它们为肉眼所看到时，就很容易辨认出它们。风水理论认为，气清上升而成星，气浊下沉而成山川，所以在天成象，在地成形，下映二十四山。星有美恶，故地有吉凶。九星天上移动，和它们统属的地方互为感应。所谓“二十四山”，即四维、八干、十二支等二十四方位，九星配合五行。二十四位的秩序是：艮丙贪狼木，巽辛巨门土，乾甲禄存土，离壬寅戌文曲水，震庚亥未廉贞火，兑丁巳丑武曲金，坎癸申辰破军金，坤乙辅弼土木。

九星与八卦的关系

在坐山九星卦中，九星要与八卦配合，辅弼就合为一卦，称为伏位。在八卦中守着原卦位不动的卦就称为伏位。地母翻封的意思是以坤卦为伏位，为辅弼，因为母即坤，地即坤，故称地母卦。同理，父即乾，天即乾，可称为天父卦。其余各卦则仍用本卦临相称。在数字方面辅弼或伏位用8来代表。现将坤封配辅两的九星八卦关系列表如下。

代数	1	2	3	4	5	6	7	8（9）	
北斗	天枢	天璇	天玑	天权	玉衡	开阳	遥光	左辅	右弼
九星	贪狼	巨门	禄存	文曲	廉贞	武曲	破军	左辅	右弼
表意	生气	天医	祸害	六煞	五鬼	延年	绝命	伏位	
八卦	艮	巽	乾	离	震	兑	坎	坤	

图解罗盘使用方法（三）

如何定方位

定方位是为了将建筑平面化分为八个或若干个方位，或看某物位于某字上以论吉凶。如用八宅法定方位，就用罗盘按八卦将建筑平面划分为八个方位，这种方法又叫定“八宫放射线”。其方法是，在建筑平面中心点下罗盘，按八卦方位可推知建筑的八宫方位，或察看大门在何方位上，并以建筑的坐向卦位宫来讨论建筑八宫的吉凶。

建筑的平面千变万化，有些简单，有些复杂，如何确定建筑平面中心有必要讨论一下。对于传统建筑来说，中心点应在建筑背檩之下，因为此处为前后屋面坡，即阴阳分界线。

使用罗盘定建筑方位

第6层：二十星名

这层是二十四星二十四位相配，阐释“天星下应”的观念，二十四星和方位的组合是：天皇亥，天辅壬，天垒子，阴光癸，天厨丑，天市艮，天榈寅，阴玑甲，天命卯，天官乙，天罡辰，太乙巽，天屏巳，太微丙，阳权午，南极丁，天常未，天镜坤，天关申，天汉庚，少微酉，天乙辛，天魁戌，天厩乾。天皇星在亥，上映紫微垣，艮映天市垣，丙应太微垣，酉应少微垣，这四垣是天星中尊贵的，合称“天星四贵”。艮，丙，酉，合“三吉”。太乙映巽，天乙映辛，南极映丁，巽、辛、丁合艮、丙、酉称为“六秀”。天屏映巳，为紫微垣的对宫，称为帝座明堂。巳、亥合六秀，又称“八贵”。在“三吉”、“四贵”、“六秀”、“八贵”之内，阳宅大旺，人丁富贵绵远，发福悠久。

第7层：地盘正针

罗盘中有三针三盘，即地盘正针，天盘缝针，人盘中针。三盘同分为二十四格，每格各占十五度，称为“二十四山”。二十四方位是用十二支（子，丑，寅，卯，辰，巳，午，未，辛，酉，戌，亥），八干（甲，乙，丙，丁，庚，申，壬，癸），四维（乾卦，艮卦，巽卦，坤卦）的名称合成。磁针所指，当子午的正中，称为正针；当壬子、丙午之缝，称为缝针；当子癸、午丁的中间，称为中针。

地盘正针二十四山净阴净阳

在罗盘盘面上，地盘正针二十四山中红字表示奇阳，共12个；余12个表不偶阴。《经》曰：“阴阳相见．福禄永祯”，“阴阳相乘，祸咎灭门”。其意思是相临两山的坐向相兼，阳兼阳，阴兼阴，同类相见则吉；如阳兼阴或阴兼阳，异类相乘则凶。在堪舆学中，前者谓纯净，后者谓驳杂。

图解罗盘使用方法（四）

如何定中线

1、矩形平面：

该类平面对角线的交叉点就是平面的几何中心。

2、三角形平面：

三角形各边中点与对角连线的交点即为其几何中心。

3、其他不规则平面：

（1）几何法：

因为就建筑来讲，平面基本上是以矩形平面组合而成，一般是由一个主要矩形为主，局部有些凹凸，这样用填平法将其转化成较规则的矩形平面即可求出平面中心。

（2）重心法：

把一个复杂的平面剪下来，放到一个长顶针的上面，可测出建筑平面的重心，平面重心和中心有时不完全重合，但一般情况下会非常接近。

另外，对平面中心的确定还应注意两点：

一是对一栋多层建筑来说，一律以首层平面中心为准。

二是每一房间的中心以每个房间的平面求出。

矩形平面中心

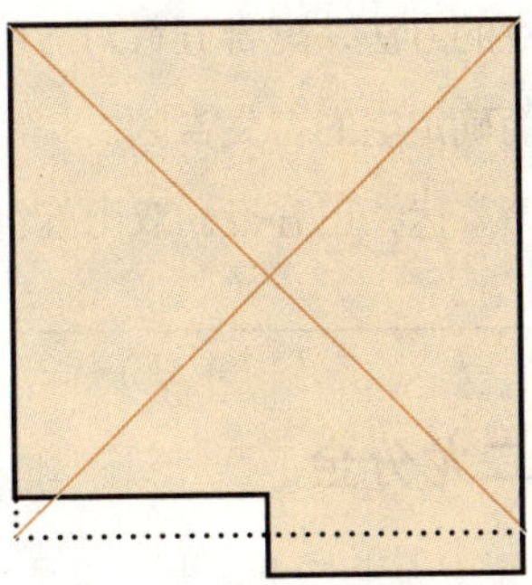

几何填平法求平面中心

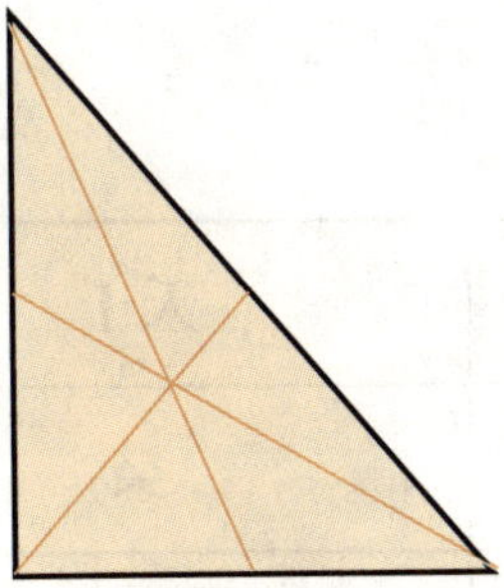

三角形平面中心

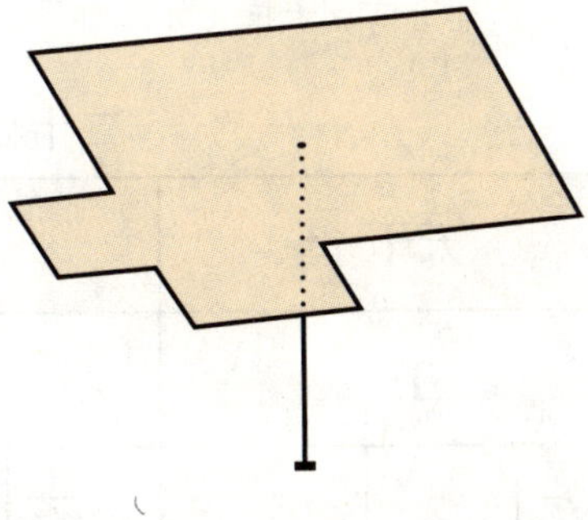

称重法求平面中心

第8层：四时节气

此层显示一年中的二十四节气，即立春、雨水、惊蛰、春分、清明、谷雨、立夏、小满、芒种、夏至、小暑、大暑、立秋、处暑、白露、秋分、寒降、立冬、小雪、大雪、冬至、小寒、大寒等。风水理论认为，二十四山之下分布二十四节气，立春即艮，大寒始丑，每气分上、中、下三候，共七十二候，以详明阴阳消长之理，顺逆进退之数，推明五运六气。《罗经解定》一书对二十四节气作了详细的讲解（见166页图）。

第9层：穿山七十二龙

此层用六十甲子，加八干四维而组成七十二龙，起甲子于正针之壬未，七十二位分配在二十四山之下，一山统三龙，以应岁月七十二候。风水师多用此层格龙，与透地六十龙相为表里，专论山岗来脉，推定其吉凶情况。

第10层：五家五行

五家五行是正五行，双山五行，八卦五行，玄空五行，洪范五行。风水师根据五行相生相克的方法，配合五行对应的五方位、四季节来论阴阳的消长，判断龙砂穴水的情况，从而确定宅的得失吉凶。一般多用八卦，玄空五行立向，消纳砂水，洪范五行用于坐山起遁墓运，正五行，双山五行和洪范五行三配合，用以行龙定穴。

七十二龙分金

穿山七十二龙即七十二龙分金，又叫地纪。

穿山之意是确定来龙十支，分金即指方向分位，使用地盘正针。

七十二龙分金的盘式排法是每山排三龙，所以二十四山有七十二分金。自地盘正针壬位与子位交界处排甲子。

二十四山配七十二龙

天干			地支			天干		
壬			子			癸		
癸亥		甲子	丙子	戊子	庚子	壬子		乙丑

图解罗盘使用方法（五）

阴宅定线位

阴宅定线位有两种方法：一是以棺椁首尾中点连线定线位，称为内分金；一种是以坟墓的碑碣的坐向定线位，成为外分金。

在唐宋时代贵族的阴宅中，由于规模大，有墓室，讲究风水的坟墓也用定方位的方法，依据风水要求对墓室进行布局。

阴宅测量内分金

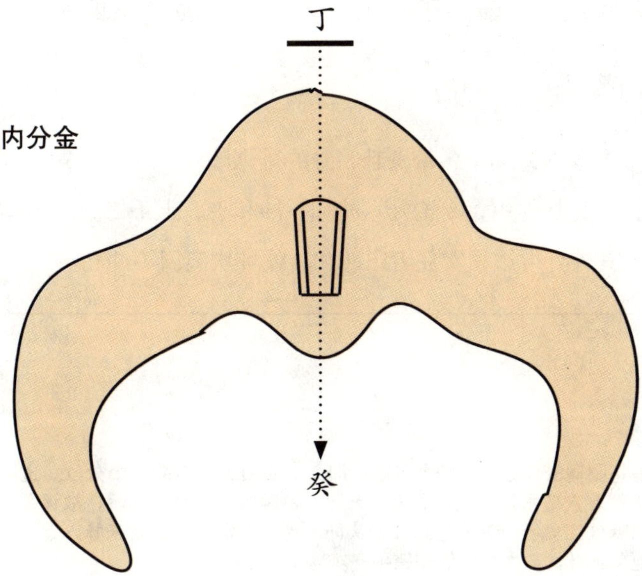

阴宅测量外分金

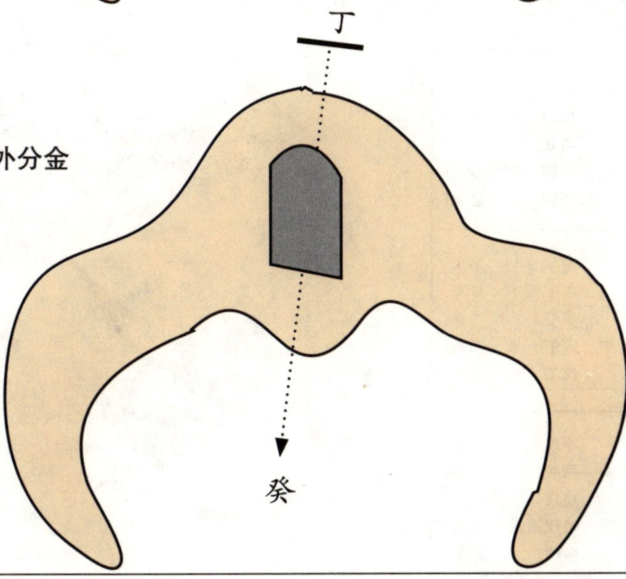

五行相生：金生水，水生木，木生火，火生土，土生金。

五行相克：金克木，木克土，土克水，水克火，火克金。

第11层：透地六十龙吉凶

这层是宋朝西山蔡氏所定。蔡氏指蔡元定，元定字季通，建阳人，少时受良好教育，长大后从大儒朱熹游学，贯通经义，著述甚多，世称西山先生。他认为穿山七十二龙断而不续，天纪盈缩六十龙虽无间断，但间狭不均，故制盘，以六十甲子均匀分布在二十四山这下，以缝针为准，起甲子于缝针之壬初，用于定各龙的纯杂。

第12层：六十分金吉凶

六十甲子均分罗盘内，其下各带一卦，卦的排列顺序，即邵子先天六十四卦圆图，去乾坤坎离四正卦。此卦作用，专论九六冲和，冲和者，上下二爻阴阳相配。风水理论认为，坐穴之卦，其外卦得震艮巽兑者曰冲和，乾坤坎离曰不冲和。

透地六十龙

透地六十龙盘是将圆周360度分为60个分位，即二十四山每两山配五个分位。透地是相对于穿山来说的。意指其为导龙气入穴棺木的下文，名为‘天纪“，因为龙气自天而降，故该盘又称为天纪盘，其专论穴星降脉后的束咽处定盘针，在穴后八尺峦头即入首处下盘针．确定来脉入首，束咽近一节属何下支。透地六十龙用地盘正针，与大盘线位相错平齐。

	甲子		乙丑		丙寅		丁卯
壬	丙子	癸	丁丑	艮	戊寅	甲	己卯
	戊子		己丑		庚寅		辛卯
子	庚子	丑	辛丑	寅	壬寅	卯	癸卯
	壬子		癸丑		甲寅		乙卯
	戊辰		己巳		庚午		辛未
乙	庚辰	巽	辛巳	丙	壬午	丁	癸未
	壬辰		癸巳		甲午		乙未
辰	甲辰	巳	乙巳	午	丙午	未	丁未
	丙辰		丁巳		戊午		己未
	壬申		癸酉		甲戌		乙亥
坤	甲申	庚	乙酉	辛	丙戌	乾	丁亥
	丙申		丁酉		戊戌		己亥
申	戊申	酉	己酉	戌	庚戌	亥	辛亥
	庚申		辛酉		壬戌		癸亥

二十五层惠缘罗盘与十六层徽盘

二十五层惠缘罗盘

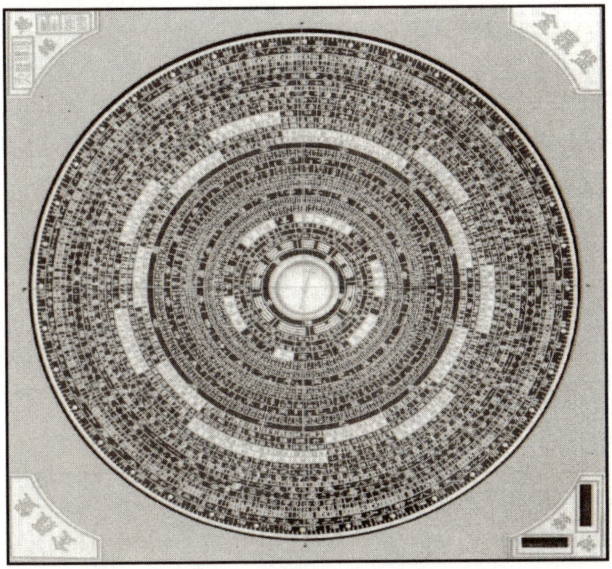

十六层徽盘

第13层：正针一百二十分金

此层是平分六十甲子倍而重之为一百二十分金，作在正针二十四山之下，其甲子起地盘壬子丙午之间。甲子每支布以十位，甲乙壬癸为孤虚，丙丁庚辛为旺相，戊己为龟甲空亡。

第14层：人盘赖公中针

赖公即《催官篇》的作者赖文俊，是公元12世纪时“中针”的始创者。中针居子癸午丁之中，以人为万物之灵，与天地并成三才，故中针二十四山称为人盘。

第15层：天纪盈缩六十龙

盈缩六十龙，据说自唐初术数家丘延翰，上应天星的阔狭不等，有一甲子跨七八度以至十度者，也有跨五六度以至三度，故以盈缩命名。风水理论认为这是迎天之气。

一百二十分金配二十四山

一百二十分金即一百二十龙，是将罗盘360度分为120分位，每分位有3度，其配法同七十二龙，以六十甲子来丧示分位，一百二十分金恰好两个六十甲子。其排法是甲子始于子方(子山)，即子山15度由甲子、丙子、戊子、庚子、壬子等五个3度组成。

第16层：天盘杨公缝针

这是唐朝杨筠松所创，因针以所指在壬子丙午界缝针之中，故名缝针。风水师此盘立向格龙。

第17层：缝针一百二十分金

这层与第十三层相似，但向东稍移。此盘作在缝针二十四山之内，自缝针壬半起，佐正针分金。

第18层：地元归藏卦

六十四卦内，坎离震兑四正卦分配四时，以二十四爻司二十四气，如冬至在坎，故坎六爻居冬至以管六气；春分在震，震六爻居春分以管六气；夏至在离，离六爻居夏至以管六气，秋分在兑，兑六爻居秋分以管六气。每爻管十五日，每卦管九十日，四卦得

盈缩六十龙分金

一百二十分金即一百二十龙，是将罗盘360度分为120分位，每分位有3度，其配法同七十二龙，以六十甲子来表示分位，一百二十分金恰好两个六十甲子。其排法是甲子始于子方(子山)，即子山15度由甲子、丙子、戊子、庚子、壬子等五个3度组成。

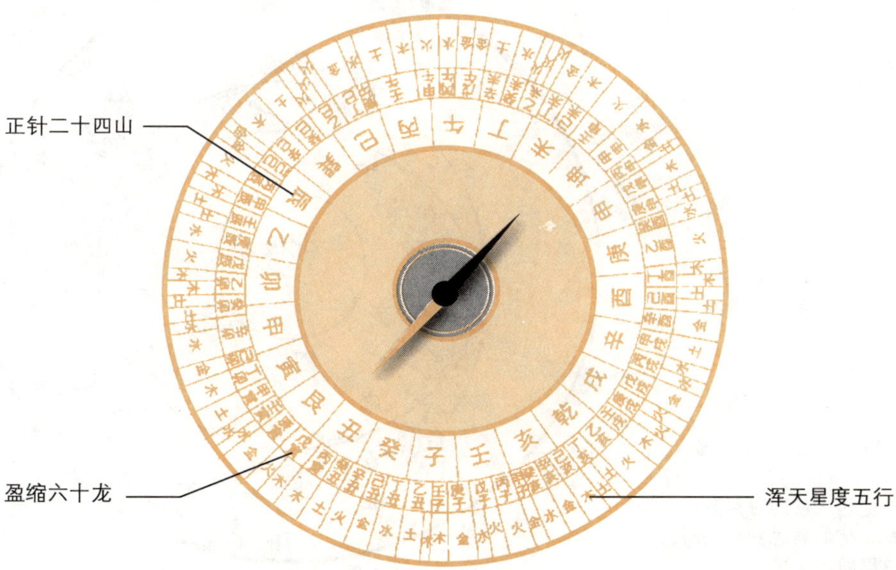

三百六十日一周天。其余六十卦分配十二日，四正卦分司四时二十四气。

第19层：二十八宿限

此层表示二十八宿位置和赤度上据的度数。胡国桢《罗经解定》中记载；角宿十二度，亢宿九度少，氐宿十六度少，房宿五度半，心宿六度半，尾宿十九度，箕宿十度半，斗宿二十五度少，牛宿七度少，女宿十一度少，虚宿九度，危宿十五度半，室宿十七度，壁宿八度太，奎宿十六度半，娄宿十一度太，胃宿十五度半，昴宿十一度少，毕宿十七度半，觜宿少度，参宿十一度，井宿三十三度少，鬼宿二度少，柳宿十三度少，星宿六度少，张宿十七度少，翼宿十八度太，轸宿下十七度少，一共三百六十五度四分度之一。上面提到的“太”“少”“半”三个字，“半”作二分之一解，这很好理解，“太”是指四分之三，“少”指四分之一，这是中国传统天文学上的名词。

第20层：天元连山卦

先天六十四卦，除乾坤坎离四正卦之外，余六十卦分配六十甲子，推步周天

东汉的二十八星宿图

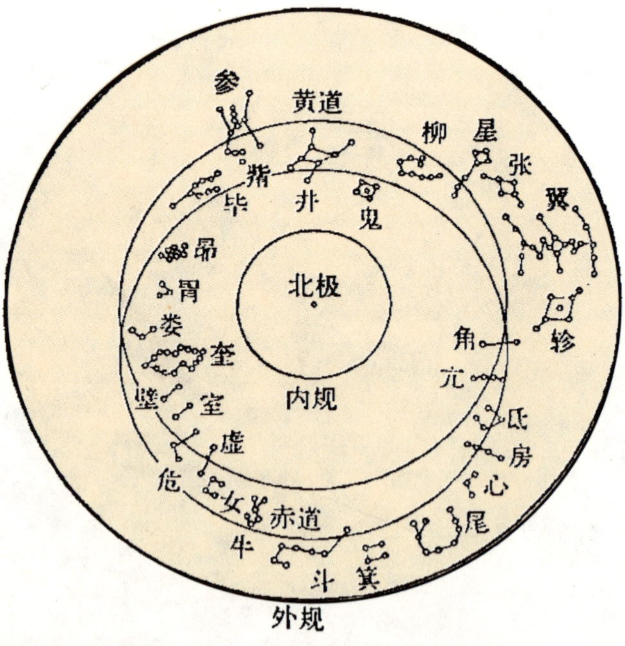

古人观测日月五星运行是以恒星为背景的，二十八宿即二十八组古人观测日月五星运行的坐标，宿的意思就是场所、仕所，这里即指星座。

三百六十五度，复卦起于虚，剥卦终于危阳。风水师根据三百六十爻推排象吉凶，审其有用之爻而坐之。吉者用白圈，凶者用黑点以便取舍。

第21层：人元周易卦

后天六十四卦，以雷风火地泽天水山加于后天卦位之上，除乾坤坎离四卦外，以六十卦配六十甲子，推排爻象运于周天，以验流神砂位之吉凶，主要为相墓而用。

第22层：浑天星度五行

此层二十八宿中每宿之内有五行之分，以配六十甲子，金十二，木十三，水十二，火十二，土十二，共六十一位，与盈缩纳音相为体用。如甲子纳音属金，管室宿，五六七八九十共六度，亦属金，谓之体比和，则为旺吉。

第23层：浑天星度吉凶

胡国桢《罗经解定》中说：“凡二十四山分界，干支缝中一线为小空之，八干四维

二十四节气图

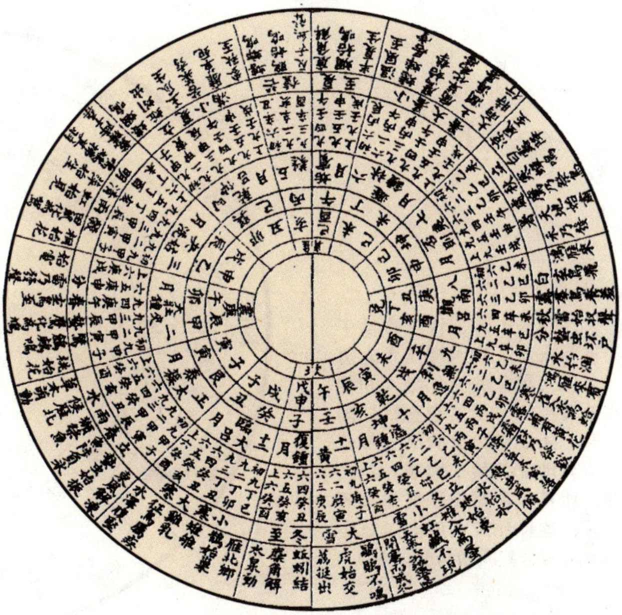

在罗盘中二十四节气与二十四山相配合有两种方式：一种是立春自壬始，雨水、惊蛰等节气循时序即顺时针而排列，在罗盘中称为“太阴到山盘”；另一种是立春自壬始，雨水、惊蛰等节气逆时针而排列，在罗盘中称为“太阳到山盘”。这里太阳指日球，太阴指月球。到山的意思是太阳或太阴运行到二十四山的某山方位。

当中一线为大空之，十二辰当中一线为差错，皆从正针而定。

第24层：十二宫次并分野

周天二十八宿分占十二宫，度数多寡不同分别。在天为十二次，在地为十二方，将中国各地配合天上各星座和区域。胡国桢《罗经解定》中说：“亥双鱼宫，卫分并州；戌白羊宫，鲁分徐州；酉金牛宫，赵分冀州；申阴阳宫，晋分益州；未巨蟹宫，秦分雍州；午狮子宫，周分三河；巳双女宫，楚分荆州；辰天秤宫，郑分兖州；卯天蝎宫，宋分豫州；寅人马宫，燕分幽州；丑磨蝎宫，吴分扬州；子玉瓶宫，齐分青州。”

第25层：禽星界位

此层表示二十八星宿在天体上的位置，用五行及名禽与二十八宿相配以占吉凶，称禽星。

如上面所述，罗盘中有四层的主要作用是表示方位的。第二层用“先天”卦列表示八方的位置，第三层用“后天”卦列表示八方的位置。第四层用十二地支表示十二

十二分野

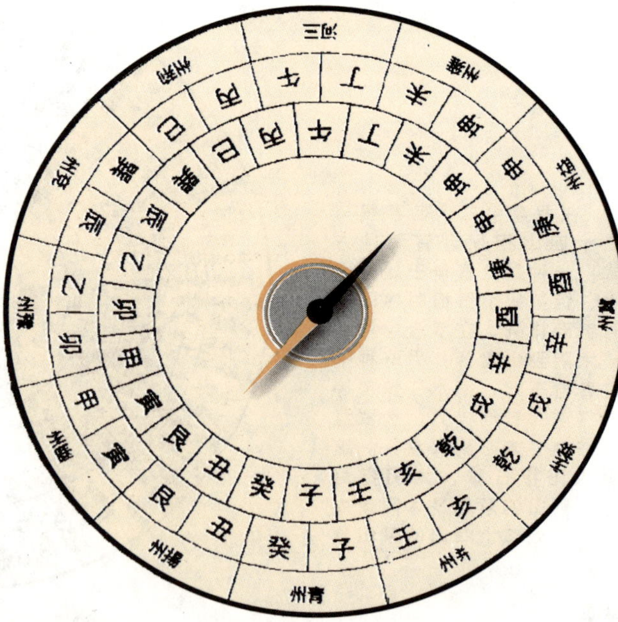

分野是中国古代星象学中的重要概念。古人相信天人感应，认为星象的变化与人间的吉凶有密切关系。在春秋战国时期，人们把天上的某一部分星宿与地上的某一地域对应起来，即某星宿对应于某州国的地区，这种和天上星宿所对应的地区划分就叫做分野。

方位，第五层再将十二方位分为二十四方位，这采用第四层的十二支和“八干”、“四维”。“八干”是天干中的甲、乙、丙、丁、庚、辛、壬、癸（戊、己两干因为是代表中央，故不用），“四维”是用“后天”卦序的乾、坤、巽、艮四卦。

理法的发展最初是五音五姓法以确定宅舍方位朝向。此法以五行生克为依据，根据你的“姓”，用“姓”的发音，究竟是属“宫、商、角、徵、羽”五音中的哪一音，来配合属于所住的房宅大门之方向论其吉凶。这就是说，宅的本身没有吉与凶的先决定论，而是要看什么人来住。也就是说，同样一所住宅，姓“王”的居住不吉，如果改为姓“李”的住此，就可能吉。五音法在汉、魏、晋、隋之时较为盛行，及至唐初吕才痛斥五音术之后，迅速式微。到了宋初，易学、河图洛书的影响及功用日益广泛，到了明代开始，理法多以宅的八个文位，连接到“卦”的本身，结合五行生克而定出四个吉方和四个凶方的“游年法”，这种方法一直沿用到近代。

古人认为人受宇宙的控制，人和宇宙合适就会兴隆昌盛，若不适合，便会死亡衰败，这就是罗盘方位的重要性。宇宙有时间和空间，还包含万事万物，它们在发生着无穷无尽的变化。罗盘大而言之，象征着一个宇宙。三百六十度的圆周，代表周天，

罗盘与五音五姓法

五音五姓	宫	商	角	徵	羽
五行所属	土	金	木	火	水
适宜方位	中/南	西/中	东/北	南/东	北/西
不宜方向	东	南	西	北	中

《书经图说》载太保相宅图

“太保相宅”这种说法来自《周书·召诰》的记载：周武王伐纣成功以后，决定迁都到洛邑，也就是现在的洛阳。武王要亲自选择新建王宫的地址。为了完成这个选址工作，周武王要到洛邑住一段时间，于是就有“太保先周公相宅”一说。这里的“太保”，不是一个人的名字，而是一个官职，是“三公九卿”的“三公”之一。

二十四个方位排列。指南针所决定的方位，意味所包含的特定空间。由于地球绕太阳一周为一年，运行一度约为一日，于是把“天干”、“地支”配成年月日时，视季节的变化，利用太阳光线的角度而来测定时间。一个花甲六十天，六个花甲便是一年（这取整数，一年为三百六十天），每年的冬至日便都是甲子日，它就是时间的表示。空间配合时间，循着一暄的规律在运行不息。为表示地球上的万事万物，古人把罗盘上北方的壬癸水，代表雨露和云雾；东方的甲乙木，代表了所有的植物；南方的丙丁火，代表了日月光电；西方的庚辛金代表了所有的矿物；东北和西南，艮坤两卦都是土，一个代表了山脉，一个代表了平原；东南方的巽卦，代表了风和空气；西方的兑卦，代表了海洋和沼泽；东方的震卦，代表了雷。地球只是宇宙的一部分，地球之外还有无数的星球在运行不息，故古人又用许多星宿来代表无数的星球，然后用乾卦来统领整个天体。用五行相生相克、相济相成之根本原理，代表宇宙事物的无穷无尽变化。如以五行生克说明四时循环之理，木是东位主春，火是南位主夏，土是中央主四季，金是西方主秋，水是北方主冬。

由古到今，人类不断要求对宇宙、社会和人生有所了解，由于这种求知的动机，人们常对自然现象的形成，天上星宿的运行，四时的变换，灾难的发生，提出拟人式的解释。这处解释自然是迷信和非科学的，带有一定的神话色彩。但这解释也糅合进了人类长期生产的经验，如二十四节气的形成，用环行来解释自然的构造等。风水罗盘的应用，是否说明了人类感觉到磁场构成的心理和生理的影响？人本身就是磁场，甚至无生命的物体也具有磁场，而且不同间隔，就会造成不同的磁场。风水中虽然没有提过“磁场”二字，但风水讲求方向、方位、间隔的配合，这和磁场是不谋而合的。另一方面，地球表面是大磁场，磁力的大小变化“上边和下边”都有密切的关系，“上边”指日月星辰，“下边”指地形，尤以山脉走向为甚。测量平原地区的磁力较弱，较稳定，山区或地形复杂的地区，磁力较强，较不稳定。磁力过强，对身体健康和一切生物都不利，故选择磁力适中的地方居住，对人类是至关重要的。风水是否反映了人们对地球表面磁场的认识？这些问题值得人们进一步去探讨研究。

第九章

勘察风水的"慧缘十法"

勘察风水最重要的是方法，不论功力（学识）如何，若单纯以数理念头来做风水，则必须遵循一些基本的方法进行，否则容易遗漏重要资料而导致勘察数据的误差。归纳起来大致有十条基本方法。

本章导航

1、从地图上审视住宅位置及形势

2、实地观察

3、量度运盘

4、寓宅外围

5、绘画图例

6、测量单位坐向

7、放盘

8、飞星推断

9、宅命相配

10、善工助运

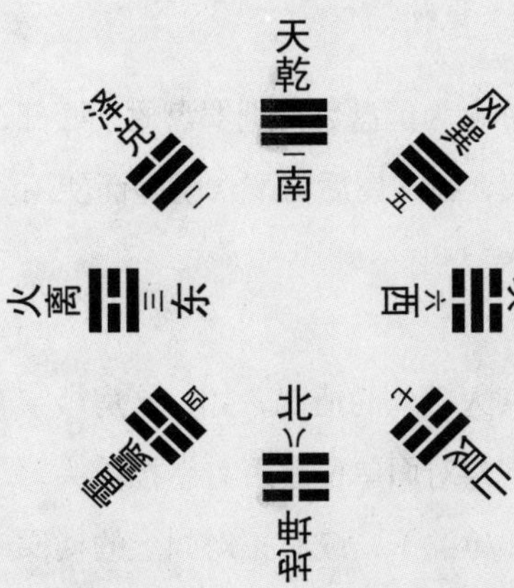

慧缘十法：勘察风水的程序

勘察风水最重要的是方法，不论功力（学识）如何，若单纯以数理念头来做风水，则必须按照以下程序进行，否则容易遗漏重要资料而导致勘察数据的误差。

1、从地图上审视住宅位置及形势

勘察前宜使用一张标准规格而具备方向指示的地图，查出建筑物地点所在，勘察其左右前后有没有河流、街道、山坡、天桥或特别的地形，其作用是先取得附近环境印象，避免到达后受到周围建筑物之阻挡而漏看了一些重要的部位。

2、实地观察

到达现场后在视野所及之范围内，切勿急于开启罗盘和仪器，应首先留意建筑物的形势，例如：大门前竖着电线杆，对面建筑物之形煞影响，或光煞或声煞等有关事项，看看有没有不能由地图显示出来的环境情况。

3、量度运盘

现在起出第一个盘数，称之为运盘数。把罗盘放于腹部，大约与肚脐相水平，平行细看罗盘方位，用笔记录在案，待入屋后再配合所需而使用。

4、寓宅外围

未进入住宅前应先观察其大门外的情况，如：平房楼宇有无道路冲煞，尖角冲煞的问题，多层楼房单位则注意观察对面单位是否有悬挂兽头、八卦、三叉或狮子等带煞之物，走廊是否狭窄而笔直（即枪煞），或有正对向上的楼梯（破面煞），或有对向下的楼梯（退财煞），或有对正向下的楼梯等，这些都是可能会被疏忽了的形煞。

5、绘画图例

根据测量的数据比例绘出屋内各间隔的布置、家私摆设、床位、灶位、电器及一切可能诱发风水作用的物品位置，例如佛像和神位、狮子、麒麟、生肖的饰物……等等。作用是通过这些步骤确保不会漏掉任何微小的部分，此是由“宏观”入“微观”的工作步骤，亦是容易疏忽之处。

6、测量单位坐向

在客厅中心或商店之大厅中心，面向大门，像第三步一样转动罗盘使之针线重叠，看子午线压着哪一个角度决定单位坐向。据此而计算出“八宅”或“九宫飞星”数。按比例在平面图中找出中心点和纳气点。

7、放盘

将先前求出的运盘数及八宅或九宫飞星数分别放进中心点及纳气点，放射到四面八方决定吉凶。

8、飞星推断

计算本年流年流月飞星放于中心点及纳气点，推断各类各个方位的吉凶好坏的事情。

9、宅命相配

取宅内各人出生年、月、日、时、出生地点，用命卦之喜忌变化配上风水理数作为风水布局定位的准则。

10、善工助运

勘测结束后，应详细指示主人家如何改造宅地风水，如何安排摆放物什，如何悬挂风水工具等细节，然后选择一个黄道吉日作为改造旺宅日期，从而使主人家吉祥如意，身体健康，财源广进，官运亨通。

第十章

勘察风水的“慧缘十原则”

慧缘大师在风水理论及其长期实践的过程中，吸收融会了古今中外各门科学、哲学、美学、伦理学以及宗教、民俗等方面的众多智慧，并归纳总结出了在实际操作中要遵循的十大原则。

本章导航

一、整体系统原则

二、因地制宜原则

三、依山傍水原则

四、观形察势原则

五、地质检验原则

六、水质分析原则

七、坐北朝南原则

八、适中居中原则

九、顺乘生气原则

十、改造风水原则

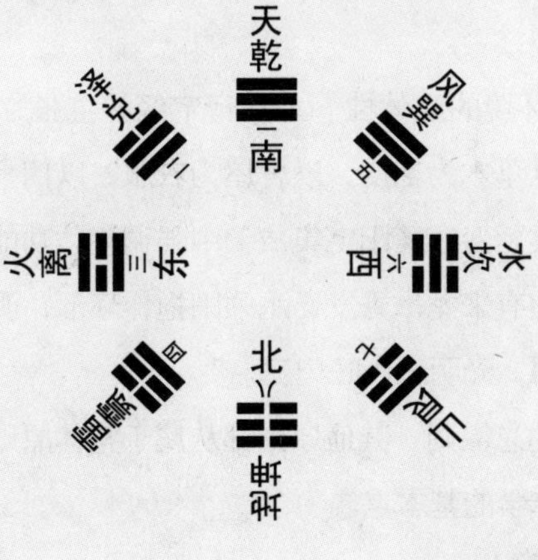

一、整体系统原则

风水理论是什么呢？实际上就是地球物理学、水文地质学、宇宙星体学（星象学）、气象学、环境景观学、建筑学、生态学、磁场方位学以及人体生命信息学等多种学科综合一体的一门自然科学。其宗旨是审慎周密地考察、了解自然环境，顺应自然，有节制地利用和改造自然，创造良好的居住与生存环境，赢得最佳的天时地利与人和，达到天人合一的至善境界。

正是基于这一追求，笔者在风水理论及其长期实践的过程中，积累了一定的实际经验，也通过理论思维，吸收融会了古今中外各门科学、哲学、美学、伦理学以及宗教、民俗等方面的众多智慧，最终形成了内涵丰富、综合性和系统性很强的独特理论体系，称为现代风水学。概括起来有十大原则。

整体系统论，作为一门完整的科学，它是在本世纪产生的；作为一种朴素的方法，中国的先哲很早就开始运用了。风水理论思想环境作为一个整体系统，这个系统以人为中心，包括天地万物。环境中的每一个子系统都是相互联系、相互制约、相互依存、相互对立、相互转化的要素。风水学的功能就是要宏观地把握协调各子系统之间的关系优化结构，寻求最佳组合。

风水学充分注意到环境的整体性。《黄帝宅经》主张“以形势为身体，以泉水为血脉，以土地为皮肤，以草木为毛皮，以舍屋为衣服，以门户为冠带，若如斯，是事严雅，乃为上吉”。清代姚延銮在《阳宅集成》中强调整体功能性，主张“阳宅应须择地形，背山面水称人心，山有来龙昂秀发，水须围抱作环形，明堂宽大斯为福，水口收藏积万金。关煞二方无障碍，光明正大旺门庭。”

整体原则是风水学的总原则，其他原则都从属于整体原则，以整体原则处理人与环境的关系，就是慧缘风水学的基本点。

二、因地制宜原则

因地制宜，即根据环境的客观性，采取适宜于自然的生活方式。《周易·大壮卦》提出“适形而止”。先秦时的姜太公倡导因地制宜，《史记·货殖列传》记载：“太公望封于营丘，地泻卤，人民寡，于是太公劝其女功，极技巧，通渔盐。”

中国地域辽阔，气候差异很大，土质也不一样，建筑形式亦不同。西北干旱少雨，人们就采取穴居式窑洞居住。窑洞位多朝南，施工简易，不占土地，节省材料，防火防寒，冬暖夏凉，人可长寿，鸡多下蛋。西南潮湿多雨，虫兽很多，人们就采取干阑式竹楼居住。《旧唐书·南蛮传》曰：“山有毒草，虱腹蛇，人并楼居，登梯而上，号为干阑。”楼下空着或养家畜，楼上住人。竹楼空气流通，凉爽防潮，大多修建在依山傍水之处。此外，草原的牧民采用蒙古包为住宅，便于随水草而迁移。贵州山区和大理人民用山石砌房，这些建筑式都是根据当时当地的具体条件而创立的。

中国现存许多建筑都是因地制宜的楷模。湖北武当山是道教名山，明成祖朱棣当初派三十万人上山修庙，命令不许劈山改建，只许随地势高下砌造墙垣和宝殿。

中国是个务实的国家，因地制宜是务实思想的体现。根据实际情况，采取切实有效的方法，使人与建筑适宜于自然，回归自然，返璞归真，天人合一，这正是风水学的真谛所在。

三、依山傍水原则

依山傍水是慧缘风水学最基本的原则之一。山体是大地的骨架，水域是万物生机之源泉，没有水，人就不能生存。考古发现的原始部落几乎都在河边台地，这与当时的狩猎和捕捞、采摘经济相适应。

依山的形势有两类，一类是“土包屋”，即三面群山环绕。奥中有旷，南面敞开，房屋隐于万树丛中。湖南岳阳县渭洞乡张谷英村就处于这样的地形，五百里幕阜山余脉绵延至此，在东北西三方突起三座大峰，如三大花瓣拥成一朵莲花。明代宣德年间，张谷英来这里定居，五百年来发展六百多户、三千多人的赫赫大族，全村八百多间房子串通一气，男女老幼尊卑有序，过着安宁祥和的生活。

依山另一种形式是“屋包山”，即成片的房屋覆盖着山坡，从山脚一直到山腰。长江中上游沿岸的码头小镇都是这样，背枕山坡，拾级而上，气宇轩昂。有近百年历史的武汉大学建筑在青翠的珞珈山麓，设计师充分考虑到特定的风水，依山建房，学生宿舍贴着山坡，像环曲的城墙，有了个城门形的出入口。山顶平台上以中孔城门为轴线，图书馆居中，教学楼分别立于两侧。主从有序，严谨对称。学校得天然之势，有城堡之壮，显示了高等学府的宏大气派。

六朝故都南京，滨临长江，四周是山，有虎踞龙盘之势。其四边有秦淮河入江，沿江多山矶，从西南往东北有石头山、马鞍山、幕府山；东有钟山；西有富贵山；南有白鹭洲和长命洲形成夹江。明代高启有诗赞曰：“钟山如龙独西上，欲破巨浪乘长风。江山相雄不相让，形胜争夸天下壮。”

四、观形察势原则

清代的《阳宅十书》指出："人之居处宜以大河为主，其来脉气最大，关系人之祸福最为切要。"风水学非常重视山形水势，把小环境放入大环境中进行考察。

中国的地理形势，每隔8度左右就有一条大的纬向构造，如天山——阴山纬向构造；昆仑山——秦岭纬向构造。《考工记》云："天下之势，两山之间必有川矣。大川之上必有途矣。"《禹贡》把中国山脉划为四列九山。风水学把绵延的山脉称为龙脉。龙脉源于西北的昆仑山，向东南延伸出三条龙脉，北龙从阴山、贺兰山入山西，起太原，渡海而止。中龙由岷山入关中，至泰山入海。南龙由云贵、湖南至福建、浙江入海。每条大龙脉都有干龙、支龙、真龙、假龙、飞龙、潜龙、闪龙，勘测风水首先要搞清楚来龙去脉，顺应龙脉的走向。

龙脉的形与势有别，千尺为势，百尺为形，势是远景，形是近观。势是形之崇，形是势之积。有势然后有形，有形然后知势，势住于外，形在于内。势如城郭墙垣，形似楼台门第。势是起伏的群峰，形是单座的山头。认势惟难，观形则易。势来为龙，若马之驰，若水之波，欲其大而强，异而专，行而顺。形要厚实、积聚、藏气。

在龙脉集结处有朝案之山为佳。朝山案山是类似于朝拱伏案之形的山，就像臣僚簇拥君主。朝案之山可挡风并且很有趣屈之情。如《朱子语类》论北京的大环境时说："冀都山脉从云发来，前则黄河环绕，泰山耸左为龙，华山耸右为虎，嵩山为前案，淮南诸山为第二案，江南五岭为第三案，故古今建都之地莫过于冀，所谓无风以散之，有水以界之。"这是以北京城市为中心，以全国山脉为朝案，来说明北京地理环境之优势。

从大环境观察小环境，便可知道小环境受到的外界制约和影响，诸如水源、气候、物产、地质等。任何一块宅地表现出来的吉凶，都是由大环境所决定的，犹如中医切脉，从脉象之洪细弦虚紧滑浮沉迟速就可知道身体的一般状况，因为这是由心血管的机能状态所决定的。只有形势完美，宅地才完美。每建一座城市，每盖一栋楼房，每修一个工厂，都应当先考虑山川大环境。大处着眼，小处着手，必无后顾之忧，而后富乃大。

五、地质检验原则

风水思想对地质很讲究，甚至是挑剔，认为地质决定人的体质，现代科学证明这不是危言耸听。地质对人体的影响至少有以下四个方面：

第一、土壤中含有锌、钼、硒、氟等几十种微量元素，在相互作用下放射到空气中直接影响人的健康。明代王同轨《耳谈》云："衡之常宁来阳产锡，其他人语予云：凡锡产处不宜生殖，故人必贫而徙。"比《耳谈》早一千多年的《山海经》也记载了不少地质与身体的关系，特别是由特定地质生长出的植物，对人体的体形、体质、生育都有影响。

第二、潮湿或臭烂的地质，会导致关节炎、风湿性心脏病、皮肤病等。潮湿腐败地是细菌的天然培养基地，是产生各种疾病的根源，因此不宜建宅。

第三、是地球磁场的影响。地球是一个被磁场包围的星球，人感觉不到它的存在，但它时刻对人发生着作用。强烈的磁场可以治病，也可以伤人，甚至引起头晕、嗜睡或神经衰弱。中国先民很早就认识了磁场，《管子·地数》云："上有磁石者，下有铜金。"战国时有了司南，宋代已普遍使用指南针，皆科学运用地磁之举。风水思想主张顺应地磁方位。杨筠松在《十二杖法》指出："真冲中煞不堪扦，堂气归随两（寸）边。依脉稍离二三尺，法中开杖最精元。"这就是说要稍稍避开来势很强的地磁，才能得到吉穴。风水师常说巨石和尖角对门窗不吉，实际是担心巨石放射出的强磁对门窗里住户的干扰。

第四、是有害波影响。如果在住宅地面3米以下有地下河流，或者有双层交叉的河流，或者有坑洞，或者有复杂的地质结构，都可能放射出长振波或污染辐射线或粒子流，导致人头痛、眩晕、内分泌失调等症状。

以上四种情况，旧时风水师知其然不知其所以然，不能有科学道理加以解释，在实践中自觉不自觉地采取回避措施或使之神秘化。有的风水师在相地时，亲临现场，用手研磨，用嘴尝泥土，甚至挖土井察看深层的土层、水质，俯身贴耳聆听地下水的流向及声音，这些看似装势作样，其实不无道理。

六、水质分析原则

怎样辨别水质呢？《管子·地贞》认为：土质决定水质，从水的颜色判断水的质量，水白而甘，水黄而糗，水黑而苦。风水经典《博山篇》主张“寻龙认气，认气尝水。其色碧，其味甘，其气香主上贵。其色白，其味清，其气温，主中贵。其色淡、其味辛、其气烈，冷主下贵。若苦酸涩，右发馊，不足论。”《堪舆漫兴》论水之善恶云：“清涟甘美味非常，此谓嘉泉龙脉长。春不盈兮秋不涸，于此最好觅佳藏。”“有如热汤又沸腾，混浊赤红皆不吉。”

不同地域的水分中含有不同的微量元素及化合物质，有些可以致病，有些可以治病。浙江省泰顺承天象鼻山下有一眼山泉，泉水终年不断，热气腾腾，当地人生了病就到泉水中浸泡，比吃药还见效。后经检验发现泉水中含有大量的放射性元素氮。《山海经·西山记》记载，石脆山旁有灌水，“其中有流赭，以涂牛马无病。”

云南省腾冲县有一个“扯雀泉”，泉水清澈见底，但无生物，鸭子和飞禽一到泉边就会死掉。经科学家调查发现，泉中含有大量的氰化酸、氯化氢，这是杀害生物的剧毒物质。《三国演义》中描写蜀国士兵深入荒蛮之地，误饮毒泉，伤亡惨重，可能与这种毒有关。在这样的水源附近是不宜修建村庄住宅的。

中国的绝大多数泉水具有开发价值，山东济南称为泉城，福建省发现矿泉水点1590处，居全国各省之最，其中可供医疗、饮用的矿泉水865处。广西凤凰山有眼乳泉，泉水似乳汁，用之泡茶，茶水一星期不变味。江西永丰县富溪日乡九峰岭脚下有眼一平方米的味泉，泉水有鲜啤酒那种酸苦清甘的味道。由于泉水是通过地下矿石过滤的，往往含有钠、钙、镁、硫等矿物质，以之口服、冲洗、沐浴，无疑有益于健康。

风水学理论主张考察水的来龙去脉，辨析水质，掌握水的流量，优化水环境，这条原则值得深入研究和推广。

七、坐北朝南原则

中国处于地球北半球，欧亚大陆东部，大部分陆地位于北回归线（北纬23~26度）以北，一年四季的阳光都由南方射入。朝南的房屋便于采光。阳光对人的好处很多：一是可以取暖，冬季时，南房比北房的温度高1~2度；二是参于人体维生素D的合成，小儿常晒太阳可以预防佝偻病；三是阳光中的紫外线具有杀菌作用，尤其对经呼吸道传播的疾病有较强的灭菌作用；四是可以增强人体免疫功能。

坐北朝南，不仅是为了采光，还为了避风。中国的地势决定了其气候为季风型。冬天有西伯利亚的寒流，夏天有太平洋的凉风，一年四季风向变换不定。甲骨卜辞有测风的记载。《史记·律书》云："不周风居西北，十月也。广莫风居北方，十一月也。条风居东北，正月也。明庶风居东方，二月也。"

风有阴风与阳风之别。清末何光廷在《地学指正》中云："平阳原不畏风，然有阴阳之别，向东向南所受者温风、暖风，谓之阳风，则无妨。向西向北所受者凉风、寒风，谓之阴风，宜有近案遮拦，否则风吹骨寒，主家道败衰丁稀。"这就是要避免西北风。

风水学表示方位的方法有：其一，以五行的木为东、火为南、金为西、水为北、土为中。其二，以八卦的离为南、坎为北、震为东、兑为西。其三，以干支的甲乙为东、丙丁为南、庚辛为西、壬癸为北。以地支的子为北，午为南。其四，以东方为苍龙，西方为白虎，南方为朱雀、北方为玄武。或称作："左青龙、右白虎，前朱雀，后玄武。"《吴兴志·谈起》记载宋代吴兴郡治的布局：大厅居中，谯门翼其前，"卞苍"拥其后，"清风""会景""销署蜿蜒于左，有青龙象。""明月"一楼独峙西南，为虎踞之形，合阴阳家说。

概而言之，坐北朝南原则是对自然现象的正确认识，顺应天道，得山川之灵气，受日月之光华，颐养身体，陶冶情操，地灵方出人杰。

八、适中居中原则

适中，就是恰到好处，不偏不倚，不大不小，不高不低，尽可能优化，接近至善至美。《管氏地理指蒙》论穴云："欲其高而不危，欲其低而不没，欲其显而不彰扬暴露，欲其静而幽囚哑噎，欲其奇而不怪，欲其巧而不劣。"适中的风水原则早在先秦时就产生了。《论语》中提倡的中庸，就是过犹不及，处理选择最佳方位，以便合乎正道。《吕氏春秋·重已》指出："室大则多阴，台高则多阳，多阴则蹶，多阳则接，此阴阳不适之患也。"阴阳平衡就是适中。

风水学理论主张山脉、水流、朝向都要协调，房屋的大与小也要协调，房大人少不吉，房小人多不吉，房小门大不吉，房大门小不吉。清人吴才鼎在《阳客撮要》指出："凡阳宅须地基方正，间架整齐。东盈西缩，定损丁财。"

适中的另一层意思是居中，中国历代的都城为什么不选择在广州、上海、昆明、哈尔滨？因为地点太偏。《太平御览》卷有记载："王者命创始建国，立都必居中土，所以控天下之和，据阴阳之正，均统四方，以制万国者。"洛阳之所以成为九朝故都，原因在于它位居天下之中，级差地租价格就是根据居中的程度而定。银行和商场只有在闹市中心才能获得最大效益。

适中的原则还要求突出中心，布局整齐，附加设施紧紧围绕轴心。在典型的风水景观中，都有一条中轴线，中轴线与地球的经线平行，向南北延伸。中轴线的北端最好是横行的山脉，形成丁字型组合，南端最好有宽敞的河流。明清时期的帝陵，清代的园林就是按照这个原则修建的。

九、顺乘生气原则

风水理论认为，气是万物的本源。太极即气，一气积而生两仪，一生三而五行具，土得之气，水得之于气，人得之于气，气感而应，万物莫不得于气。

由于季节的变化，太阳出没的变化，使生气与方位发生变化。不同的月份，生气和死气的方向就不同。生气为吉，死气为凶。人应取其旺相，消纳控制。《管子·枢言》云："有气则生，无气则死，生则以其气。"《黄帝宅经》认为，正月的生气在子癸方，二月在丑艮方，三月在寅甲方，四月在卯乙方，五月在辰巽方，六月在乙丙方，七月在午丁方，八月在未坤方，九月在申庚方，十月在酉辛方，十一月在戌乾方，十二月在亥壬方。风水罗盘体现了生气方位观念，风水理气派很讲究这一套。

怎样辨别生气呢？明代蒋平阶在《水龙经》中指出，识别生气的关键是望水。"气者，水之母，水者，气之止。气行则水随，而水止则气止，子母同情，水气相逐也。夫溢于地外而迹者为水，行于地中无形者为气。表里同用，此造化之妙用。故察地中之气趋东趋西，即其水或去或来而知之矣。行龙必水辅，气止必有水界。"

明代的另一位风水师廖希雍在《葬经》中指出，应当通过山川草木辨识生气，"凡山紫气如盖，苍烟若浮，云蒸霭霭，四时弥留，皮无崩蚀，色泽油油，草木繁茂，流泉甘冽，土香而腻，石润而明，如是者，气方钟而未休。去气不腾，色泽暗淡，崩摧破裂，石枯土燥，草木凋零，水泉干涸，如是者，非山冈之断绝于掘凿，则生气之行乎他方。"可见，生气就是万物的勃勃生机，就是生态表现出来的最佳状态。

风水理论提倡在有生气的地方修建城镇房屋，这叫做乘生气。只有得到生气的滋润，植物才会欣欣向荣，人类才会健康长寿。宋代黄妙应在《博山篇》云："气不和，山不植，不可扦；气未上，山走趋，不可扦；气不爽，脉断续，不可扦；气不行，山垒石，不可扦。"扦就是点穴，确定地点。

风水学理论认为：房屋的大门为气口，如果有路有水环曲而至，即为得气，这样便于交流，可以得到信息，又可以反馈信息。如果把大门设在闭塞的一方，谓之不得气。得气利于空气流通，对人的身体有好处。宅内光明透亮为吉，阴暗灰秃为凶。只有顺乘生气，才能称得上贵格。

十、改造风水原则

人们认识世界的目的在于改造世界为自己服务。《周易》有革卦，彖曰："已日乃孚，革而信之，文明以说，大亨以正，革而当，其悔乃亡。天地革而四时成，汤武革命，顺乎天而应乎人。革之时义大矣。"革就是改造，人们只有改造环境，才能创造优化的生存条件。

改造风水的实例很多，四川都江堰就是改造风水的成功范例。岷江泛滥，淹没良田和民宅，一旦驯服了岷江，都江堰就造福于人类了。

北京城中处处是改造风水的名胜。故宫的护城河是人工挖成的屏障，河土堆砌成景山，威镇玄武。北海是金代时蓄水成湖，积土为岛，以白塔为中心，寺庙以山势排列。圆明园堆山导水，修建一百多处景点，堪称"万园之园"。

中国的乡村建设很重视改造风水。如果我们下功夫，花气力翻捡一遍历史上留下来的地方志书和村谱、族谱，每部书的首卷都叙述了地理风水，细加归纳，一定会发现许多改造风水记载。就目前来讲，如深圳、珠海、广州、汕头、大连、上海、北京等许多开放城市，都进行了许多的移山填海、建桥铺路、拆旧建新的风水改造工作，而且取得了很好的效果。

风水学的重要任务，就是给有关人士提供一些有益的建议，使城市和乡村的风水格局更合理，更有益于人民的健康长寿和经济发展。

第十一章

慧缘阳宅风水一点通

如何勘察住宅风水？万物有生有灭，看风水先看房子建造时间，这是天命；再看外围环境，人类是环境动物，风水更是环境学！再看内部结构，专业风水专家还看宅住命理，这是天人合一思想的归宿。

本章导航

一、阳宅风水关乎家代吉昌

二、如何勘察阳宅风水

三、阳宅外形条件

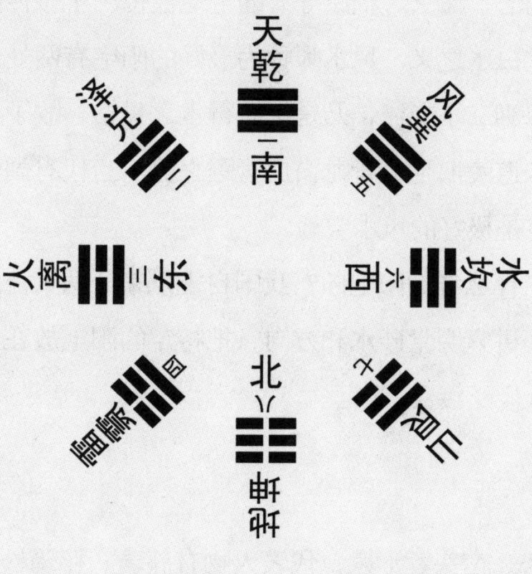

一、阳宅风水关乎家代吉昌

对于阳宅的重要性，《黄帝宅经》明确指出："夫宅者，乃是阴阳之枢纽，人伦轨横，非夫博物明贤，未能悟斯道也……故宅者人之本，人以宅为家。若安，即家代吉昌；若不安，即门族衰微。上至国都京城，次及州郡县邑，下之村署民居，但人所处，皆其例焉。"

在古人的眼里，阳宅风水的好坏，直接关系到"家代吉昌"或"门族衰微"。

三国时吴国大将丁奉的家园，到了晋朝，在丁家的旧宅先后住过的有周凯、苏峻、袁真、司马秀等大户人家，然而都纷纷凶败了。此后，又由臧焘去住，亦频遇丧祸而死。当时有个名叫王富绰的人，平时常以正达而自居，认为"宅无吉凶"而入住其宅，未经择吉，结果仍然凶败而终。

我国历代先哲都很重视阳宅文化建设，历代名人的住宅，大多选在风水宝地，如百里溪、范蠡、郑玄、陶潜、谢玄、嵇康等人的宅地被传千年。传闻光武帝的旧宅在六安县，靠近白水，取龙虎白水之义。风水师称为最好的阳宅有两处，一为山东曲阜孔子旧宅，地居泰山之下，洙泗二水交流，乃是平原得水之贵格，故子孙福祚绵远，千万年不绝；一为江西龙虎山张道陵旧宅，青龙白虎盘踞之势。当代有湖南韶山毛泽东的住宅，广东梅州叶剑英的住宅是极好的风水宝地。

什么样的阳宅吉？什么样的阳宅凶？我国自古以来有两大流派，一是形象派，此派注重山川的来龙去脉，讲究明堂砂水和方向，把特定的阳宅放在客观环境中考察，强调实践和效果性，为民众广泛接受。

形象法相地"十条"

形象法，又称形势、峦头、形家，代表人物有郭璞、杨筠松，著有《葬书》、《撼龙经》。主要内容是注重龙、砂、穴、水相配，山川形有情。看地的具体方法有十条：

一看祖山秀拔，即大河发源处的山脉秀丽挺拔。

二看龙神变化，即山脉走向有起有伏，有变化。

三看成形住结，即山脉起伏间形成的大小盆地、平原。

四看落头分明，即河水交汇处。

五看脉归何处，即山脉走的终点。

六看穴内平窝，即小地形。

七看砂水会合，即穴周围的山水环抱形势。

八看朝对有情，即穴前后的山水。

九看生死顺逆，即山水吉凶的选择。

由于形象法的发起和传播范围主要在江西，所以又称为江西之法。形象派要求到野外看形，须要眼力、足力。研究方法讲求实际，因此有不少真实的地理知识，对中国古代地理学的发展有一定贡献或起过一些推动作用。风水的精华主要是形象的研究成果。

理气法简介

另一派是理气派，此派以气为说。阴阳、五行、八卦、十二干支、二十四节气、星命、吉凶禁忌糅合在一起，有一套复杂而神秘的理论体系。

理气法：又称为方位，宗庙之法，屋宅之法、罗经之法，主要内容是五星八卦。五星即五行，阳山阳向，阴山阴向，不相乖错。纯取五星八卦定生克道理，又须乘气作向，控制消纳，因此太极、河图、洛书、八卦、天干、地支、阴阳都成为这一派的理论基础。在此基础上，又有元运之说，以甲子六十年为一元，配以洛书九宫，经历上、中、下三元为一周，再经三周五百四十年为一总运，合九个六十花甲，即九个甲子。每六十年为一在运，一元之中，二十年为一小运，用这处方法占卜地气的旺、相、休、囚、死。这个学说出自元末明初宁波的幕讲僧。

传说理气派始于闽中，流传浙江一带。宋时最盛行。由于以方位论五行，所以它离不了罗盘，罗盘成了这一派的规矩。在罗盘中有二十四个方位，有管局九星，有三合九星，九星之外又推演催官，增入二十八宿宿度，非常繁琐，以致使罗盘的层次达到二十四层。理气派不用到处考察山川，只在一个点从罗盘推演就可以了。

对理气派，后人有许多批评，说它“流弊之极”“独以卦列、天星、理气等说惑人”。“天星理气之说亦不足凭，龙穴不正，天星虽吉而亦败。龙穴既的，天星不吉而亦发。故智者但求成穴之假真，勿泥天星之凶吉”（《地理正宗臆解》）。“后之学地者，断断不可信一切理气无稽之邪说”（《地理知止》）。我认为这些意见是值得思考的。

二、如何勘察阳宅风水

从理论上讲，阳宅应当依山傍水。依山，可以取得丰富的生活资源，防止水涝。傍水，有利灌溉、洗涤、食用。吉利宅地也要有“四神砂”（青龙、白虎、玄武、朱雀）和周围水道。实际上房屋或居住地比坟墓占地面积要大。当一人想在一块有人居住的地方建一座房子，在选址上就没有太多可供选择的余地。

选择有利的宅地

由于我国处于地球上特定的地理位置，因此，阳宅的南方是最佳朝向。当然，处于不同经纬度地区的阳宅座北向南偏东、座北向南偏西为最佳朝向。从考古发现的新石器时代半坡遗址看，几乎所有的房屋都是座北朝南，即风水师倡导的子午向。座北朝南的阳宅，在炎夏可以避开阳光的辐射，在寒冬可充分采光取暖、杀菌，使人体抵抗力增强，减少疾病的发生。民间俗语云：“大门朝南，子孙不寒，大门朝北，子孙受罪。”此话不无道理。如果朝山是崎岖的石山、倾斜的孤山（由于山崩引起）或窥峰（山脉背后半掩半露的山峰）……则不是人类居住的好地方。若山的轮廓优美清翠，没有崎岖不平、丑恶生态的形貌，则为吉山。朝水也叫外水……来水应流向与龙（山脉）会合的方向，使阴阳二气中和。而且要流速平缓，迂回曲折，切忌平直如线。因此，如果有人想建宅并打算留给子孙后代，他就会通过风水师相看某地风水来选择宅地。

每一座（处）阳宅与周围的环境是点与面的关系，点面和谐才使人“得山川之灵气，受日月之光华”。大环境以百尺为形，千尺为势。形住于内，势住于外；形得就势，势得就形，形不欲行，势不欲止。小环境以水口、明堂至关重要。水口指某一地区水流进或水流出的地方，从水入至水出即是水口的范围。明堂本是古代天子理政、百官朝见的场所，风水术所引申为宅前之地。明堂有内外大小之别，不可太宽，宽则旷荡不藏风；不可太窄，窄而局促不显贵，不聚财；不欹侧，不卑湿，不生恶石，有诸山聚绕，众水朝拱，生气聚合为佳。

风水师称宅地为穴，相地为点穴。穴有高有低，有肥有瘦，有窄有宽。穴有贯顶者，有折臂者，有破面者，有坠足者，皆为病穴。《管氏地理指蒙》论穴：“欲其高而不危，欲其低而不没，欲其显而不彰扬暴露，欲其静而不幽囚哑噎，欲其奇而不怪，欲其巧而不劣。”穴土不可太湿，不可太浮，不可太顽。宅基要有生气，《博山篇》云：“气不和山不植，不可扦，或有奇纹土隐中，法宜扦。气未止山直趋，不可扦，或腰结，或横，法宜扦。”气是生机，有生机之地最宜人们生存。

《择里志》一书中说到风水是人们选择有利宅地时，应连同经济条件、人的性格、自然风景一起加以考虑的这四项重要因素之一。

考察阳宅风水形势

早在先秦，阳宅规模就注重匀称，庭院、堂厢、寝室井然有序，后来修建的长安城、北京城以工整给人以庄严的感觉。民间住宅大人少不宜，有堂无室不宜，梁大柱小不宜，将卧室对灶屋、茅厕、客厅大门不宜。

风水学主张有阳宅周围植树；广陌局散，非有护障不足以护生机；山谷风重，非有树障不足以御寒气。草木繁盛则生气旺盛，护荫地脉，斯为富贵坦局。东植桃杨，南植梅枣，西栽槐榆，北栽杏李，大吉大利。壬子癸丑方种柘树，寅甲卯乙方种松柏树，丙午丁未方宜种杨柳树，申庚酉辛方宜种石榴树。俗语云：树木弯弯，清闲享福；桃株向门，荫庇后昆；高树般齐，早步云梯；竹木回环，家足衣禄；门前有槐，荣贵丰财。

此外，阳宅风水还有值得注意的零散原则，如宋人袁采《袁氏世范·治家》云：“屋之周围须令有路，可以往来。”“居宅不可无邻家，虑有火烛，无人救应，宅之四周如无溪流，当为池井，虑有火烛，无人救应。”

应怎样来考察某地的风水状态况呢？首先，观察水口，依次野势，山形、土色、水利，最后为朝山朝水。

水道：如果水口亏散空阔，即使该地拥有大片农田和高大住宅，兴旺繁荣的家境也不能延续给下一代。住在那里的家族将散居各地，最终销声匿迹。因此，当寻找和观察宅地时，应找寻那些排水量不易被观察到的溪流以及群山环绕的田野。尽管在山区很容易发现这种水道，但在平原地区却不是那么容易。

野势：一般来说，人得阳气而生（出生、生存、多产）。因为天空是阳性光（头顶的天空沐浴在阳光里），故四周高山耸峙，只露出一线天空的地方不适宜人类居住。广阔的田野多么美丽，它是人类居住的好地方。日、月、星、光永远照耀着大地，风、雨、寒、暑，自然界各种天气现象温柔中和，这种地方会诞生很多伟大的人物，而且人们无病无灾。在选择居住地时，要尽力避免那些因四周高山阴隔而太阳晚升早落的地方。

如果晚上看不到北斗星的灵光，则这种地方定有一种阴气。一旦阴气占据优势，会导致“鬼怪”，早晚出没凶气或者导致主人容易生病。因此，住在狭窄的山谷里不如住在开阔的原野上好。广袤的田野周边的低山不应称其为山，它们亦称原野，因为这些地区并未隔绝天日，而且水路远远流过。在高山地区，若有一片开阔地，也是人类定居的好地方。

山形：一般最好的山形，据风水师所说，其祖宗山要高峻挺拔，主山要秀丽、雅洁、柔和……应尽力避开由于龙形蠢笨疲软而缺乏生气的来龙（山脉）。

土色：一般在农村的居住地，水旁和岸边的土质应结构坚实，纹理细腻，然后才会有清凉的水井。这一切成了人生中最理想的居住条件。如果土质是红色粘土、黑砂、砂砾土，则为“死土”，从这种土壤里流出来的水无一例外地会令人恶心。这种地方不适合人类居住。

水利：一般人无法生活在无处取水的地方。山里应有溪流，然后它才有产生出吉祥神妙的变化力量（生化之妙）。水流的进出口应与风水法则保持一致，这样的地方吉祥。

阳宅风水对设计民房、颐养身心有一定作用。《归潜志》卷十四记载金代刘祁自述其园居云：“所居盖其故宅之址，四面皆见山。若南山西岩，吾祖旧游。东为柏山，代北名刹。西则玉泉、龙山，山西胜处。故朝岚夕霭，千姿万状，其云烟吞吐，变化窗户间。门外流水数支，每晚夜微风，有声琅琅，使人神清不寐。刘子每居室，焚香一柱，置笔砚楮黑几上，书数卷，偃息啸歌，起望山光，寻味道腴，为终日乐，虽弊衣恶食不知也。”

总之，阳宅风水的形局，是从四神砂的山水形局演化而来的，也像人体的头、胸、手的合抱之势。形局布置选择、演化及其理论如下所述。

三、阳宅外形条件

堪阳宅，外形最为紧要

《黄帝宅经》总论中如："宅有五虚，令人贫耗；五实，令人富贵。宅大人少，一虚；宅门大内小，二虚；墙院不完，三虚；井灶不处，四虚；宅地多，屋小庭院广，五虚。宅小人多，一实；宅大门小，二实；墙院完全，三实；宅小六畜多，四实；宅水沟东南流，五实。"又云："宅内渐昌勿弃，宫堂不衰莫移……其田虽良，薅锄乃芳；其宅虽善，修移乃昌……"在《修宅次第法》中如："宅以形势为身体，以泉水为血脉，以土地为皮肉，以草木为毛发，以舍屋为衣服，以门户为冠带。若得如斯，是俨雅，乃为上吉。"《元元经》曰："地善即苗茂，宅吉则人荣。"《黄帝宅经》所提倡的这些是正确的。

在宅院的布局中，按照宅屋的方向定位，然后定门、定路、定井、定厨、定碾磨房、定牛马栏；但不管哪个方向，坐东向西宅屋，不宜居。在日常生活的实践中，谁也懂得坐东向西的房子最不好，冬冷夏热，缺点甚多。宅院的布局很讲究门，这也有它一定道理。

有论宅内形中，主张凡起屋，应是后高前低，最后是"青松郁郁竹漪漪"的四合院；对其他的内形有很多禁忌。

村镇建设做到节约用地、布局合理、经济适用、美观大方。即我们住宅建设技术政策所提倡的：坚固、适用、美观。风水与建筑物协调配合。

中国各体建筑，独具一种"命名"的传统习惯。即对一宫一室、一楼一阁、一门一桥，都根据其方位、功用、寓意愿望给以"命名"。而这些命名，包含着深入浅出的哲理祝愿和诗情典故。

阳宅"形法"的基本观点，大抵是采用《阳宅十书》以及明代刊行的《鲁班营造正式》和清代刊行的《鲁班经》。前者是有关建筑选址规划布局的，为堪舆家所掌握；而后者多涉及建筑的设计与施工，为建筑匠师所熟悉运用。

人之居处，宜以大地山河为主，其来脉气势最大，关系人之祸福最为切要。若大形不善，总内形得法，终不全吉。故论宅外形为第一。

勘察阳宅风水的重要原则

左有流水谓之青龙，右有长道谓之白虎，前有水池谓之朱雀，后有丘陵谓之玄武，为最贵地。东下西高，富贵英豪。前高后下，绝无门户。后高前下，多足牛马。

不居当冲口处，不居寺庙，不近祠社、窑冶、官衙，不居草木不生处，不居故军营战地，不居正当水流处，不居脊冲处，不居大城门处，不居对狱门处，不居百川口处。

东有流水达江海吉，东有大路贫，北有大路凶，南有大路富贵，西有大路吉祥。

地形卯酉不足，居自如。子午不足，居之大凶。子丑不足，居之口舌。南北长东西狭，吉；东西长南北狭，初凶后吉。

居滋润光泽阳气者吉，干燥无润泽者凶。前低后高，世出英豪。前高后低，长幼昏迷。左下右昂，长子荣昌，阳宅则吉，阴宅强。右下左高，阴宅丰豪，阳宅非吉，主必奔逃。两新夹故，死须不住。两故夹新，光显宗亲。新故俱半，陈粟朽贯。

或水路桥梁四面交冲者，使子孙怯弱，主不吉利。

门前不许人家屋箭来射，主出子孙忤逆不孝。

门前探头山，四时防盗，若在屋，出军贼之人。

屋后不要绝兴屋地，主绝人丁。门前屋后方圆大吉。

门前见水声悲吟主退财。

门前忌有双池，谓之哭字，西头有池白虎开口，皆忌之。

门前屋后见流泪水主眼疾。

门前朝平圆山主吉。

门前屋后沟渠不可分八字，及前后出水，主绝嗣败财。

井不可当大门，主官讼。

凡造屋，切忌先筑墙围并外门，主难成。凡大门门扇及两畔墙需要大小一般，左大主换妻，右大主孤寡。大门十柱，小门六柱，皆要着地，则吉。门扇高于墙壁多主哭泣。门口水坑，家破伶仃。大树挡门，主招天瘟。墙头冲门，常被人论。交路来门，人口不存。

众路相冲，家无财翁。门被水射，家散人哑。神社对门，常病时瘟。门下水出，财物不聚。粪屋对门，疤疖常存。水路冲门，忤逆子孙。门前直屋，家无余谷。门前垂杨，非是吉祥。东北开门，多招怪异。重重宅户，三门莫对，对则门户退。

这100多项特定的环境条件，主要讨论了住宅周围的地形地貌、山脉水流的形态和走向，道路的方向、形状、位置、宅基的形状，以及邻建筑的性质、方位和树木的种类、形态及位置等等。这都是古人对宅居的认识。

在住宅与周围环境的关系上，风水总的来说是要求人合乎情理，要求向度上的一致，忌背众，即忌与众人的屋向反。对于屋前空地，不能两边低而自已独高，只可人高而己略低，但又不能过低，否则都将犯忌。

另外在绿化方面，风水的要求也非常多。一般以如下方法为佳：东种桃柳（益马），西种栀榆，南种梅枣（益牛），北禁种杏。又有：中门有槐，富蹦三世，宅后有榆，百鬼不近。宅东有杏凶，宅北有李、宅西有桃皆为淫邪。门庭前喜种双枣，四畔有竹木青翠则进财。

风水十分注重住宅及其与四周环境的关系，如地形、水流、水质、建筑、树木等，认为这些因素都能够影响住宅的兴衰。

通常在住宅的选址上，风水常用“辨土法”和“称土法”两种，以决定此处建宅是否吉祥。“辨土法”的基本内容是：在基址上挖地，周围阔一尺二寸（40厘米），深也是一尺二寸（40厘米），再将原土筛细，填坑里，到填满为止，不能把土按实。过一夜后察看，若地气旺则土拱起，若地气衰则土凹陷，拱起便吉，凹陷便凶。

“称土法”的基本内容是：在基地取土一块，削成长宽高皆为一寸的正方形，以秤称之。若重九两以上为吉地，五两、七两为中吉，三两、四两为凶地。另外一种方法是用斗量土，将土击碎，量平斗口，秤之，每斗以十斤为上等，八斤、九斤为中等，七八斤为下等。

阳宅外形吉凶歌诀

歌　诀	阳宅外形	吉凶断
宅形左短右边长，君子居之大吉祥。家内钱财丰盛富，只因次后少儿郎。	宅外形右长左短	钱财富而子孙少
右短左长不堪居，生财不旺人口虚。住宅必定子孙愚，先有田蚕后亦无。	宅外形右短左长	人财两虚
此是人间大吉居，丑寅空缺聚钱资。家豪富贵长保守，子弟荣华得逸居。	东北一 丑一空缺	主聚财
巳辰不足却为良，居此家豪大吉昌。若是安压终有利，子孙兴旺足牛羊。	东南一辰巳一地 与围墙完整	此宅为 大吉大昌
仰目之地出贤良，庶人居之富无量。子孙印绥封官职，光显门庭第一乡。	长方形宅地出贤人	吉
中央高大号圜丘，修宅安坟在上头。人口平安多富贵，服官食禄任优游。	在中央高大的圜丘上建宅	吉
坎兑两边道路横，定主先吉后凶生。人口资财初一胜，十年之后不支撑。	正北 正南一即坎兑有道路	先吉后凶
住宅修在涯水头，主定其地不堪修。牛羊尽死人逃去，造宅修茔见祸由。	宅建在水源上	凶
前狭后宽居之稳，富贵平安旺子孙。资财广有人口吉，金珠财宝满家门。	宅地前狭后宽	吉
前宽后狭似棺材，住宅四时不安宁。破尽资财人口死，悲啼呻吟有叹声。	宅地前宽后狭	凶
西南坤地有丘坟，此宅居之渐渐荣。若是安庄并造屋，儿孙辈辈主兴隆。	宅的西南丘冈高地	吉
住宅卯地有丘坟，后来居之定灭门。愚师不辨吉凶理，年久坟前缺子孙。	宅地东边有丘坟	凶
西高东下向北阳，正好修工兴盖庄。后代资财石崇富，满宅家眷六畜强。	东高西低,北面 向山的开阔地	大吉
住宅方圆四面平，地理观此好兴工。不论宫商角徵羽，家豪富贵旺人丁。	四面皆平的地方，各种姓氏的人都可以居住	吉

此宅观灵取这强，却因辰巳有池塘。 儿孙旺相宜资盛，兴小败长有官防。	东南有池塘	先吉后凶
住房正北有丘坟，明师安庄定有名。 君子居之官出禄，庶人居之家道荣。	正北有丘坟	吉
前后有丘不喜欢，安庄修造数余年。 此宅常招凶与吉，得时富贵失时嫌。	南北两边有丘坟	招凶招吉说不定
住居乾地有丘陵，修宅安庄渐渐兴。 女人入宫为妃后，儿孙以后作公卿。	西北方有丘冈	吉
前后高山两相宜，左右两边有沙池。 家豪富贵多年代，寿命延年彭相齐。	南北有高山 东西有沙池	主人贵富长寿
住宅左右水长渠，久后儿孙福禄齐。 禾征麦钱常富贵，儿孙聪俊胜祖基。	宅的东西有水渠流过	主富贵子孙聪俊
左边水来射午宫，先初富贵后贫穷。 明师断尽吉凶事，左边大富右边穷。	水从东南流来 直射南宫	初富后穷
住宅西边有水池，人若居之最水宜。 牛羊不旺人不吉，先富后贫人少知。	宅西边有水池	凶
西北乾宫有水池，安身甚是不相宜。 不逢喜事多悲泣，初虽富时终残疾。	宅西北有水池	凶
后边有山可安庄，家财盛茂人最强。 若居此地人丁旺，子孙万代有余粮。	宅的北面有山	吉
前有大山不足论，不可安庄立坟茔。 试问明师凶与吉，若居此地定灭门。	南面有大山	凶
住宅后边有高冈，南下居之第一强。 子孙兴旺田蚕胜，岁岁年年有余粮。	东北方有丘冈	大吉
东北丘坟在艮方，成家立计有何妨。 修造安庄终迪吉，富贵荣华世世昌。	东北方有丘冈	大吉
左短右长却安然，后来夹稍前面宽。 此地修造人口吉，子孙兴旺胜田蚕。	宅的西侧短 东侧长	人口吉　子少旺
住宅东边有大山，又孤又寡又贫寒。 频遭口舌多遭难，百事先成后来难。	宅的东边有山	凶

住地观之有何如，前山后山不堪居。 家贫孤寡出贼子，六畜死尽祸有余。	宅的南北两边有山	凶
住宅四角有林桑，祸起这时不可挡。 若遇明师重改造，免教后辈受凄惶。	宅屋四角有林桑	凶
住宅前后有坟林，凡事未通不称心。 家财破败终无吉，常有非灾后又侵。	宅的前后有坟林	凶
左边孤坟莫施工，此地安庄甚是凶。 疾病缠身终不吉，家中常被鬼贼侵。	宅的左边有坟	凶
住宅右短左边长，假令左短有何妨。 后边齐整方圆吉，庶人居之出贤良。	宅的东墙长，西墙短 北面齐整方圆	吉
中央正面四面高，修盖中宅福有余。 牛羊六畜多兴旺，家道富贵出英豪。	宽的四周高	吉
四面交道主凶殃，祸起人家不可挡。 若不损财灾祸死，投河自缢井中亡。	宅的四面皆有道路	大凶
住宅东北斜道行，宅西大道主亨通。 虽然置下家财产，破财一时就灭倾。	大道在宅西 另有东北斜道	先吉后凶
宅东流水势无穷，宅西大道主亨通。 因何富贵一齐至，右有白虎左青龙。	宅东流水，宅西大道	吉
朱玄龙虎四神全，男人富贵女人贤。 官禄不求而自至，后代儿孙福远年。	东南两面有水，北面有山 西面有道路	大吉
宅前有水后有丘，十人遇此九不忧。 家财渐有积蓄起，牛羊满山福无休。	宅南有水，宅后有丘	吉
住宅安居正可求，西南水向东北流。 虽然重妻别无事，三公九相近王侯。	宅地有水自西南流至东北	吉
宅前林木在两旁，乾有丘埠艮有冈。 若居此地家豪富，后代儿孙贵显扬。	宅前的林木分为两旁， 西北有丘埠，东北有山冈	大吉
前有丘陵后有冈，西边宅稳抱朝阳。 东行漫下过一里，此宅发居甚是强。	南有丘陵，北有冈，西边 有水流向南，东边地势渐 低下，超过一里	吉

西来有水向东流，东显长河九曲沟。 后高绵远儿孙胜，禾谷田蚕岁岁收。	有水自西流向南，东边有水九曲转环，北面地势高	大吉
后高有陵箭近池，西北瞻仰显高危。 天赐富贵仓粮足，辈辈儿孙著紫衣。	宅北有高丘陵，南近池塘 往西北越高	吉
西有长波汇远冈，东有河水鹅鸭昌。 若居此地多吉庆，代代儿孙福禄强。	宅的东西两侧有河水流过	吉
前边左右有丘陵，后面东道远平平。 巽地开门家富贵，不宜兑路子孙冲。	宅南有丘陵分列两侧，北后有道路，在东南方巽地开门，对着正西兑冲来	凶
住宅西南有水池，西北丘陵更相宜。 艮地有冈多富贵，子孙天赐著罗衣。	宅西南有水池，东北有冈丘	吉
南来大路正冲门，速避直行过路人。 急取大石宜改镇，免教后人哭声频。	南来的大路正冲门，需避开一直走来的行人，必须由镇石使路口改道	凶
东西有道直冲怀，定主风病疾伤灾。 从来多用医不可，儿孙难免哭声来。	门前东西两侧有路直冲屋宅	凶
前有高埠后有冈，东来流水西道长。 子孙世世居官位，紫袍金带拜君王。	宅前有高埠，后有山冈，东有流水，西有长道	大吉
乾坤艮坎土冈高，前平地势有相饶。 立宅居之人口旺，儿孙出众又英豪。	住宅的北西北东北有高冈，西南有冈，南方平缓	吉
西北仰高数里强，东南巽地有重冈。 坤艮若平家富贵，田蚕万倍足牛羊。	宅的西北有数里高冈，东南又有重冈，西南东北地势平坦	吉
南北长河宽又平，东岭西冈三两层。 左右宅前来相顾，儿孙定出武官人。	宅南向北的长河空阔平缓，东岭西冈两三层	儿孙之中出武官
右边白虎北联山，左有青龙绿水潺。 若居此地出公相，不入文班入武班。	宅的北面有山，东有水清绿，西有道路	吉
林中不得去安居，田宅莫把作丘坟。 田蚕岁岁多耗散，宅内惊忧鬼成精。	宅的四周林地	凶
宅东南北有长河，坤乾丘墓近大坡。 此地若居大富贵，更兼后代子孙多。	宅的东边有南北向长河，西南西北接近大坡	吉
北有大道正冲怀，多招盗贼破钱财。 男人有病常常害，贫穷不和闹有乖。	宅的北面有大道	凶

东西有道在门前，莫把行人断遮栏。宅内更有马车过，子孙富贵得安然。	宅的东西两侧道路伸展到门前，宅内更有车马通过	吉
两边低下后边高，妇人守寡受勤劳。多招接脚并义子，年深犹自出贫消。	宅的东西方有坟，北方有林	凶
乾地林木妇女淫，沟河重见死佳人。坤地水流妨老母，子孙后代受孤贫。	宅的西北有林，西南流水	凶
庚辛壬癸有坟林，可取千株郁郁林。正对宅舍六十步，儿孙换改旧家门。	宅的北边有林，西边有坟	吉
门前若有玉带水，高官必定容易起。后人代代读书声，荣显富贵耀门间。	宅的南面有玉带水	吉
门前三塘及二塘，必啼孤子寡母娘。断出其家真祸福，小儿落水泪汪汪。	宅南门前有水塘	凶 小孩易落水身亡
面前凶沙若有此，左火砂来兄必死。右火冲身弟必亡，当面尖射中此是。	宅的南面门前有尖状、火状的道路	凶
竹木倒垂在水边，小猁落水不堪言。栏栅添置犹防可，更有瘟灾发酒癫。	宅的南面门前有竹倒垂水边	凶 谨防小儿落水
独树生来无破相，必定换妻孤寡真。孤辰寡宿定分明，无儿无女妙通神。	宅的大门口南面正对处有大树	凶
怪树肿头又肿腰，奸邪淫乱小鬼妖。猫鼠猪鸡并作怪，疾病痨瘵不曾饶。	宅前有肿头、肿腰的怪树，表明此地水土不宜人和生物生长	凶
门前若见有尖砂，投军做贼夜行家。出人眼疾忤逆有，兄弟分居饿死爷。	宅前有尖砂	凶
宅屋若在大树下，孤寡人丁断不差。招郎乞子家中有，瘟疫怪物定交加。	屋在大树下	凶
小石当门多磊落，其家说鬼时时着。小口惊赫不须言，气绝聋哑人难觉。	屋前小石磊磊环境不整洁	凶
住宅人家品字样，读书作馆起家庄。人财大旺添田地，贵子声名达帝乡。	房屋面局呈品字样	吉
前有塘兮后有塘，儿孙代代少年亡。后塘急用泥填起，免得其后受祸殃。	宅的前后有塘，儿孙少年亡	凶
房屋门前有大堆，住此房内主堕胎。更兼眼疾年年月，火杀加临更惹灾。	宅前有大堆 。环境清洁、优美、风水才会好	凶

住房门前两口塘，为人哭泣此明堂。 更主人家常疾病，灾瘟动火事连连。	宅前两口塘	凶
房屋若有大路冲，定主家中无老公。 残疾之人真是有，名为暗箭射人凶。	宅前大门有大路正对着，为冲	凶
离乡迢迢是曲路，儿孙出外皆发富。 若然直去不回还，定出离乡不归屋。	宅前有曲曲弯弯的道路主儿孙在外发富	吉
门前有路川字行，破财年年官事兴。 若然直射见明堂，三箭三男死却身。	宅门前有三条川字路，正对大门	凶
当面若行元字路，其家财谷多无数。 面前恰似蚯蚓行，定出痨瘵病多苦。	宅门前元字路吉	有蚯蚓路凶

从上述百首歌可以看出，不论是宅外形法还是宅内形法，其吉凶标准的判断，多是综合了气象气候、地质地形、环境景观、生活条件、宗教制度、伦理观念、营建技术，以及艺术、心理和风俗习惯等因素而总结出来的经验之谈，熟练地掌握它，对选择好风水住宅建地有一定的指导作用。

第十二章

入门必知：常用风水术语

风水学是一门历史悠久的传统文化，凝聚了中国几千年的民俗文化和哲学思想精髓，有大量晦涩难懂的概念和术语。要学习风水学，首先必须掌握这些术语的基本含义。本章着重介绍了两大风水学派中常用的重点概念。

本章导航

常用风水术语

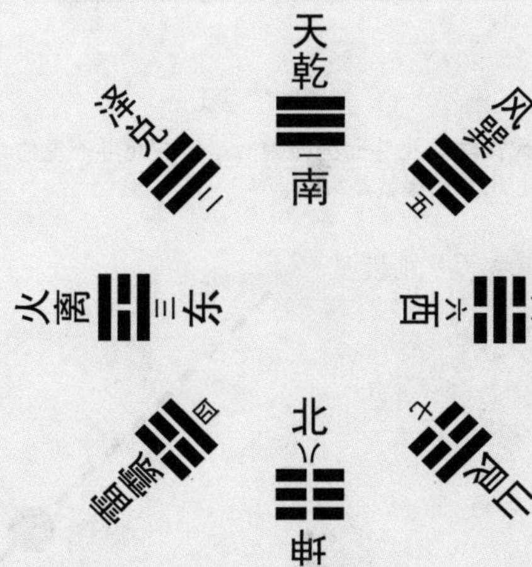

常用风水术语

七星九曜

又叫七政九曜，用以相阳宅的游星名。七星是贪狼、巨门、武曲、破军、廉贞、禄存、文曲七星，加上左辅右弼二星为九曜。它们又与生气、天医、延年、绝命、五鬼、祸害、六煞、伏位相连。其关系如下：

生气

即贪狼星，属木，在震、巽、坎、离宫，为富地，主富贵双全。宜开门立灶，择房安床。

天医

即巨门星，属土，在坤、艮、乾、兑宫，为富地，主福禄富贵，吉。

七星九曜分布

七星九曜之说源于中国古代天文学。北斗七星即为七星，在北斗七星的斗柄左右两个星宿——左辅星和右弼星。这两个星宿加上北斗七星就是九曜。

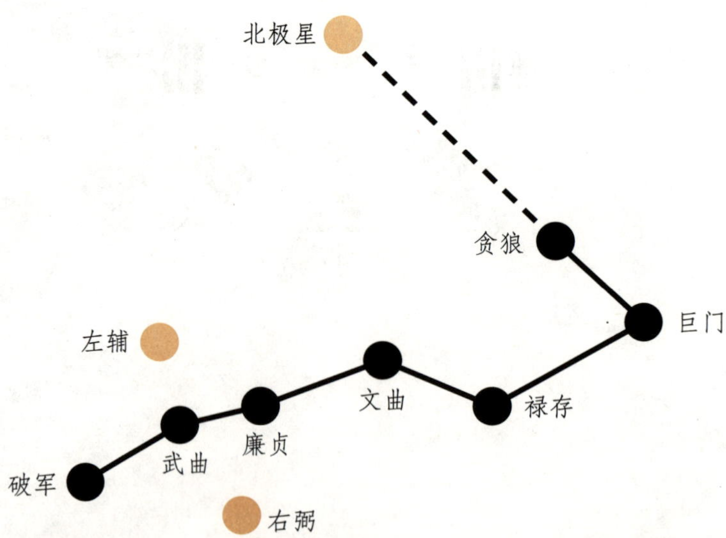

延年

即武曲星，属金，在乾、坤、艮、兑宫，为富地，主掌兵权，吉。

绝命

即破军星，属金，门灶忌之，主短寿绝嗣和恶疾。

五鬼

即廉贞星，属火，主邪祟。

祸害

即禄存星，属土，主壅滞，产亡。

六煞

即文曲星，属水，主好淫、游荡、疾病。

七星九曜吉凶

吉星	生气	贪狼星	属木	在震、巽、坎、离宫	为富地	主富贵双全 宜开门立灶，择房安床
	天医	巨门星	属土	在坤、艮、乾、兑宫	为富地	主福禄富贵
	延年	武曲星	属金	在乾、坤、艮、兑宫	为富地	主掌兵权
	伏位	左辅右弼				主富贵多寿
凶星	绝命	破军星	属金	门灶忌之		主短寿绝嗣和恶疾
	五鬼	廉贞星	属火			主邪祟
	祸害	禄存星	属土			主壅滞，产亡
	六煞	文曲星	属水			主好淫、游荡、疾病

伏位

即左辅、右弼星，主富贵多寿。

以上天医、生气、延年为吉星，绝命、五鬼、祸害、六煞为凶星。风水学认为大门宅房为宫，宫与星相生则吉；相克则凶。天上九星，地下九宫。吉星得地则吉，不得地则凶。这就是所谓的大游年理论。

十恶大忌

一忌龙犯煞反逆；

二忌石缠岩将龙劫断；

三忌穴犯凶砂恶水；

四忌穴犯风吹气散；

五忌砂犯探头捶胸；

六忌砂犯反背无情；

七忌水犯冲射反弓；

八忌水犯黄泉大煞；

九忌向犯冲生破旺；

十忌向犯冲射退神。

犯十忌皆恶。

天干

又称十干，即甲、乙、丙、丁、戊、巳、庚、辛、壬、癸。甲、丙、戊、庚、壬为阳干，乙、丁、巳、辛、癸为阴干。

甲是拆的意思，指万物剖符而出。

乙是轧的意思，指万物出生, 抽轧而出。

丙是炳的意思，指万物炳然著见。

丁是强的意思，指万物丁壮。

戊是茂的意思，指万物茂盛。

己是纪的意思，指万物有形可纪识。

庚是更的意思，指万物收敛有实。

辛是新的意思，指万物初新皆收成。

壬是任的意思，指阳气任养万物之下。

癸是揆的意思，指万物可揆度。

风水术以东甲西庚、东乙西辛、北壬南丙、北癸南丁，方向相对，彼此相部。同时，甲庚属阳、乙辛属阴，壬丙属阳、癸丁属阴，同性相斥，不能相配。

十天干阴阳五行方位表

天干	甲	乙	丙	丁	戊	己	庚	辛	壬	癸
阴阳	阳	阴	阳	阴	阳	阴	阳	阴	阳	阴
方位	东方		中央		中央		西方		北方	
四季	春		夏		四立		秋		冬	
五行	木		火		土		金		水	

十天干五行生旺死绝表

天干	甲	乙	丙	丁	戊	己	庚	辛	壬	癸
长生	亥	午	寅	酉	寅	酉	巳	子	申	卯
沐浴	子	巳	卯	申	卯	申	午	亥	酉	寅
冠带	丑	辰	辰	未	辰	未	未	戌	戌	丑
临官	寅	卯	巳	午	巳	午	申	酉	亥	子
帝旺	卯	寅	午	巳	午	巳	酉	申	子	亥
衰	辰	丑	未	辰	未	辰	戌	未	丑	戌
病	巳	子	申	卯	申	卯	亥	午	寅	酉
死	午	亥	酉	寅	酉	寅	子	巳	卯	申
墓	未	戌	戌	丑	戌	丑	丑	辰	辰	未
绝	申	酉	亥	子	亥	子	寅	卯	巳	午
胎	酉	申	子	亥	子	亥	卯	寅	午	巳
养	戌	未	丑	戌	丑	戌	辰	丑	未	辰

地支

子、丑、寅、卯、辰、巳、午、未、申、酉、戌、亥，这十二位数目符号即为地支。子、寅、辰、午、申、戌为阳支。丑、卯、巳、未、酉、亥为阴支。

地支四季五行生旺关系

四季	春（木）			夏（火）			秋（金）			冬（水）		
五行	木		土	火		土	金		土	水		土
月份	1	2	3	4	5	6	7	8	9	10	11	12
地支	寅	卯	辰	巳	午	未	申	酉	戌	亥	子	丑
盛衰	生	旺	墓	生	旺	墓	生	旺	墓	生	旺	墓

地支与时刻的关系

地支	子	丑	寅	卯	辰	巳	午	未	申	酉	戌	亥
时辰	23～1	1～3	3～5	5～7	7～9	9～11	11～13	13～15	15～17	17～19	19～21	21～23

五行

五行最早见于《尚书》，其《洪范》云：“五行，一曰水，二曰火，三曰木，四曰金，五曰土。水曰润下，火曰炎上，木曰曲直，金曰从革，土曰稼穑。”先哲认为万物由五行组成并变化。五行之间相生相克。生即生发促进，克即克制约束。

五行相生：金生水，水生木，木生火，火生土，土生金

五行相克：金克木，木克土，土克水，水克火，火克金

风水学对五行有许多分类

正五行：东方木，南方火，西方金，北方水，中央土。正五行用以定方位。

八卦五行：震庚亥未巽辛木，乾甲兑丁巳丑金，坎癸申辰水，离壬寅戌火，坤乙艮丙土，八卦五行以司形局。这是以八卦配合干支而论其所属。

五行图

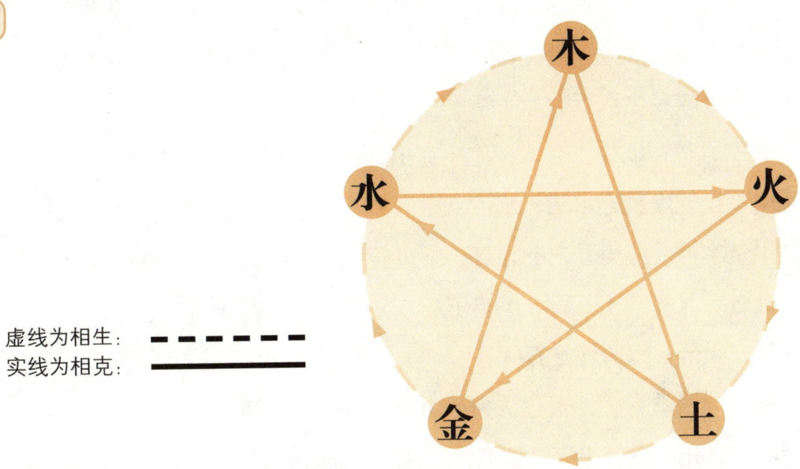

震属木，庚纳配于震，亥未合于震，故庚未俱属木。

巽属木，辛纳配于巽，故辛亦属木。

乾属金，甲纳配于乾，故甲属金。

兑属金，丁纳配丁兑，巳丑合于兑，故丁巳丑亦属金。

坎属水，外阴而内阳，故坎之外三爻癸配之，癸亦属水，申辰以合于坎而属水。

离属火，外阳而内阴，故乾之外三爻壬配之，壬亦属火，寅戌以合于离而属于火。

坤属土，乙纳配于坤，故乙亦属土。

艮属土，丙纳配于艮，故丙亦属土。

三合五行：即寅午戌合成火局，巳酉丑合成金局，申子辰合成水局，辛卯合成木局。火金水木四局分别是由生旺墓三方结合而成。四局中均含土。

四生五行：四隅有四长生，甲木长生在亥，丙火长生在辰，庚金长生在巳，壬水长生在申，乙木长生在午，丁火长生在酉，辛金长生在巳，癸水长生在卯。

三合五行与四生五行

地支三合	长生位		帝旺位	库藏位
申子辰：合化水	壬水长生于申	癸水长生于申	帝旺于子	库藏于辰
亥卯未：合化木	甲木长生于亥	乙木长生于亥	帝旺于卯	库藏于未
寅午戌：合化火	丙火长生于寅	丁火长生于寅	帝旺于午	库藏于戌
巳酉丑：合化金	庚金长生于巳	辛金长生于巳	帝旺于酉	库藏于丑

双山五行：两字同宫合干支，以纳音五行为标准。如艮丙辛两合寅午戌为廉贞火，巽庚癸合巳为武曲金，坤壬乙合申子辰为文曲水，乾甲乙合辛亥壬为贪狼木，俱属二字合为一宫，故名之双五行。

玄空五行：取生入克入，生出克出，以定吉凶。玄为神明变化，空为无所倚著。立穴定向，全凭虚灵之水法，水性玄空。有诀云：丙丁乙酉原属火，乾坤卯午金同生，亥癸艮甲是木神，戌庚丑未土为真，子寅辰巽辛兼巳，亥与壬方是水神。

此外，又有向上五行、纳音五行、星度五行、浑天五行、河图五行、宿度五行、甲子五行、天干五行、地支五行等。

五行与四季有关，术数认为万事万物有旺（旺盛）、相（次旺）、休（休歇）、囚（衰落）、死（没有生气）这五个阶段。这五个阶段在五行中的表现是：

五行四季旺相状态表

五行	旺	相	休	囚	死
木	春	冬	夏	四季	秋
火	夏	春	四季	秋	冬
土	四季	夏	秋	冬	春
金	秋	四季	冬	春	夏
水	冬	秋	春	夏	四季

诸家五行

即正五行，东方木，南方火，西方金，北方水，中央土。

六十甲子

以十干和十二支以阳配阳、阴配阴的原则，依次组合的序列，古人主要以之记时。六十甲子周而复始，它们是：甲子、乙丑、丙寅、丁卯、戊辰、己巳，庚午、辛未，壬申，癸酉，甲戌，乙亥，丙子，丁丑，戊寅，己卯，庚辰，辛巳，壬午，癸未，甲申，乙酉，丙戌，丁亥，戊子，己丑，庚寅，辛卯，壬辰，癸巳，申午，乙未，丙申，戊戌，己亥，庚子，辛丑，壬寅，癸卯，甲辰，乙巳，丙午，丁未，戊申，乙酉，庚戌，辛亥，壬子，癸丑，甲寅，乙卯，丙辰，丁巳，戊午，己未，庚申，辛酉，壬戌，癸亥。

六十花甲纳音表

年号	五行	年号	五行	年号	五行	年号	五行	年号	五行
甲子	海中金	丙子	涧下水	戊子	劈雳火	庚子	壁上土	壬子	桑枝木
乙丑		丁丑		己丑		辛丑		癸丑	
丙寅	炉中火	戊寅	城头土	庚寅	松柏木	壬寅	金箔金	甲寅	大溪水
丁卯		己卯		辛卯		癸卯		乙卯	
戊辰	大林木	庚辰	白腊金	壬辰	长流水	甲辰	佛灯火	丙辰	沙中土
己巳		辛巳		癸巳		乙巳		丁巳	
庚午	路旁土	壬午	杨柳木	甲午	沙中金	丙午	天河水	戊午	天上火
辛未		癸未		乙未		丁未		己未	
壬申	剑锋金	甲申	泉中水	丙申	山下火	戊申	大驿土	庚申	石榴木
癸酉		乙酉		丁酉		己酉		辛酉	
甲戌	山头火	丙戌	屋上土	戊戌	平地木	庚戌	插环金	壬戌	大海水
乙亥		丁亥		己亥		辛亥		癸亥	

六冲

十二地支中有六对相冲相克，它们是子午相冲、丑未相冲、寅申相冲、卯酉相冲、辰戌相冲、巳亥相冲。这是因为，子属水、午属火，相互冲克。其他类推。

（1）地支子午相冲，生肖鼠马相冲；（2）地支丑未相冲，生肖牛羊相冲；

（3）地支寅申相冲，生肖虎猴相冲；（4）地支卯酉相冲，生肖兔鸡相冲；

（5）地支辰戌相冲，生肖龙狗相冲；（6）地支巳亥相冲，生肖蛇猪相冲。

六害

十二地支中，子午相害，丑午相害，寅巳相害，卯辰相害，申亥相害，酉戌相害，不吉。

六合

十二地支中，子丑合土，寅亥合木，卯戌合水，辰酉合金，巳申合火，午为太阳、未为太阴。

十二地支六冲图

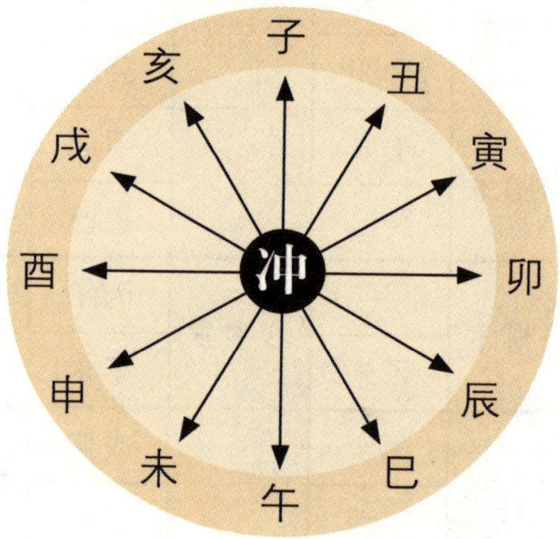

十二地支六害图

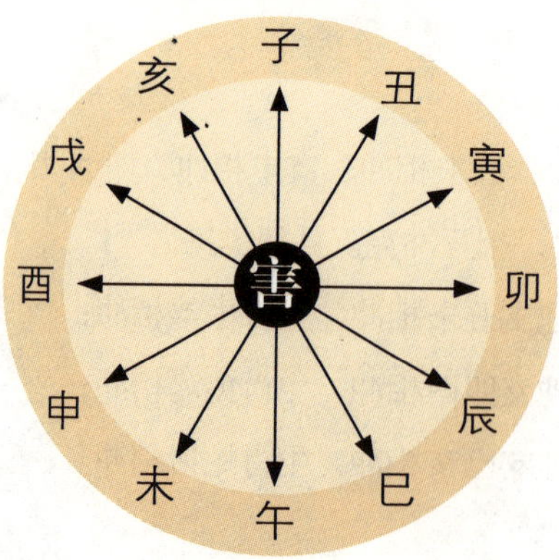

十二地支六合图

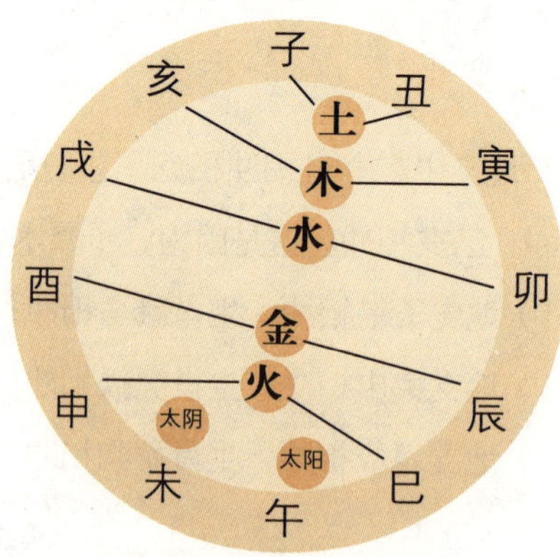

三合

十二地支中每三个合为一个五行属性。申子辰合水；亥卯未合木；寅午戌合火；巳酉丑合金。三合缺土，但都要依赖于土。辰未戌丑可以合成土局。

三合之理

万事万物都有荣枯盛衰之规律，阴阳学说以生、旺、墓这三个词表示生、长、死。在冬季亥、子、丑三个月中，亥（十月）为生，子（十一月）为旺，丑（十二月）为墓。在一年十二个月中，水局三合，以申为生，以子为旺，以辰为墓。火局三合，以寅为生，以午为旺，以戌为墓。木局，以亥为生，以卯为旺，以未为墓。金局三合，以巳为生，以酉为旺，以丑为墓。风水学以生、旺为吉，以墓为凶。

专比

天干和地支上下相生。如甲属木，午属火，木生火，“甲午”为专比，吉祥。又如壬属水，申属金，金生水，壬申亦为专比。

三煞

风水以坐山犯三煞为大忌。诀云：

寅午戌煞北，

申子辰煞南，

亥卯未煞西，

巳酉丑煞东。

寅午戌合火局，火旺于南方，北方（亥子丑）及其冲为三煞（亥为劫煞、子为灾煞、丑为岁煞，岁煞又称墓库煞）。

申子辰合水局，水旺于北方，南方（巳午未）乃其冲为三煞（巳为劫煞、午为灾煞、未为岁煞）。

亥卯未合木局，木旺于东方，西方（申酉戌）乃其冲为三煞（申为劫煞、酉为灾煞、戌为岁煞）。

巳酉丑合金局，金旺于西方，东方（寅卯辰）乃其冲为三煞（寅为劫煞、卯为灾煞、辰为岁煞）。

以年而论：如寅午戌年，北方均论为年三煞。年三煞在山，不可坐。申子辰年，南方均论为年三煞。亥卯未年，西方均论为年三煞。巳酉丑年，东方均论为年三煞。

以山而论：寅午戌煞北，北方亥子丑山、壬癸山、乾兼亥山，艮兼丑山均不利造葬。

三煞可向不可坐。坐三煞即坐煞，大忌。寅午戌年月日时俱忌北方修造。其他类推。

十二建

正月建寅，二月建卯，三月建辰，四月建巳，五月建午，六月建未，七月建申，八月建酉，九月建戌，十月建亥，十一月建子，十二月建丑。

十二建月表

一月寅月	二月卯月	三月辰月	四月巳月	五月午月	六月未月
从立春到惊蛰	从惊蛰到清明	从清明到立夏	从立夏到芒种	从芒种到小暑	从小暑到立秋
七月申月	**八月酉月**	**九月戌月**	**十月亥月**	**十一月子月**	**十二月丑月**
从立秋到白露	从白露到寒露	从寒露到立冬	从立冬到大雪	从大雪到小寒	从小寒到立春

十二宅神

风水学认为宅中有十二个主神，子是司命，丑是勾陈，寅是青龙，卯是明堂，辰是天刑，巳是朱雀，午是金匮，未是天德，申是白虎，酉是玉堂，戌是天牢，亥是玄武。

十二宫

十二个月中万物由生而灭的过程，有十二个名称：（1）绝，又称胞、受气，空绝的意思。（2）胎，即受胎，萌芽。（3）养，即形成。（4）长生，即生长。（5）沐浴。在困境中存在。（6）冠带，即初具规模。（7）临官，即交好运。（8）帝旺，即旺盛。（9）衰，走向衰败。（10）病，处于病态。（11）死，没有生气。（12）墓，又称库，死的归宿。

“长生”就像人出生于世，或降生阶段，是指万物萌发之际。

“沐浴”为婴儿降生后洗浴以去除污垢，是指万物出生，承受大自然沐浴。

“冠带”为小儿可以穿衣戴帽了，是指万物渐荣。

“临官”像人长成强壮，可以做官，化育，领导人民，是指万物长成。

“帝旺”象征人壮盛到极点，可辅助帝王大有作为，是指万物成熟。

“衰”指盛极而衰，是指万物开始发生衰变。

“病”如人患病，是指万物困顿。

“死”如人气已尽，形体已死，是指万物死灭。

“墓”也称"库", 如人死后归入于墓，是指万物成功后归库。

“绝”如人形体绝灭化归为土，是指万物前气已绝，后继之气还未到来，在地中未有其象。

“胎”如人受父母之气结聚成胎，是指天地气交之际， 后继之气来临，并且受胎。

“养”像人养胎于母腹之中，之后又出生，是指万物在地中成形，继而又萌发，又得经历一个生生灭灭永不停止的天道循环过程。

十二分野

又称分星。先民把周天分为十二次，用以观测日月星辰和节气。其名称分别是寿星、大火、析木、星纪、玄枵、娵訾、降娄、大梁、实沈、鹑首、鹑火、鹑尾。十二次在天则称分星，在地则称分野。星纪为吴越，玄枵为齐，娵訾为卫，降娄为鲁，大梁为赵，实沈为晋，鹑首为秦，鹑火为周，鹑尾为楚，寿星为郑，大火为宋，析木燕。

十二生肖

以十二种动物配十二支，子属鼠，丑属牛，寅属虎，卯属兔，辰属龙，巳属蛇，午属马，未属羊，申属猴，酉属鸡，戌属犬，亥属猪。

此十二属相亦有奇偶之分，盛衰之用。

奇者鼠、虎、龙、马、猴、犬，一则属阳，六兽之足皆单；

偶者牛、兔、蛇、羊、鸡、猪，二则属阴，六兽之足皆双。

十二月将

又名十二神，它们分别是征明，亥将，正月将；天魁，戌将，二月将；从魁，酉将，三月将；传送，申将，四月将；胜先，未将，五月将；小吉，午将，六月将；太一，巳将，七月将；天罡，辰将，八月将；太冲，卯将，九月将；功曹，寅将，十月将；大吉，丑将，十一月将；神后，子将，十二月将。

十二月将表

正月将	二月将	三月将	四月将	五月将	六月将	七月将	八月将	九月将	十月将	十一月将	十二月将
征明	天魁	从魁	传送	胜先	小吉	太一	天罡	太冲	功曹	大吉	神后
亥将	戌将	酉将	申将	未将	午将	巳将	辰将	卯将	寅将	丑将	子将

九龙

风水术以山川形势比作九种龙姿，它们分别是回龙、出洋龙、降龙、生龙、飞龙、卧龙、隐龙、腾龙、领群龙。

九星

山川的九种形状，有贪狼、巨门、禄存、文曲、廉贞、武曲、破军、左辅、右弼。在大游年法中，贪狼属木，是生气，上吉；武曲属金，是延年，上吉；巨门属土，是天医，中吉；左辅属木，是伏位，小吉；破军属金，是绝命，大凶；廉贞属火，是五鬼，大凶；禄存属土，是祸患，次凶；文曲属水，是六煞，次凶；右弼不定。

九星图

又称九气图。根据九个方位，标上各自的色彩名称，其图为：

方位	北	西南	东	东南	中央	西北	西	东北	南
九星	一白	二黑	三碧	四绿	五黄	六白	七赤	八白	九紫

九宫

以八卦加中央，合为九宫。用数字表示则为四二为肩，八六为足，左三右七，戴九履一，五居中央。其图如下：

4	9	2
3	5	7
8	1	6

八山

以八卦配山，判断人的吉凶。它们分别是乾山、坤山、离山、巽山、震山、兑山、坎山、艮山。

八风

前、后、左、右、两肩、两足共八个方向的风。

八卦

阴阳学说中的八种符号。每个符号由阴爻——或阳爻——组成，各代表一定属性的若干事物。《周易·系辞》；“易有太极，是生两仪，两仪生四象，四象生八卦。”

八卦分别是乾、坤、震、艮、离、坎、兑、巽。

乾为天、为君、为门；坤为地、为臣、为宅；震为雷、为蕃、为道；巽为风、为女、为床；坎为水、为江河、为井；离为火、为户、为灶；艮为山、为石、为穴；兑为泽、为妹、为西。

为便于记忆符号与图形的关系，这里有一首歌诀：

乾三连，坤六断，震仰盂，艮覆碗，离中虚，坎中满，兑上缺，巽下断。

八卦的八个图形称之为“卦象”，每个卦象由三根或完整或中间断开的线段组成，每个线段被称之为“爻”，完整的线段被称之为“阳爻”，中间断开的线段被称之为“阴爻”。

八卦的八个符号按一定顺序和方位摆放成的八边形被称之为“八卦图”，八卦图分为伏羲先天八卦、文王后天八卦，风水主要采用文王后天八卦。如下图：

八卦基本图式

乾	坤	震	艮	离	坎	兑	巽
☰	☷	☳	☶	☲	☵	☱	☴
乾三连	坤六断	震仰盂	艮覆碗	离中虚	坎中满	兑上缺	巽下断

文王后天八卦图

八卦休王

用八卦配以八方和八个节气，借以说明吉凶。艮，东北，立春；震，东方，春发；巽，东南，立夏；离，南方，夏至；坤，西南，立秋；兑，西方，秋分；乾，西北，立冬；坎，北方，冬至。每卦主事四十五日，并用八种术语表示吉凶：王（旺盛）、相（强壮）、胎（孕育）、没（没落）、死（死亡）、囚（禁锢）、废（废弃）、休（休息）。变化关系是：立春为艮王、震相、巽胎、离没、坤龙、兑囚、乾废、坎休。春分为震王、巽相、离胎、坤没、兑死、乾囚、坎废、艮休。余此类推。

三才

天、地、人。《易辞说卦》：“是以立天之道，曰阴与阳；立地之道，曰柔与刚；立人之道，曰仁与义。兼三才而两之，故易六划而成卦。”

三元

风水以180年为一周天，第一甲子60年为上元，第二甲子60年为中元，第三甲子为下元，合称三元。

三才形象图

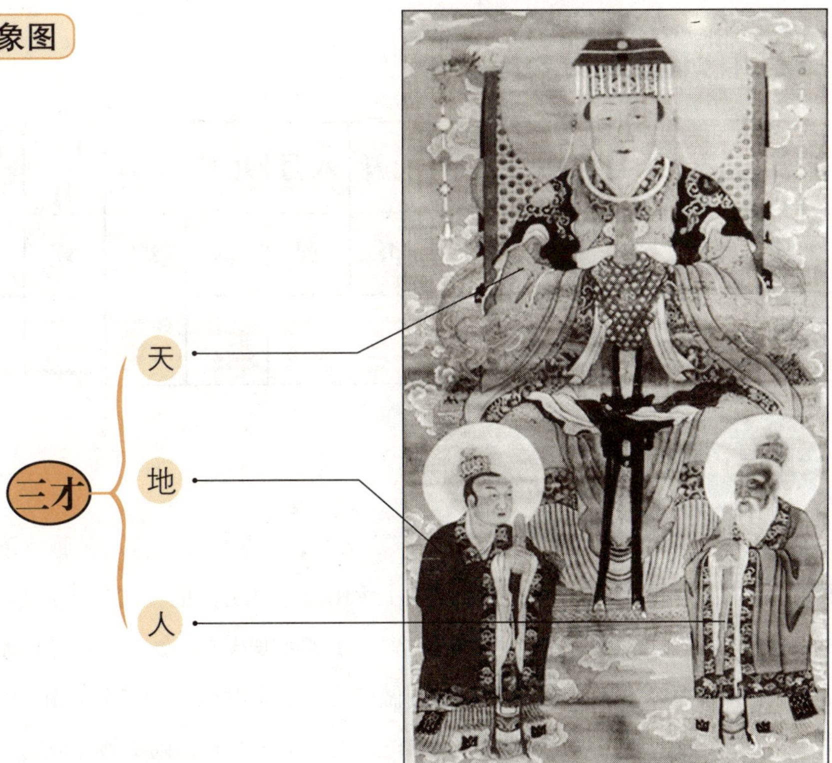

三阳

阴阳学说中，以阳爻称九，位在第一称初九，第二称九二，第三称九三，合三者为三阳。

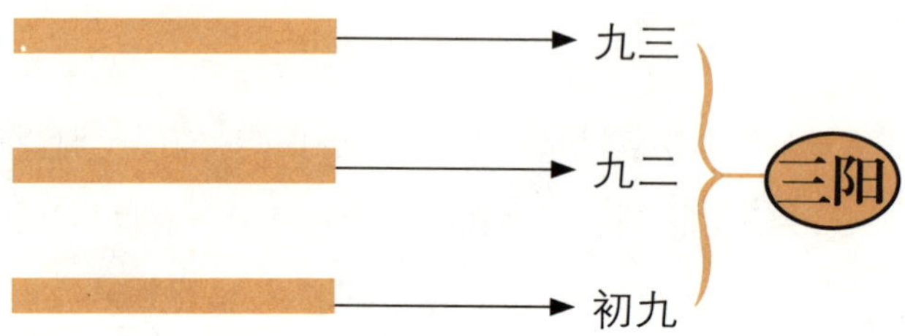

三阳开泰

阴阳学说中，十月为坤卦，纯阴之象。十一月为复卦，一阳生于下。十二月为临卦，二阳生于下。正月为泰卦，三阳生于下。冬去春来阴消阳长，有吉亨兴盛之象，故称三阳开泰。

十二月份八卦表

二月	三月	四月	五月	六月	七月	八月	九月	十月	十一月	十二月	正月
大壮	夬	乾	姤	遁	否	观	剥	坤	复	临	泰
䷡	䷪	䷀	䷫	䷠	䷋	䷓	䷖	䷁	䷗	䷒	䷊

下手

又名下手砂、下关、下臂。不论东西南北，凡是出水一方，统称为下手。凡下手有砂，则有结作。只要下手一山兜乘得上手山过，就是吉地。穴前流水倒左，则左为下手；穴前流水归右，则右为下手。要左臂一山逆水长于右山，兜住右边山水；要右臂一山逆水长于左手，兜住左边山水，这叫做逆关，主发财禄。如果下手山短缩，兜不过上手山，便成假穴。下手重叠紧密，则结作愈大。下手空旷，则不须寻地。

月忌

农历初五，十四，二十三为月忌。依照爻象和九宫，初一至初九，依次进入一至九宫。初五为中宫，乃星位之极，至尊之，凡事当避之。从初十至十八，又依次进入一至九宫，初十四为中宫。照此类推，初二十三也是中宫，都得回避。

月德

以出生月份地支配合出生日期天干构成的吉星。寅午戌月见丙火日，申子辰月见壬水日，亥卯未月见甲木日，巳酉丑月见庚金日，都称为月德，吉祥。

天德

术数以出生月份的地支，结合出生日期、时辰的天干组成的一种吉星。命中有天德的人，一生吉利。如寅月出生的人，其日时遇壬或丁，则有天德。其他据表类推。

天德贵人查询表

月支	正寅	二卯	三辰	四巳	五午	六未	七申	八亥	九戌	十亥	十一子	十二丑
时干支	壬丁	巳申	壬丁	丙辛	亥寅	甲乙	戊癸	亥寅	甲巳	庚乙	巳申	庚乙

五星

以五行命名的五种山形金头圆而足阔，木头圆而身直，水头平而生浪平行如蛇过水，水头尖而足阔，土头平而体秀。刘基《堪舆漫兴》云：金星形体净而圆，弓起浑如月半边。昂秀笃生忠义士，高雄威武掌兵权。木星身耸万人惊，倒地人看一树横。有水令人身贵显，欹斜不正反遭刑。涨天水星浪交加，或落平洋曲似蛇，智巧聪明多度量，荡然无制败人家。火星作祖似莲花，贪巨相承宰相家。只有开红堪作穴，亦须平地出萌芽。土星高大厚而端，牛背屏风总一般。若在后龙兼照穴，兄弟父子并为官。火南水北木居东，西有金星土在中。此谓五星来聚讲，天壤正气福无穷。

太岁

庚寅(2010)年太岁邬桓大将军

太岁本是古代天文学中假设的星名。太岁与岁星相对应。岁星即木星。先民认为岁星每十二年为一周天（实际是11.86），于是黄道分成十二等分，以岁星所在部分为岁名。共有十二个岁名：寿星、大火、析木、星纪、玄枵、昭阳、降娄、大梁、实沈、鹑首、鹑火、鹑尾。岁星运行的方向自西而东，与将黄道分为十二支的方向正好相反，先民就假设出一个太岁，太岁向与岁星实际运行相反的方向运行，先民就以每年太岁所在的部分纪年。如太岁在寅叫摄提格，在卯叫单阙。后来配以十岁阳，组成六十干支，用以纪年。太岁每十二年绕天一周，与表示方位的十二地支正好相配。逢甲子年，甲子就是太岁。逢乙丑年，乙丑就是太岁，依次类推至癸亥年为止。

风水观念认为，太岁星每年所在的方位为凶位，如果这一年在这一方位破土兴建房屋或造坟，便会招致祸事。《土风录》云："术家以太岁为大将军，动土迁移者必避其方。"早在汉代就有了对太岁的禁忌。王充在《论衡·难岁》云："《移徙法》曰：'徙抵太岁凶，负太岁亦凶。'抵太岁名曰岁下，负太岁名曰岁破，故皆凶也。假令太岁在甲子，天下之人皆不得南北徙，起宅嫁娶亦皆避之；其移东西，若徙四维，相之如者皆吉。何者，不与太岁相触，亦不抵太岁之冲也。"

民间传闻太岁方的地下有一块肉团。《幽怪录》记载："董表仪，家住沙河塘，欲折屋掘土，术者言：'太岁方不可兴工。'不信，既而掘深三尺，得一肉块漫漫然，人言即太岁也。"

将星

术数认为，凡寅午戌日出生的人碰上年月时地支中有午字；巳酉丑日出生的人碰上年月时地支中有酉字；申子辰日出生的人碰上年月时地支中有子字；亥卯未日出生的人碰上地支中有卯字，都吉祥。诀云：“将星文武两相宜，禄重权高足可知。”

祖山

风水术以昆仑山为祖山。刘基《堪舆漫兴》云：“昆仑山祖势高雄，三大行龙南北中。分布九州多态度，精粗美恶产穷通。”每一处穴都有来龙去脉，来龙有源，即祖山。诀云：“龙楼宝殿势难攀，此处名为太祖山。若祖端方孙必贵，亦须剥换看波澜。”

神煞

各种禁忌。吉神有120个，凶神有125个，如天乙贵人，成池，驿马等。

四柱

俗称八字。以出生年份的天干地支为第一柱，月份的天干地支为第二柱，日期的天干地支为第三柱，时辰的天干地支为第四柱，合四柱的天干地支共有八个字，四柱命理就是根据这八个字来推算人的命运。

四柱逢冲

四柱中的年月日时的地支与山头相冲。年支冲山，称岁破。如癸亥年的亥方是太岁所占之方，而巳方为对冲之方，对亥方可坐不可向，犯者会破财。月支冲山，如申月冲寅山，称为月破。日支冲山，如子日冲午山，称为日破。时支冲山，如卯时冲酉山，称为时破。

五音姓

术数依五行相生相克之理，将所有的姓氏归于宫商角徵羽五音。辨别五音，舌为徵，齿为商，牙为角，喉为宫，唇为羽。以人的姓氏发音在舌则为徵姓，余类推。根据五音确定住宅方位。

五势

风水术将连绵山势分为五种。黄妙应《博山篇》云："龙北发朝南来为正势，龙西发北作穴南作朝为侧势，龙逆水上朝顺水下此乃逆势，龙顺水下朝逆水上此乃顺势，龙身回顾祖山朝此乃回势。"

五祀

风水学指祭门神、户神、井神、灶神、中雷（土地神和宅神）。

开生坟

人未死，先找地做坟墓。

少祖山

近穴之山。诀云："近穴名为少祖山，此山凶吉最至关。开睁展翅为祥瑞，低小孤单力必悭。"

父母山

穴后巍峨之山。诀云："问君何者为父母？穴后峨峨耸一山。前后相生不相克，儿孙赴举不空还。"

火地

房子易失火之地。

水口砂

水口两岸之山。水口无砂，则水势直奔而出，不吉。水口处应有密集之山，如犬牙交错，群鹤相攒，重叠迂回达数十里，乃为大吉。若有华表、捍门、罗盘、北辰则更好。这种地形，表示水流情意顾内，步步回头，不肯离去的样子。

水脉

流水。形似人体脉络，故名。

水阳

水的北岸，古以山南水北为阳，山北水南为阴。

水到局

来水进入明堂，临近穴前。

水龙

流水似龙行。故名。《管氏地理指蒙》卷三云：“龙探其祖，水溯其源，探其祖固贵，其入首之兴宗，溯其源尤严，夫出口之归替，北以河汾为宗，东以江海为宗，西以川洛为宗，南以闽浙为宗。谓山不独贵承其宗，水亦各有其祖宗也。河水出昆仑山，汾水出太原山晋阳山，江水出岷山，洛水出冢岭，浙水出歙县玉山。”山有行止，水分向背。观水之法，凡两水之中必可观山。水会即龙尽，水交则龙止。水为龙之血脉，穴之处气。水龙有分有合有聚。水自穴前一分合，至龙虎所交二分合，少祖山处三分合。

水城

以水为范式之城。水城的作用在于界水，使龙气不荡散。水城为龙穴门户，本形不一。水城分为金木水火土五城，各有吉凶。诀云：抱城弯弯似金城，圆转浑如绕带形。不但荣华及富贵，满门和顺世康宁。屈曲之玄号水城，盘桓故宅似多情。贵人朝堂官极品，更夸世代有名声。峻急直流号木城，势如冲射最有凶。军贼流离及少死，贫穷困苦又伶仃。破碎尖斜号火城，或如交剑急流争，急兼湍激声澎湃，不须此处觅佳城。方正圆平号土城，有吉有凶要详明。悠扬深涨斯为美，争流响峻贼非轻。

水势

风水学对水势有许多分类，如太极晕水、天心水、真应水、缘储水、朝怀水、聚面水、卫身水、荡胸水、穿臂水、割脚水、淋头水、卷帘水、反身水、漏腮水、交剑水、流泥水、分流水、拱背水、腰带水、反跳水、漏槽水、仓板水、回流水、入口水、射肋水、刑杀水、牵牛水等。

正针

罗盘的子午针（针南针）。它置于天池，指示磁极子午，风水术用以测定山的方位。

正受穴

正面而至的穴位。它相对于分受穴和旁受穴。刘基《堪舆漫兴》云：“迢迢特至为正受，正受之穴世罕有。万水千山结我坟，儿孙庆泽天壤久。”

石敢当

用以避邪驱灾的石块。石上刻有“石敢当”三个字或其他符号，置于村口、路口、巷口、门口等处。据说，姜子牙死后被封为“泰山石敢当”，故民间以石敢当为避邪石。

石敢当

平洋

平坦而有水的地方。山地要立着看，平洋倒着看。平洋地穴前要眠弓水，穴后要反弓水。平洋地最宜逆水砂，因平洋水多直流，直去有逆水砂，则去水必是之旋。怎样看平洋吉凶呢？有《五言金句》云：“欲识平洋地，满拨水看清。拨水能归库，富贵丁寿兴。真假龙何分，穴突看分明。众水归一库，中高是真形。龙真穴的龙，宜看贵人峰。临官为最要，位必至三公。平洋拿龙法，再水绕土坪。大水交合处，方乃是修龙。左属长房官，后高前线倾。别房中有损，长子祸先行，右属小房官，前低后高昂。夭寿并败绝，幼子亦难当。前低穷又贫，后高绝人丁。前后中房站，败绝祸必生。前中左右低，各房穷到底。后中左右高，家家人稀少。”

平尖

葬口。

平基

平定地基。

去水

穴前流去之水。

龙

有山龙、水龙，谓其绵延流长而能变化无穷。

龙穴

山的气脉所结处。蒋平阶《秘传水龙经》云：“横官龙穴生荣显，借合穿龙主发财。”

龙蟠

山势盘曲伏服。

龙虎

穴旁左右二砂。左龙右虎。缪希雍《葬经翼》云：“贴身左右二砂，名之曰龙虎者，以其护卫区穴，不使风吹，环抱有情；不逼不压，不折不窜，故云青龙蜿蜒，白虎驯服。”

龙脉

山川高低起伏如龙腾，故风水术称为龙脉，并且认为：我国在昆仑东南，天下山脉咸祖于昆仑。其河北诸山自北寰乘高而来。山脊以西之水，流入龙门西河；脊东之水，流入幽冀，入于东海。其西一支，为壶口奉岳，次一支包汾晋之原。另一支为恒山，又一支为太行山。太行山一千里，其山甚高。最长一支为燕山，尽于平乐。大河以南诸山，则关中之山，皆为蜀汉而来。一支至长安，而尽关中。一支生下幽谷，以至嵩少，东尽泰山。一支自汉水之北，下扬州。江南之山，皆祖于岷江。一支为衡山，尽于洞庭九江之西。一支度桂林，包湘沅而北，尽于庐阜。一支自南而东，度歙黄山，尽于建康。又自天目山分一支，尽于浙。江西之山，皆自五岭赣上来，自南而北。闽广之北，自北而南，一支包浙江之原，北首以尽会稽，南尾以尽闽粤。这些山可总括为北龙、中龙、南龙。

左辅右弼

在穴的左右夹对的山。要高低大小远近相称，方为合格。凡圆耸如太阳，就称之为日月夹照；如卓立如顿笔展旗，就称为文武侍从，在右龙左右，称为天乙太乙；在过峡左右，称为天弧天角；在前朝左右，称为金吾执法；在明堂左右，称为天关地轴。在水口左右，称为华表捍门。这些山石都对穴起辅弼护从作用。

北辰

北口间的山岩，身耸数刃，形状怪异，大的像北辰，小的像罗星。北辰主发大贵，诀云：“一个北辰管万兵，驸民公侯招讨名。”北辰之形，如狮象麒麟，如飞凤仙鹤，如猛虎卧龙。

囚字形

四面被封住，没有出路的地形，如先修院墙，后盖房屋，这被称为落囚。房屋四周无出路，也被被称落囚。房屋四周皆水，也是落囚。诀云：“四面水周流，其名唤作囚。运旺之时才一发，运衰之日万般休。吊角换边犹自可，居中作穴更堪愁。时师莫说棋盘土，下着将军祸到头。”

四门

天门、地户、鬼门、人门。西门为天门，东南为地户，西南为人门，东北为鬼门。

四象

在阴阳学说中，四象即太阳、太阴、少阳、少阴。在天文学中表示廿八宿相象的四个图象。东方的角亢氐房心屋箕七宿像苍龙，南方的井鬼柳星张翼轸七宿像朱雀，北方的斗牛女虚危室壁七宿像玄武（龟），西方的奎胃昂毕觜参七宿像白虎，合称四象，又称四灵。风水学以前为朱雀，后为玄武，左为青龙，右为白虎。

穴

风水学以穴为生者的住所或死者的葬地。穴是天造地设。有生存之龙，必有生存之穴。穴有正受穴、分受穴、旁受穴，有福穴、贵穴、贫穴、贱穴、病欠。《管氏地理指蒙》卷三论穴云：“欲其高而不危，欲其低而不设，欲其显而不彰扬暴露，欲其静而不幽哑噎，欲其奇而不怪，欲其巧出不劣，欲其正而不冲不兀，欲其辅而不倚不孛，欲其横卧有怀而不挺，欲其蟠抱有蕴而不噎，欲其收拾而不隘不舒，欲其专一而不竞不泄，欲其骑而不卸，欲其怀而不别。”凡是如蛇之项，如龟之肩，如舞鹤翔鸾之翅，如虾巨蟹之钳，如卧牛之垂乳，如驯象之卷唇，如鱼之腮鬣，如驼之肉鞍，如弩之机括，如弹之金丸，如波之旋，如木之痕，如覆手之虎口，如仰手之掌心，都是佳穴。

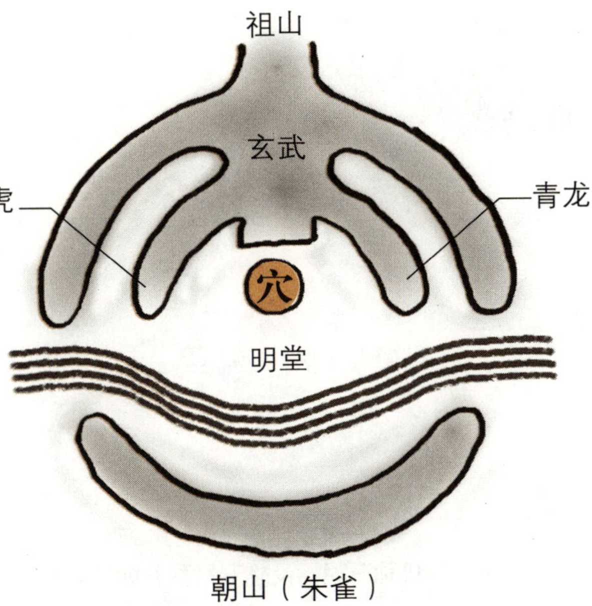

动土

新基掘土。

点穴

选择住地和葬地。风水术认为点穴非易事。三年寻龙，十年点穴。先看龙脉明堂，再确定穴位。差之毫厘，谬诸千里。黄妙应《博山篇》云：“穴有高的、低的、大的、小的、瘦的、肥的，制要得宜，高宜避风，低宜避水，大宜阔作，小宜窄作，瘦宜下沉，肥宜上浮。阴阳相度，妙在一心。”

乐山

穴后椓托之山，用以枕穴。诀云：“乐山托穴莫相离，如库如屏法最奇。惟有横龙全在乐，乐山不到穴无依。”乐山有三格，一是特乐，运山特来，挺然贴穴。二是借乐，横障贴穴，不令空旷。三是虚乐，虽有小山，散乱运旷，是凶地假穴，不可用。又有左乐、中乐、长乐、低乐、高乐、多乐等格。至于形象，只要高阔障护，没有空缺，便为吉格。

华表

水口之间有奇峰卓然挺立。仿佛大厅之外有旗杆，水口内必有富贵之地。

合寿本

人未死，行作棺木之事。

宅兆

坟墓的四界。

交襟

界限。

设醮

建立道场祈求福佑。设醮三日称三朝，设醮五日称五朝。

岁破

迷信认为，在太岁所冲的方向或向太岁所冲的方向搬迁为岁破，不吉利。

阳宅

住宅、城镇、庙宇等。

阳差

六十甲子中，己卯、己酉为阴辰，阴辰前的三辰为阳辰。它们分别是己卯前的丙子，丁丑，戊寅；己酉前的丙午，丁未，戊申。

阳错

农历正月甲寅日、二月己未日，三月甲辰日，四月丁巳日、己巳日，六月丁未日、己未日，七月庚申日，八月辛酉日，九月庚戌日，十月癸亥日，十二月癸丑日为阳错，百事不宜。

阳破阴冲

农历六月癸丑日，十二月丁未日为阳破阴冲，百事不宜。

阴错

六十甲子，甲子，甲午为阳辰。阳辰前的三辰皆为阴错。它们分别是甲子前的辛酉、壬戌、癸亥，甲午前的辛卯、壬辰、癸巳。

阴宅

墓地。

阴位

农历三月庚辰日，月宿在辰；九月甲戌日，月宿在戌。皆为阴位，百事不宜。

阴宅三要素

一为峦头星，峦头即山脉形势，天星即星度之方。二为正针缝针，以罗盘挨星度，正方位，分金定穴。三为诸家五行，以五行生克关系论吉凶。

阴厌

祭奠死人的仪式。《礼记·曾子》：“殇不祔祭，何谓阴厌？”注：“祭成人，始设奠于奥，迎尸之前，谓之阴厌；尸谡之后，改巽于西北隅，谓之阳厌。”

阴龙

方位卦气得阴数者为阴龙。《协纪辨方书》卷三十三云：“十二净阴龙，宜用阴课；十二净阳龙，宜用阳课。”

阴德

暗中施德于人。或称月内阴德之神。

阴钱

人们以为人死后在阴间用钱，故以纸作线。

来龙

主山。龙脉的来源。明吾丘瑞《运甓记》：“此间前冈有块好地，来龙去脉，靠岭朝山，种种合格。”

告穴

讣告亲友，说明何日出殡，安葬在何地。

形势

地形与地势。形与势有区别，千尺为势，百尺为形。势是远景，形是近观。形是势之积，势是形之崇。有势而后有形，有形而后观势。形在于内，势住于外，形得应势，势得就行，势居乎粗，形居乎细。势背而形不住，形行而穴不结。势是起伏群峰，形是单座的山头。势如城郭垣墙，形如楼台门第。认势惟难，观形则易。来势为本，住形为末。前后左右谓之四势，山水应案谓之三形。审势之法，欲其来、大、强、异、专、逆、行。审形之法，欲其藏、止、方、积。

纳气

采气。气从克方来，则宅受克，宅有凶。气从生方来，则宅受生，宅有吉。气分地气和门气，只有地气和门气都旺，宅才有吉。气由宅外的道路入宅，直路为来脉，横路为界水。

纳甲

一种对易经八卦物解释。以八卦与十干、五行、五方相配合。认为，震为一阳始生象，当月之初三上弦。兑为更加一阳，当初八。乾三爻皆阳，当十五之满月。巽为一阴萌之象，当十六日。艮为更加一阴，当二十三之下弦。坤三爻皆阴，当二十九日之晦。日月都灭于北方之壬癸，更入中之戊己，至次月一始生，重为震象。阳气充实之甲，与阴气盛满之乙，各纳入北方壬癸之中，故称纳甲。其图为：

木	东	乾（甲、十五日） 坤（乙、廿九日）
火	南	艮（丙、廿三日） 兑（丁、八日）
土	中	坎（戊） 离（己）
金	西	震（庚、三日） 巽（辛、十六日）
水	北	乾（壬） 坤（癸）

作灶

旧时修灶的规制。阳年宜坐东向西，阴年宜坐北向南。灶式以变连为成格，长七尺九寸，上应北斗七星，下应九州。宽四尺，应四时。高三尺，应三寸。灶门宽一尺二寸，应十二时，安两斧，应日月。穴大八寸，应八风。

罗星

在水口关栏中，有石墩或土墩突起，当于门户，四面环水，这种地形即罗星。石墩为上，土墩次之。以尖圆端正方扁为美。罗星有真有伪，真罗星有首尾，首逆上流，尾必拖水。选择此地，必有大贵富。

罗城垣局

穴的前朝后托，相连的四周。罗城，以水似城之墙垛，垣局，如天文三垣星，以护帝座。罗城与垣局都是护围之山。俗语云：拱揖环抱无空缺，宛然造就一乾坤，乃为罗城之上吉。

所谓罗城，旧时在都邑四周作防御的墙垣，一般有两重，里面的称为城，外面的称郭。在风水领域的罗城，罗是罗列的意思，罗城，就是穴场或宅基地周围罗列的山峰如同旧时的城墙，称之谓罗城。

罗盘

又称罗经。罗盘有多种形式，一般的罗盘由托盘和圆盘组成。圆盘中间有天池，置指南针于其间，圆盘上刻有数圆圈，标有干支、八卦等文字，可以说明方位。其中子午为南北，卯酉为东西。风水师依据罗盘确定方位。

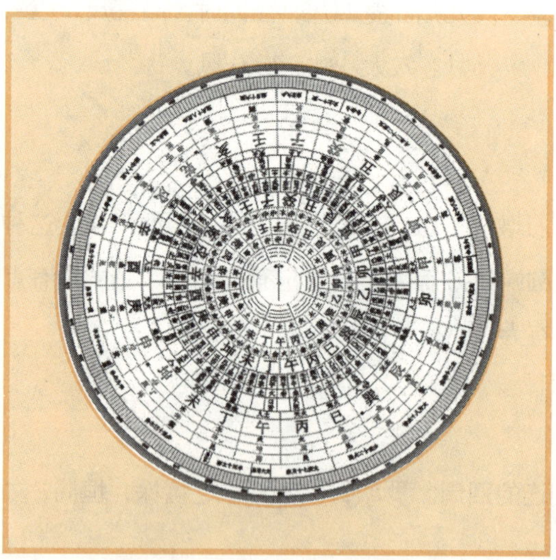

天盘

风水罗盘有天盘、地盘、人盘之区别。缝针是根据太阳光线测出的南北方向，称为天盘。天盘，又可作为罗盘的代称。宋胡仲弓《苇航漫游稿》有诗云：“君贫卖木我卖文，君贫似我贫一分。君挟天盘走湖海，我携破砚登青云。”天盘或相对于地盘，用以表示太阳的光影。

罗盘八奇

磁针置于罗盘的天池后出现的八种情况。一为正，指针在中线，吉。二为搪，指针浮而不定。三为兑，指针不归子午。四为欺，转而不稳。五为探，半沉半浮。六为沉，针没于下。七为遂，浮而乱动。八为侧，偏东偏西。

孤峰独秀

穴前的孤独朝山。据说，龙忌孤独，所以不吉。

明堂

古代帝王宣明政教的地方，风水术称穴前的地气聚合之处。穴前是小明堂，龙虎山里是中明堂，案山内是大明堂。或者称小明堂为内明堂，大明堂为外明堂。内明堂近案当前，不可太宽，旷荡则不能藏风；不可太窄，局促则穴不显贵。要山势缓和，龙虎环抱，不欹侧，不卑湿。外明堂要有四山围绕而无空缺，外水曲折，远远朝来。明堂有吉格和凶格之别，交锁、周密、朝进、宽畅、大会、广聚诸明堂为吉格。有砂交锁、四围周密、来水特朝、众水归堂的地形最好；而劫杀、反背、倾倒、旷野、破碎诸明堂为凶格。尖砂、顺水、悖逆、空旷的地形不好。明堂忌有巨石、土山、荆棘。明堂以洁净、林茂、藏风、聚气为佳。风水术相地就是要先选好明堂，然后点穴，从而达到避凶得吉的目的。

官鬼禽曜

砂类四星，穴的四周发出的余气之山。在前为官，在后为鬼。官星，生于案山之后的龙虎横抱穴外，背后有山逆施向前。官星宜回头，不宜太耸。鬼星，生于主山背后的拖撑之山，不宜太高，高了会夺穴中旺气。禽星，水口中的山石，它处于明堂左右或水中，有情向穴。若能高达二三丈，如笋如笏，如游鱼龙蛇，就被称为吉。曜星，龙虎肘外及龙身枝脚，穴脚左右的尖利巨石。四者中，无官则不贵，无鬼则不富，无禽则不荣，无曜则不久。

砂

穴四周的山。风水学认为，砂形之情态万殊，咫尺之情颇异。砂水相连，砂关水，水关砂。抱穴之砂关元辰水，龙虎之砂关怀中水，近案之砂关中堂水，外朝之砂关外龙水。穴前两边是侍砂，能遮恶风。从龙抱拥的是卫砂，外御凹风，内增气势。绕抱穴前的是迎砂，面前特立的是朝砂。水左来，砂右转。水右来，砂左转。黄妙应在《博山篇》论砂说："水口之砂最关利害，交插紧密，龙神斯聚。走鼠顺飞，真龙必去。砂有三类，肥圆正为富局，秀尖丽为贵局，斜臃肿为残局。砂砂有杀，汝知乎？有尖射的，破透顶的，探出头的，身反向的，顺水走的，高压穴的，皆凶相也。又有相关的，破碎的，直强的，狭逼的，低陷的，斜乱的，粗大的，瘦弱的，短缩的，昂头的，背面的，断腰的，皆砂中祸也。"凡是穴的四周有砂，层层叠叠，前后有亭，一律内倾，砂脚有潺潺流水，风水术就认为是吉地。

神山座

穴前流水去处的一座大山。谣云："水口一山如虎卧，回头不许众人过。高昂切断水难流，此物各为神山座。"

修造

营建或修缮事宜。讲究坐向中宫。坐方就是宅后的小门，向方就是前面的大门，中宫是中间的房屋，以厅堂为准。

峡

山的断续之处，呈两山相夹之状。

胎息山

连绵如一线之山。

柩

棺木。

捍门

水口间两山对等，如门户之护捍。此为贵兆。

案山

穴前近而小的山，如贵人据案处理事务之意。案山如玉几横琴 ，以端正、圆巧、秀媚、光彩、平正、齐整、回报有情为佳。刘基《堪舆漫兴》云：“面前有案值千金，远喜齐眉近应心，案若不来为旷荡，中房破败祸相侵。案山最喜是三台，玉几横琴亦壮哉。笔架眠弓并席帽，凤凰池上锦衣回。案山虽有亦嫌粗，臃肿斜飞不若无。压穴魔岩并丑恶，出人凶狠更顽愚。案山顺水本非良，过穴湾环大吉昌。若有外砂来接应，举人榜上姓名香。外山作案亦堪求，关抱元辰气不流。纵有穴情无近案，中房颠沛走他州。”

流年

去算命的这一年，以农历计算，算命的这一年是丁卯，流年就是丁卯。依此类推。

倒杖

立穴放棺的方法。要求因自然之势，使前后左右合乎天然。

宾主

相对的两山。诀云：“宾要有情主要真，主若欹斜宾不顾，定知此地欠缘因。”

破土

掘土修坟。

起基定磉

磉是柱下的石头。着手基建，固定石磉。固定了石磉，就有了形体之立。

息道

内水口。

黄道吉日

术数以青龙、明堂、金匮、天德、玉堂、司命六辰为吉神。六辰值日时，诸事咸宜，不避吉凶。

魁罡

术数论及的一种命运。命中逢魁罡，聪明、果断。凡日干遇到戊戌、庚戌的称为天罡；遇到庚辰、壬辰和称为地罡。

望气

术数认为穴中有气，高明的大师可以望见穴气。气色光明则发兴，气色暗淡则败落。气呈红色则巨富，气呈黑色则有祸，气呈紫色则大贵。

朝山

穴前远而高的山，如宾主相对之义，成天然朝拱之形。主大富贵。刘基《堪舆漫兴》云："点穴先须要识朝，朝山不识术非高。纵有真龙朝对恶，亦须凶报不相饶。两水夹来为特朝，朝山此格最清高。尖秀方圆当面起，子孙将相玉横腰。其次还求横朝山，横开帐幔于其间。或作排衙并唱喏，亦须情意两相关。伪朝之山形不一，过我门兮不入室。翻身侧面向他人，空使有凶而无吉。平原看局取回环，高一寸兮即是山。但得水缠看下手，窝钳乳突是元关。莫将暗拱作寻常，明暗之山一样详。尖秀若居堂局外，离乡有子辅明王。"

朝水

穴前特来之水，以屈折弯环悠扬深缓为吉。朝水一勺能救贫。

谢土

建筑物完工后，或是安葬后，举行祭祀。

葬口

即金斗口。结穴有横、斜、直之别，但都有天心十字至中位，中位即葬口。

解除

解洗宅舍，祓除灾厄。

缝针

指壬子丙午两缝间的针。

聚水

聚集之水。水本动，妙在静，静则聚，水朝不如水聚，水聚才有财源。

附篇一

解析中外名城风水格局

在中国古代传统文化观念里，自然与人是相互感应并相通的。天、地、人这三大系统叫做“三才”，共同组成一个统一的机体。都城与国家是这个机体的反映。所以城市的选址与规划布局与天文、气象相互联系，组成一个有机的景观生态系统，就是中国古代环境文化的最高原则。

本章导航

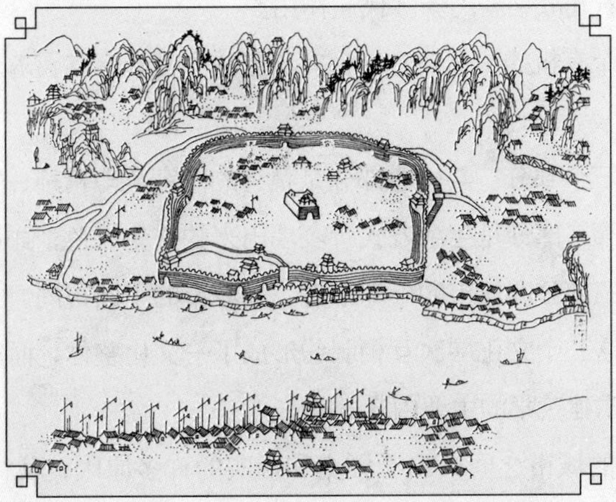

一、中国城市与传统文化

城市是人类利用地理环境的集中地区。从外观上看，城市是高大建筑集中、街道集中的建筑文化景观，是运转不息的经济文化空间。城市较周围农村集中了较多的教育、艺术、文化机构和人才；集中了较多的生产设施与生活设施；聚集着较多的公用设施，其中包括供排水、供电、供能、交通、消防、电信邮传、治安警卫、商业网点、文化娱乐等公共设施。

城市是密度高、能量大、活动频繁、成分构造复杂的物质体系。它是人们从事生产、生活活动的基本空间；是人们进行经济、科学、文化、艺术、商业、金融活动的集中地。城市是一个生命的机体。它的诞生和发展，一时一刻也不能脱离它的周围的环境，每天每时都在川流不息地与周围环境进行着物质、能量与文化的交换。城市像人一样，有大脑、神经系统、循环系统、消化系统……城市的指挥、决策、规划中心是它的大脑系统；邮传电讯是它的神经系统；交通运输网络是它的循环系统……城市和它周围的环境不断地进行着吐故纳新的新陈代谢作用。

城市既然是一个有机的活体，它就会有自己的个性，有其灵魂。城市的灵魂是它所体现出来的文化。

城市文化包括三个部分。其核心部分是精神的内容，即精神、宗教、文学、艺术和意识形态的层次。第二部分是生活方式所表现出来的文化特色，如风俗、衣饰、饮食、节日、礼仪等。第三部分即城市的外部形态，如城市的平面布局、主体建筑、街道的文化风貌等。城市的这三个文化层次互相制约形成了一文化整体，而第三部分则是城市的主体，也是城市风水建筑学的主要内容。

不同大小等级的城市之间，由于历史和现实的许多原因，往往形成一定的城市体系。通过交通联系，形成城市网络。在一个城市系统之中，总有那么一个或几个为首的大城市，文化、艺术、科学、技术水平最高，信息最灵通。新消息、新花样、新时尚往往首先在那里出现和流行，然后才向其他次一级城市或农村流行开来。这样为首的大城市也是一个地区、一个民族国家的社会习俗和方言中心。它的规划建筑形式，影响波及到其文化圈辐射范围的圈层之内。

各时代，各地区的文化潮流都有其代表的中心城市。社会文化的变革必然会引起城市的变革。城市的规模结构是社会文化发展阶段最为集中的见证。

中国古代城址的选择十分慎重，它关系到未来的事业是否兴旺发达，关系到族人与国家未来的前途与命运。古都选址也充满了礼仪规范和天人相应的文化意识。

记录城址选择过程和原理的文献起源甚早，在《诗经》里所记述的有先周时期。《大雅·公刘》篇就记述了周文王之前的十二世祖先公刘，约在公元前15世纪带领周人迁居（今陕西旬邑县西南）选择址的经过。

原诗大意为：温良忠厚的公刘先登山察看地形，只见山岗之南有百泉流过，广原可居。于是他进一步设立圭表、景尺进行测量、察看日影。“相其阴阳，观其泉流”。之后他又下到平地选择水源丰富、地形宽敞的地方。这里“逝彼百泉，瞻彼博原”，百泉由此涌出，小河弯曲流淌。北有高大的山阻挡北风的侵袭，南面远处朝山、向山分明。东、西两侧耳山蜿蜒起伏。这里山环水绕南面开阔，两侧泉流萦绕。此地可以避水灾、御干旱、防战乱。内可开垦种植，外可凭险扼守，是建立都邑的良好地方。于是公刘进一步作了规划，何处做为居民区，何处辟为良田，何处建立码头，用以渡涉渭河运取矿石，铸制工具。良好的地址选择和环境布局，不断地吸引居民。不久，在皇溪两岸、过溪之源迁居归附的百姓越来越多。为子孙的繁荣和都邑的进一步发展，打下了良好的基础。

国都选址，要在平坦而肥沃的土地之上。背有大山，左右有河流、泉水或湖泊，城内有通畅的排水系统。选择城址应充分利用自然资源来保障城内人口的衣食所需和繁殖六畜、发展经济，吸引更多的人口集中。选择这些地利，内筑城，外立廓，廓外挖城壕；低地筑堤防，高地挖沟渠，这样的城命名它为金城。

在中国古代传统的文化观念里，自然与人是相互感应并相通的。天、地、人这三大系统叫做“三才”，共同组成一个统一的机体。都城与国家是这个机体的反映。所以城市的选址与规划布局与天文、气象相互联系，组成一个有机的景观生态系统，就是中国古代文化的最高原则。

明堂是城市不可缺少的建筑。北魏著名的地理学家郦道元在《水经注》里记录当时都城中的明堂说：“明堂上圆下方，四周十二户九堂，而不为重隅也。室外柱内绮井之下，施机轮、饰缥，仰象天状，画北辰列宿象，盖天也。每月随斗所建之辰，转应天道。”这一“法天象地”的古都规划思想形成东方古城的特征。

据研究明堂就是这样按时序季节和空间方位进行祭祀的场所。后来，明堂又成为天子布政施教的地方。因其主要功能要“明政教”、“明诸侯尊卑”、“向明而始”，故有“明堂”之称。帝王对明堂的设置和设计都十分重视。

明堂的形式是上为圆形以象法天圆，下为平方形以象法地方。八扇窗有八风。四面通达师法四季，九个堂室像天下州，十二座室仿十二个月份。

北魏时的贾思论明堂制度时讲得更清楚：明堂平面一百四十四尺，像坤卦的策数；屋的圆径为二百一十六尺，与乾卦策数相同。太庙太室平面方六丈，取老阴数，室径九丈，取老阳数。九个堂室像九州大地，屋高八十一尺，取自古黄钟吕的九九之数，周边二十八根柱子象法二十八星宿，外围周长二十四丈模仿一年的二十四节气。

1956年，我国考古工作者发掘出汉代长安城南郊王莽礼制建筑群遗址，其中一处为明堂遗址。明堂遗址一层平面有青阳、明堂、总章、玄堂和太室等金木水火土五室，其中太室土室居中。东南西北堂均有左右几个，即“十二坐法十二月”。

从天空的紫微垣到都城的紫禁城都是宇宙象征主义的杰作。在中国古代传统的文化观念里，天上的星空主宰着世间人们的命运，天空也形成等级森严的王国。北极星、北斗星所处的拱极一带是天球众星环绕的中心。司马迁在《史记·天官书》中把它叫做“中宫”。其他则分属东、西、南、北四宫。整个天空被划分成为“三垣”和“二十八宿”。其中心区为北斗星座，它象征着人间的中枢地区及都城。“斗为帝车”，“运于中央，临制四乡，分阴阳，建四时，均五行，移节度，定诸纪”，主宰着大自然以及人间的一切事物。

二、风水与北京城的选址、规划和建筑

北京，是举世闻名的历史文化名城。它的悠久历史源自距今70多万年前的周口店北京猿人。琉璃河商周遗址把这座城市的建设史上溯到3000多年前的西周初年。历史上的北京城，从西周的蓟丘，到西周末燕灭蓟成为燕都，到唐代幽州城、辽代南京城、金代中都城，2000多年里城址都在今北京城西南广安门一带。今日北京城，是元大都奠定的基础。使北京城享有盛誉的，那规划严整的街市、辉煌壮丽的宫阙，无处不深深地打上了风水的印记。

北京城周边的风水格局

北京的风水被历代堪舆家称颂。分析北京风水条件的文字始于唐代著名风水师杨益，他说："燕山最高，象天市，盖北干之正结。其龙发昆仑之中脉，绵亘数千里……以入中国为燕云，复东行数百里起天寿山，乃落平洋，方广千余里。辽东辽西两枝，黄河前绕，鸭绿后缠，而阴山、恒山、太行山诸山与海中诸岛相应，近则滦河、潮河、桑干河、易水并诸无名小水，夹身数源，界限分明。以地理之法论之，其龙势之长，垣局之美，干龙大尽，山水大会，带黄河，天寿，鸭绿缠其后，碣石钥其门，最合风水法度。以形胜论，燕蓟内跨中原，外控朔漠，真天下都会。形胜甲天下，山带海，有金汤之固。"（《人之须知》）宋代朱熹也说过："冀都是正天地中间，好个大风水。山脉从云中发来，云中正高脊处，自脊以西之水则西流于龙门西河，自脊以东之水则东流入海。前面黄河环绕，右畔华山耸立为虎。自华来至中原为嵩山，是为前案。遂过去为泰山，耸于左，是为龙。淮南诸山是第二重案，江南诸山及五岭又为第三、四重案，正谓此也。"（《人之须知》）《金史·梁襄传》对北京形势分析是："燕都地处雄要，北依山险，南压区夏，若坐堂隍，俯视庭宇。"蒙古贵族巴图鲁曾经劝元世祖忽必烈定都北京，说幽燕之地，龙蟠虎踞，形势雄伟，南控江淮，北连朔漠，且天子必居中以受四方朝觐。大王果欲营天下，定都非燕不可（《元史·木体黎传附巴图鲁传》）。郝经也劝忽必烈定都燕京，说燕东控辽东，西连三晋，背负关岭，瞰临河朔，南面以莅天下。1264年忽必烈迁都燕京。

明代朱棣迁都北京，群臣对北京的形势又作了一番论证。有的说，北京河山巩固，水甘土厚，民俗淳朴，特产丰富，诚天府之国，帝王之都也。有的说，北京北枕居庸，西峙太行，东连山海，南俯中原，沃野千里，山川形胜，诚帝王万世之都也。有的说，北京北枕居庸，西峙太行，东连山海，南俯中原，沃野千里，山川形胜，诚帝王万世之都（《太宗实录》）。《读史方舆纪要》说北京是“视中原，居高负险，有建瓴之势”。

若是从北京城附近来看风水，清人吴长元说：“北京青龙水为白河，出密云，南流至通州城。白虎水为玉河，出玉泉山，经大内，出都城，注通惠河，与白河合，朱雀水为卢沟河，出大同桑干，入宛平界，玄武水为湿余，高梁、黄花、镇川、榆河，俱统京师之北，而东与白河合。”

上述引文分析了北京位地华北平原的北端、平原与山地交会的要冲，处在东面沧海与西面太行的山麓丘陵顶端，相隔永定河与潮白河，附近有玉泉、高梁、湿余等小河。北面太行山、军都山形成半圆形山湾，南面有大河，在古代，北京还有湖泊、沼泽。这样的地方，用风水术语来说，是“藏风聚气之地”。

巍巍太行山山脉蜿蜒逶迤，由南向北奔腾而来。城北，浩浩燕山山脉罗列簇拥，拱卫着京师。两股山脉交会、聚结，形成风水上所谓“龙脉”。森林覆盖着山峦，山色苍茫，云气郁结。在这青山之中，来自黄土高原的桑干河与自蒙古高原的洋河会合为永定河。永定河汹涌澎湃，穿行于深山老林之间，到京西三家店，陡然冲出山谷，在北京小平原的西绿伸展流淌，造就了北京小平原形同蛛网的河流，星罗棋布的湖泊。山川襟带之间，北京城温润丰饶，土肥人美，遂成天府。这符合风水上要求的“藏风聚气”利于生态的最佳风水格局。

北京城内风水格局

走出北京东火车站，沿着东长安街往西走，不多久，那庄严、雄伟的天安门城楼就会映入眼帘。在蓝天白云下，它画栋雕梁，檐牙飞舞，巍巍峨峨，气派非常。如果登上景山最高处的“万寿亭”远眺，会发现处于城市正中的中轴线上，有一系列高大的古建筑。正南有前门、天安门、午门、故宫的太和殿、中和殿、保和殿等。正北有鼓楼、钟楼。它们依正南北方向，一线排开。如果沿着那布局规整如棋盘的街道观光，其间不时点缀着红墙黄瓦或红墙蓝瓦的旧时府第。如果到郊外散步，不时还会发现地下残留的各式沟纹、绳纹或古代瓦。整座北京城，是中国古代建筑、精神意识和艺术巧妙结合的一个风水文化实体。它是我们祖先千百年来经过长期生活、奋斗而积累形成的知识、信仰、道德、习俗、法律、观念等等的综合体现。特别是明清两代，当权者按照风水师指点，对北京城进行了整体风水调整，使其更加雄伟美丽。

公元1367年，明太祖朱元璋派大将徐达、常遇春北伐，1368年9月占领了大都城。明初把大都改名北平。

公元1404年开始了北京城的改建工程，投入了23万工匠和上百万民夫和士兵。巨大而珍贵的木料来自四川、湖广、江西、浙江、山西等省。城砖来自山东的临清。桐油泡的“金砖”来自苏州。明北京城全部由砖砌而成，这是有史以来的第一次。

故宫又称紫禁城，沿用元代大内旧址而稍南移，周围加砖砌护城河，即今筒子河。南面正门称“午门”即元代皇城灵星门旧址。万岁山，明代又称煤山或镇山（清代改称景山）是元代延春阁旧址，明代堆土筑成。此山五峰耸峙，中峰在全城中轴线上，又当南北两城墙壁的正中，形成全城的制高点。它使得全城堂堂正正，庄严而自匀称大方。帝王居住的主体大殿也在它巍峨实体的依托之中。它们是：外朝三大殿，即皇极殿（清改称太和殿）、中极殿（清改称中和殿）和建极殿（清改称保和殿）和内庭后三殿，即乾清宫、交泰殿和坤宁宫。这些大殿在全城的中轴线上，占据了最重要的位置。

国都一般选择当时认为风水最好的地方。宫阙主殿又建在城内的风水穴上，这里被认为是“生气”聚集的地方。例如，北京的紫禁城是典型的宇宙象征主义的代表作。它位于城市东西、南北交叉轴的中心。宫城用“紫微”颜色装饰，象征着世界中心——北极星的光辉。整座城市的中心是皇城。皇城的中心是宫城。宫城的中心是太和殿。太和殿的中心又有象征宇宙中心的须弥山。其上有须弥座，它的九层台阶，象征着九重天。这一人间、天上的中心，也称“太极”。这里又是阴、阳谐调，藏风得水、生化万物的地方。为了把这一地方渲染上神圣的光辉，古代建筑设计师们用尽了一切可能的方法，把它象征成为宇宙的中心。

古北京城是《周易》象数与古都形制的杰出代表。《周易》对中国文化的发展有广泛而深远的影响，易道深刻而又广泛，奥秘而又精湛，曾经历了伏羲、文王、孔子三圣三古。它揭示了自然世界及社会生活中一些基本规律，形成了一个重要哲学典籍。它作为一种文化思想体系对中国古都的选址、布局和形制都有着深刻的影响。因此，揭示《周易》象数与古都形制关系，是了解中国城市文化不可缺少的方面。

事实上古都宫殿的设置和命名，阶、台、亭、门、楼、堂的布局，甚至连宫门铜钉的数目都与《周易》象数有关。

古都的中心，布政决策的殿堂往往称为“太极殿”。为什么会叫“太极”呢？《周易·系辞》里说：“易有太极，是生两仪。”“两仪”指“阴、阳”和“天、地”。天地相交，阴阳相配，于是生化万物。所以，太极是天地未分的整体，是天地万物的本原，用它做主殿的名称，意味着天子无限的权力。

今北京故宫有太和、中和、保和三大殿。为什么叫“和”呢？阴、阳和合滋生万物是为“和”。《周易·乾·象》说“保和大和，乃贞利”。每当阴阳和谐、平衡，天地万物就能顺其自然欣欣然地吉利发展。至中和，天地位焉，万物育焉。和谐则万事吉祥。

乾清宫、坤宁宫、交泰殿的命名也都取自《周易》。“乾、天也”，“坤，地也”。乾清与坤宁是天地清宁、江山永固、国泰民安的意思。《周易·泰·象》说：“天地交泰。”意为阴阳交合、万物滋荣、子孙昌盛的意思。

故都宫殿常以“九”为数。《周礼·考工记》说：“国中九经纬，经涂九轨”，“内有九室，九嫔居之；外有九室，九卿朝焉”。故宫的房间是九千九百九十九间。九龙壁的图案是用九的倍数二百七十个雕塑块组成。北京天坛三层坛面、台阶、栏板等所用的石板、石块，其数目都是九和九的倍数。甚至午门、神武门等许多宫门（东华门除外）都是上、下各九排、共八十一个门钉。这些，都来自《周易》。《周易》说“阳卦奇、阴卦偶”。因此，一、三、五、七、九是奇数，也叫“天数”。二、四、六、八、十是偶数，也叫“地数”。九是最大的阳数，是“极阳数”，它象征“天”。“圣人作九，九之数，以合天道而天下化之”，用它来象征天子必须合天道。

太和殿面阔九间进深五间（不含侧廊），此外天安门、端门、午门的城楼、保和殿、乾清宫等都是面阔九间而进深五间，含有九、五之数，象征着天子的“九五之尊”，这也来自《周易》。此后“九五之尊”成了天子的代名词。可见，故宫的设计者在几何图案上的构思精巧也有着深刻的文化背景和哲理，其象征意义出自《周易》。

中国古都城门的设计，其文化上的象征意义也往往出自《周易》。元大都的城门为什么有十一个？这是近几百年来国内外学者所关心的问题。美国有华人学者说这是刘秉忠太保设计的哪吒神，哪吒有三头、六臂、两足。其实，设计者是为了象于《周易》。“天地之数，阳奇阴偶”。取天数一、三、五、七、九和地数二、四、六、八、十，取“天地之中和”即将天数的中位数“五”和地数的中位数“六”合而为“十一”。这引申为天地和合，自然万物变化之道尽在其中。

中轴线从永定门起，正南北方向穿越紫禁城中央各殿及今景山，止于清初重建的鼓楼与钟楼，全长8公里。沿着这条中轴线，修筑了出入紫禁城的南北御道。当时从永定门御道北上，朝见天子，依次要见到两旁是天坛和先农坛的空阔而神奇的远景，走4公里到到前门，很快进入正阳门，不久即在大明门（清改“大清门”，民国改“中华门”，在今毛主席纪念堂的位置），随即进入“T”字型宫廷广场，名曰“天街”。广场的南部收缩在单调的“千步长廊”间，形成一条狭长的通道。广场的北部突然张开左、右两翼，使人豁然开朗。太庙的社稷坛（现在的中山公园和劳动人民文化宫）这两组高大的建筑群对称于“T”字形广场的东西两侧。迎面耸立着雄伟的“承天门”（清改“天安门”）城楼，楼前有精美洁白的汉白玉石桥，桥下流着清澈碧绿河水，两旁耸立着玲珑剔透的华表。至此，只见蓝天白云与金碧辉煌交相辉映，使人有步入天上宫阙之感，这是第一个高潮。步入承天门后迎面是端门，中间相距较近。两旁是一个近似方形的院落，此时气氛顿然凝重。过了端门又展开了一个狭长的、深远的空间。左、右旁排列着众多的朝房，一直引向第二个高潮午门。它宏伟壮观，令人赞叹！从午门到太和门之间，在宽广的正方形庭院两侧，有崇楼高阁对峙左右。巍峨的太和殿64米，进深37米，高27米。它造型雄伟，气势凝重，布局森严。四周是一排排亭亭玉立的汉白玉栏杆，满布着精致的白云、龙、凤浮雕，把大殿装点得雍容华贵和富丽堂皇。

明代的北京城的城市规划的设计和布局，就是以《周易》的阴阳八卦思想为基础进行的。首先，就外城和内城的格局来说，外城在南为乾，为天，为阳；内城在北，为坤，为地，为阴。外城呈扁圆形，略宽；内城呈正方形，略窄；外在是内城的屏障。这正是天圆地方、乾坤照应、阴阳合德的象征。外城东南角呈曲折突起状；内城西北角呈凹陷状；东南为兑卦的方位，兑为泽；西北为艮卦的方位，艮为山，这正是“天地安位，山泽气”的象征。其次，就城门的配置来说，外城七门，即：永定、左安、右安、广渠、广安、东便、西便门。七为少阳之数。内城九门；南三门为正阳（俗称“前门”），左崇文、右宣武；北二门为东安定，西德胜；东二门为南朝阳，北东直。九为老阳之数。在城门的配置上，为什么内城用九，外城用七？这是因为是人们日常生活的必经之地；在人们的社会生活里，天子居“九五”之尊位，所以内主外从，内用九，外用七。内城的城门配置，南设三门，南为奇数，为阳；北设二门，北为偶数，为阴。另外，内城的主门——正阳门的门高为九尺九寸，正是老阳之数的体现。这些情况说明，在城门的配置和设计上，都是以《周易》的阴阳、八卦思想为基础的。第三，北京城的主轴线是以《洛书》中戴九履一的观念为基础设计的。北京城的主轴线是一条南起永定门、北至鼓楼的南北垂直线，纵贯北京城的中心，将北京城分为东、西两部分。

中国古代都市规划建设是以整体平面布局、建筑群巧妙联接、组合为特征著称于世的。连接组合的重要原则之一就是明朗、对称。其指导思想就是风水地理的阴阳协调与对称平衡。《周礼·考工记》所提出的“九经、九纬”就是以中心轴为对称轴。“左祖右社，前朝后市”的布局也是阴阳对称观念的反映。对称就意味着调合。以北京为例，南有天坛，北有地坛；东有月坛，西有日坛；左有太庙，右有社稷坛。太庙为阴，祭祀祖先。社稷坛为阳，祭祀土地、谷物稷神。对称的中心点，就是风水穴。在风水观念看来，阴阳极是互相对立的一个事物的两极。它们互相依存、不可缺少，阴、阳调合在城市的平面布局上所反映出来的，就是对称、明朗。

直到明、清，北京天坛真正祭天的地方是圜丘坛，这是圆形，高三层的石坛，共5.33米。每层四面出阶各9级。上层坛面直径30米，中层50米，下层70米。坛面周围有石栏板环绕。三层坛面栏板总数为360块，总计环坛的坛面、台阶、栏板等所用石板、石块数目都是九和九的倍数。《周易》谓“阳卦奇、阴卦偶”，因此以奇数为阳数，偶数为阴数。奇数也叫天数，偶数也叫地数，九是最大的“天数”，也叫极阳数，用它来表示天体的无限高大。祭天只用“天数”、不杂“地数”。坛面之上铺的是艾叶青石。上层坛面直径为23.6米，坛正中央的一块圆石叫“中心石”，又叫“天心石”或“太极石”。从中心石向外每圈依次递增9块，到第9圈则为81块。中层从第18圈铺到第27圈。下层从第27圈铺到第81圈。每层都以汉白玉石雕为护栏。望栏、栏板的数目也各取天数。由此可见设计者在几何图案上的构思精巧，其象征意义出自《易经》。

丹陛桥北端为矗立在祈谷坛中心的祈年殿。它是天坛建筑群中最为宏伟的建筑。祈谷坛状如环丘坛，同为三层圆形石台，上层直径68.2米，中层直径79.6米，下层直径89.6米。三层总高5.56米。三层坛面都有汉白玉石雕的护栏环绕于须弥座式的坛座周围。坛座之上高耸的“祈年殿”是体现这种天人相通的典型建筑。中间最大的四根柱子，叫“龙井柱”，象征一年有四季；中层十二根柱子叫“金柱”，代表十二个月；外层十二根柱子表示子、丑、寅、卯、辰、巳、午、未、申、酉、戌、亥十二个时辰。三十六个大窗代表三十六旬；七十二个小窗代表七十二候。殿为圆形。顶为蓝色代表天。地为方形代表地。第三重殿檐有二十八根巨大的楠木柱，代表二十八宿。整个天坛的环境沉静在柏树密林之间，充满了上天的感应。

由此可以看出，“法天象地”是中国传统的城文化的一大特色。

从五坛的配置和设计看，就更清楚了。所谓五坛，就是天坛、地坛、日坛、月坛和社稷坛。天坛是天子祭天的地方，位于北京城的南端，在外城的里侧。它的建筑形状是圆形的。天坛的位置和形状，体现了南为天、为乾、为阳的思想。地坛是天子祭地的地方，位于北方，在内城的外侧。它的建筑形状是方形的。地坛的位置和建筑形状，体现了北为地、为坤、为阴的思想。日坛在东方，月坛在西方，它们都在城之外。社稷坛在内城的中央。日坛、月坛和社稷坛都是方形的。五坛的配置和设计，也是以《周易》的乾坤、阴阳观念为基础的。

展开近代测绘的“北京城区地图”，可明显地看到原都城为四面用城墙围起来，呈一个品字形的清晰轮廓。按《易》及八卦图所示，上为南，下为北，与近代通绘地形图的方位标志相反。因此原规划设计是一个倒过来的品字形。外城在上，为南；内城在下，为北。符合九宫（即《洛书》演绎而成的矩阵）八卦之说：上南为乾，为天，为阳，下北为坤，为地，为阴，乾天包坤地。从总平面上看，城墙又不是完全笔直的轮廓。外城南城南墙是略为向内（向下）呈缓弧形，符合《易》南为天，天圆之说。东近南交角凸出一段，按八卦（先天）东南系东便门，西北面为西便门。七为“奇”数，属阳。内城原应是“地”位，为坤，属阴。但都城是“人”生息居住，纯属阳宅。故在规划布局上使其转阴为阳，设置了九个城门（按《易》，九乃老阳之数），南三门，正阳门居中（即俗称之前门，它建造时的高度为九丈九尺，九九更体现了老阳之数），左崇文右宣武（又寓意为文东、武西），东二门南朝阳北东直，西二门南阜成北西直，北二门东安定西德胜。内城南设三门为奇，为阳，北设二门为偶，为阴。这些体现了很多八卦的内容。还有，都城南自永定门经正阳门、皇宫达鼓钟二楼，呈一条笔直的十五里的中轴线，是按九宫而设。九宫矩阵的南位九宫，中央为五宫和北位的一宫，三数之和为十五。帝王之宫禁处于中央，象征着统驭四方、四隅之权威。所谓“九五之尊”，是显而易见的。

都城除皇城、紫禁之外，占地最大、建筑较有显著地位的尚有五坛（天、地、日、月、社稷）。在布置上，天坛在南方（上）呈圆形，建于外城之内，地坛在北方（下）呈方形，建于内城之外，日坛在东方（左）呈圆形，月坛在西方（右）均建于内城之外，社稷坛居中，建于内城之中，也是按九宫八卦的内容而设。

明代北京的布局，虽系人为，其寓意及规划指导思想，以及建成后的艺术和功能效果，在500多年以前的世界上为数不多，甚至可以说是仅有的完美的都城建筑。

紫禁城的风水建筑

故宫又称紫禁城，沿用元代大内旧址而稍南移。周围加砖砌护城河，即今筒子河。南面正门称“午门”，即元代皇城灵星门旧址。万岁山，明代又称煤山或镇山（清代改称景山），是元代延春阁址，明代时期堆土筑成。此山主峰耸峙，中峰在全城中轴线上，又立于南北两城墙的正中，形成全城的制高点。它使得全城堂堂正正，庄严而匀称大方。帝王居住的主体大殿也在它巍峨实体的依托之中。外朝三大殿（太和殿、中和殿、保和殿）和内廷后三殿（乾清宫、交泰殿和坤宁宫）在全城的中轴线上占据了最重要的位置。

紫禁城名称的由来，一方面，因为古人将天帝所居住的天宫称作紫宫，故皇宫也以紫宫见称；另一方面，明清皇宫戒备森严，是不许人进入和靠近的禁地，所以明清皇宫又名紫禁城。

紫禁城是一座长方形城池，南北长960余米，东西宽750余米，周长3428米。城墙高10米，下宽8.62米，上宽6.66米。城四隅各有一座结构精巧的角楼（通高27.5米），俗称九梁十八柱七十二条脊，成为我国古代建筑中特有的形式。城外有一条宽52米、长3800米的护城河环绕。

紫禁城四面各有一门，正南是午门，再向南通过端门可达天安门，西面有西华门，东面有东华门，北面有玄武门（清朝改名神武门），对面是景山。

紫禁城为前朝与内廷两大部分组成。前朝以太和殿、中和殿、保和殿三大殿为中心，文华殿、武英殿为两翼，是皇帝发号施令、举行大典的地方。三大殿以北为内廷，有乾清宫、交泰殿、坤宁宫、御花园以及东、西六宫，是皇帝处理政务和后妃、皇子、公主居住的宫殿。东宫之东有皇极殿、宁寿宫、乐寿堂；西宫之西有慈宁宫、寿康宫，亦属内廷范围。

紫禁城的正门是午门。门上崇楼五座，俗称五凤楼。正楼重檐庑殿顶，高35.60米，东西四座重檐四角尖式方形亭楼以廊庑联接，辅翼着正楼，形如雁翅，气势巍峨，体现了紫禁城的尊严。明清两朝正楼设有宝座，左右设有钟鼓，皇帝大典时，钟鼓齐鸣。战争凯旋，则在午门举行受俘礼。午门共有五个门，中门是皇帝出入的，皇后大婚时由此门入，“传胪”时状元由此门出。东西两门是王公大臣走的。左右掖门是文武大臣走的。进入午门便是空间开阔的太和门庭院，一条玉带形的金水河，逶迤蜿转，自西向东流淌，横跨五座雕栏玉砌石桥，与天安门外的金水桥互相呼应。金水桥正北是前朝的正门——太和门，明朝皇帝常在此“御门听政”，清朝皇帝也在此受朝赐宴。顺治元年十月朔（初一），福临皇帝在太和门颁诏称帝。

太和门以内是开阔的太和殿广场，占地3万余平方米。两侧有崇楼高阁，峙立左右。金碧辉煌的太和殿巍然屹立在中央，坐落在8.13米高的“工字”形台基上。台基分三层，每层都绕以亭亭玉立的白玉栏杆。在龙凤纹饰的望柱下面伸出排水用的浮雕白石螭首1142个，千龙吐水，蔚为奇观。

太和殿俗称金銮殿，面阔十一间（63.96米），进深五间（37.17米），共有七十二根楠木的大宫殿，重檐四阿庑殿顶，彩画为双龙合玺大点金，是封建社会最尊贵的形式。大殿通高37.44米，比正阳门城楼还高1米多，是我国现存的最大木结构建筑物。

太和殿内有六根蟠龙金漆大柱，中间设有楠木雕龙宝座。明清两朝曾有24个皇帝在此登极，宣布即位诏书。元旦、冬至、万寿节、册立皇帝、大婚、派将出征，皇帝都要在这里举行仪式接受文武百官朝贺。大典时设中和韶乐和丹陛大乐，从露台上摆设卤簿仪仗，南出午门直排至天安门外。殿外炉鼎、仙鹤、铜龟都吐出袅袅香烟，缭绕宫殿，气象森严，以显示“真龙天子”的权威。

中和殿，深广各五间（每间均长24.15米），是座单檐四角攒尖鎏金宝顶的方形殿宇。皇帝举行大典前，先在这里小憩，而后去太和殿，皇帝祭礼天坛、地坛、先农坛、社稷坛之前在此殿阅视祝文。

保和殿，平面广九间（40.68米），深五间（24.97米），重檐九脊歇山顶。皇帝赐文武臣宴，公主下嫁纳采赐额附宴，正月赐蒙古、新疆王公宴都在此举行。清乾隆年间，“殿试”由太和殿改在保和殿举行。

三大殿之后有东西横向的广场为前朝与内廷的分界。正北有座华丽的乾朝门是内廷大门，左右有琉璃照壁、门前金缸、金狮相对排列。清朝皇帝有时在此“御门听政”。乾清门内一条白石雕栏的高台甬道直达后三宫，其格局与前朝相似。乾清宫皇帝的寝宫和日常活动的场所。清朝雍正皇帝移居西宫养心殿，以后这里便成了举行内廷典礼、赐皇族家宴的地方。乾清宫两侧还有象征着政权的江山、社稷亭。

交泰殿是每年元旦、冬至、千秋三大节日，皇后在此受贺的地方。清朝乾隆皇帝取《周易》“天数二十有五”之说，造定二十五方宝玺存放在交泰殿。

坤宁宫是明朝皇后居住的正宫。清朝顺治二年按照满族的习俗重新加以改建，成为祭神的地方。坤宁宫东暖阁是皇帝结婚的洞房。穿过坤宁门是御花园。园中有苍松翠柏，奇花异石，楼阁亭树，情意盎然。后三宫两侧还有东西六宫。这就是人们所称的“三宫六院”。紫禁城的前朝内庭六座大殿坐落在北京全城的中轴线上。宫殿布局东西对称，左右衬托，重重殿宇，楼阁巍峨，千门万户，集中体现了我国古代建筑的优秀传统和独特风格，充分反映了我国劳动人民的高度智慧和创造才能。明清两代500余年间虽几经修建，但仍保持着明朝初建时的布局，为我国现存最大最完整的古建筑群。

紫禁城不但占据京城中心地位，而且风景优美。西北部有太液池、琼华岛，这是辽、金时代的离宫。元代又利用这个自然景区修建了宫殿，成了宫苑。西面有碧水粼粼的中南海。北倚万岁山，俗称煤山，明初曾堆过煤而得名。永乐年用挖护城河的泥土堆积成山，主峰高88.7米，周围二里余，成为紫禁城的一座天然屏障，形成风水靠山与紫禁城前面的金水河互相响应，有山有水，阴阳交会，体现并构成中国建筑前面有水，后面有山的传统格局。

紫禁城周长6公里，占地面积72万平方米，建筑面积近16万平方米，有房屋9999间，其规模之巨，占尽了天下最大的天数，体现了“天子”的权威。气魄之大，风格之美，建筑之堂皇，装饰之豪华，都是世界上少有的。从建筑规划布局上说，故宫分为外朝和内廷两区，外面以高大的宫墙环绕，墙外又有宽阔的护城河围抱。

外朝部分以太和殿、中和殿、保和殿三大殿为主，前面有太和门，左右两侧分列文华、武英两组宫殿。外朝是皇帝举行重大典礼和发布命令的地方。内庭廷以乾清宫、交泰殿、坤宁宫为主体，后面有御花园。内庭东西两侧翼有东六宫和西六宫。内廷是皇帝后妃们居住的地方。在太和门的南面是紫禁城的正门——午门，午门至天安门之间是皇城的一部分，在御路两侧建有朝房。朝房外，东为太庙，西为社稷坛。

故宫的主要建筑基本上是附会《礼记》、《考工记》及封建传统的礼制来规划的。为体现帝王至高无上的权力，显示庄重威严的气概，采用了突出中轴线，主要建筑沿轴线南北纵深发展，次要建筑则严格对称地布置在中轴线两侧的手法。

内廷宫寝为阴区，进中路乾清门，便是后三宫了。后三宫中，乾清宫和坤宁宫均为面宽九间，重檐庑殿顶，为内廷的正殿正寝，是皇帝、皇后的正式起居场所。在《周易》八卦中，乾即天，坤即地，乾清、坤宁两宫法天象地，于是“天地定位”，前者为“阴中之阳（厥阴）”，后者为“阴中之阴（太阴）”。两宫之间的交泰殿则意指天地交泰，阴阳和平，是“中阴（少阴）”。这样命名的用意何在呢？原来皆与《周易》卦名有关：

乾清宫出自乾卦，《彖传》说：“大哉乾元，万物资始，乃统天。”《象传》说：

"天行健，君子以自强不息。"

坤宁宫出自坤卦，《象传》说："至哉坤元，万物资生，乃顺承天。"《象传》说："地势坤，君子以厚德载物。"

交泰殿出自泰势卦，泰卦是由乾卦和坤卦合成，乾下坤上，乾内坤外。《象传》曰："泰，小往大来吉亨，则是天地交而万物通也，上下交而其志同也，内阳而外阴，内健而外顺。"《象传》曰："天地交泰，后以财成天地之道，辅相天地之宜，以左右民。"

通过午门、神武门一条南北中轴线又将宫城分为东西阴阳二区。东方是太阳升起的地方，为阳，五行中属木，为春，在"生长化收藏"中属生，所以宫城的东部布置了与"阳"有关的建筑内容。如东部的某些宫殿为皇太子所居。文华殿原为太子讲学之处。乾隆年间所建的南三所，系皇太子的宫室。西方为阴、为金、为秋，在"生长化收藏"中属收，所以宫城的西部布置了与"阴"有关的建筑内容。如皇后、宫妃居住的寿安宫、寿康宫、慈宁宫等，都布置在西部。

如是东居太子，西栖宫妃，男左女右，阳左阴右。皇城东有太庙法阳象天，西设社稷坛法阴象地。"君子居则贵左，用兵则贵右"（《老子》），宫廷朝事大典百官排列，文臣列于左，武将立于右；与此相应文华殿位左，武英殿位右。太和殿丹陛上左陈日晷以司天，右置嘉量以司地；前者定天文历法，后者制度量衡，皆左主天道属阳，右主地道属阴，阴阳相合而成一体。古代建筑大师就是这样把阴阳宇宙与宗法礼制巧妙地结合起来，规划设计了这座气势磅礴的建筑群，为我们留下一份十分宝贵的文化遗产。

明、清北京的紫禁城是皇权至高无上的表现，也是近五百余年来封建王朝最为壮观的皇权统治中心。为什么紫禁城用紫红色的墙？这是紫微星的颜色。天上的紫微星是宇宙的中心，天空中亿万颗星星都在围绕着它转。明、清北京城的中心是皇城，皇城的中心是宫城，宫城的中心是太和殿。太和殿的中心又是象征着宇宙中心的须弥山，其上有九层台阶的须弥座，上面坐着一个真命"天子"。他所在的宫殿托浮在一团团白云似的汉白玉基石上。上朝时，金鼓齐鸣、乐声回荡。在肃穆、凝重、庄严的气氛之中，朝臣脑海中增添了"天上仙境"的虚幻之感！"天子"位于一切设计、想象的中心，物体的光彩、有声响的神秘把他塑造成整座城市乃至整个宇宙的主宰者。这就是"君权神授"、"唯我独尊"的天子。

三、风水在苏州、咸阳、长安、洛阳、南京等都城选址布局中的运用

历代皇帝选择洛阳、奄城、咸阳、长安、金陵、北京作国都时，无不以风水理论及所体现的地理知识作指导。

风水家选择都城、村落和阳宅地址时，有一个总的原则，就是要具备封闭式的环境单元。这种环境单元称为太极，它跟地理学地貌单元相对应。风水家对太极的解释是："既有天地，天一太极，地亦一太极，所生万物又各一太极。故地理太祖，一龙之终始，所占之疆域，所收之上水，合成一圈，此一太极也。少祖一龙之终始，所开之城垣，合成一圈，此又一太极也。父母、主星所开之龙虎，合成一圈，此以一太极也。"（《地理知止》）这是按地貌单元的大小来划分太极等级。太祖为一级，少祖为二级，祖宗为三级，父母、主星为四级。在同级太极中，又按地形结构分三层：外太极、中太极、内太极。这点在清人编撰的风水书《地理》中讲得很清楚："物物有太极，于风水言太极尤肖焉。太极有三层，风水有外罗城，为外太极。龙虎砂为中太极，护穴砂为内太极。其穴坪处，为太中间一点。"风水家根据太极大小来安排都城、城市、乡聚、民宅。一级太极可建都城，二级三级太极可建城镇乡聚，四级太极宜建民宅。各级太极有一定的地域面积要求，如帝都要求大局，也就是垣局，垣局必落平原（《地理知止》）。平原面积要求四周在一百里以上；府治要求四周有数十里的平原；郡县要求四周有二三十里的平原；乡村市井据地的平原，四周亦不下数里。平原越大，铺展越阔，则力量愈大。这个力量指生产力，如资源丰富，人口众多，经济发达等因素。有的风水家把各级太极称作大、中、小聚。大聚相当于一级太极，宜建帝都；中聚相当于二三级太极，宜建城市；小聚相当于四级太极，宜建民宅或坟墓（《俯察本源歌》）。有的说："小小县镇，依山者甚多，亦须有水可舟楫，而后可建，不然只是堡寨去处。至于督藩大府，京都畿甸，皆平野旷阔，水为绕缠，不见山峰。盖不如此则气象不宽，堂局不展。如头面窄，规模狭，止可作小小县镇，亦不可作大县也。盖龙到大尽处，必是被大江大河拦截无去处，方得他住。及到上此田地，必皆是平原旷野，非常人之所能收

拾。”（《玉髓真经》）。

风水家为什么要选这种封闭式的地理环境作都城聚落呢？其理由是：“山水翕集，四势团近有情，而真穴必居包裹拥从之中，所谓藏风聚气者也。”（《人子须知》）按照风水学说这个总的要求，古代风水师选择都城、城镇、乡聚、民宅的方式很有讲究。

以水为主的选择

风水学说认为：山随水行，水界山住，水随山转，山防水去，风水里面水占一半。因此，凡入一局之中，未看山，先看水。水是龙的血脉，两水之中必有山，故水会即龙尽，水交则龙止。水飞走即生气散，水融注则内气聚。水深处民多富，水浅处民多贫。水聚处民多稠，水散处民多离。流来的水要屈曲绕抱，流动的水要盘桓，会聚的水要澄清。用风水的观点选择城址，以得水为上，故北京万水朝宗，南京长江环绕。三吴甲下而有太湖，东鲁大海外抱，楚有江汉夹会、洞庭融注，江西有鄱阳湖，浙江的绍、宁、台、嘉、湖，福建的福州、兴化（今莆田）、泉州、漳州，广东的广州、惠州、潮州、南海等处，都是因得水而人才济济。

所谓得水，也有好几种情况：

1、城镇民宅位于两条江河相会处，如扬州、梧州、成都、武汉、重庆、桂林等，这是风水师最欣赏的地址。

2、城镇民宅位于河的一岸或两岸，如天津、上海、南京、南昌、长沙、西安、太原、杭州、广州、福州、哈尔滨、兰州等。还有的城镇位于河曲中，如阆中、柳州、道且、壶关等。

3、城镇民宅位于海滨，可辟为海港，如广州、泉州、明州（今宁波市）、大连、青岛、连云港、秦皇岛等。

4、注重水质。风水师在选址时，往往要亲自尝水。假如某地的水色碧、味甘、气香，那么这个地方主上贵， 也就是最好的地点。假如某地水的颜色是白色，水味清，水温暖，那么这个地方主中贵。假如某地水的颜色很淡，水味辛辣，气味很浓烈，那么这个地方主下贵。假如某地水味酸涩，发馊，那么这个地方是劣地（《博山篇》）。五百多年前，北京的闹市王府井，最初因凿出一口甘水井而得名，可谓显例。

上述四项选地原则，都是古代地理学的具体内容。不论是两河相会还是河流的一岸或两岸，都是为了利用河流发展交通运输，或是作为军事防御的天然障碍，或是农业上灌溉方便。海港城市是海上交通发展的必然结果。中国的城镇设置当然不全是风水师选择的，而是当地经济、政治、军事、交通发展的必然产物。但不可否认，确有一些城镇是风水师或统治阶级经过选择而兴建的。特别是历代的都城，更是人们有意选择的结果。这样就使中国古都充满了礼仪规范和宗教意识，使城市平面的布局庄严、匀称而明朗。都城位置选定，宫阙配置，交通干线、中轴线确立，城市形状、轮廓、城门的规划，都是风水思想支配之下完成。从长安、洛阳到北京等，一代代古都成为一代代历史的卓越纪念物，象征一代又一代伟大文明的顶峰。

城市位置的选择

城市选址的基本法则，总体上说也是以气为主。观察测量四方之山川水势，看其能否聚气。如能聚气，且气韵畅达，则为吉地，否则为凶地。由于城市是比较集中的社会场所，它的较特别的要求往往与“量”有关，也就是说“环境容量”要大。即所谓“气”要大，“龙”要旺，“脉”要远，“穴”要阔。这些都是与城市的需要息息相关的。

城市的内部空间主阳，阳与天相关，故城市内部的中轴线要求与天体星辰相一致，多指现北极星座。内部道路格局也要符合阴阳理论，多为奇偶交错。城市的中心即“正穴”，一般都要建在高的地势上，这样方吉，否则主凶。通常一城之穴都是衙门的所在地。

文峰塔需要建于城市的甲、巽、丙、丁四个方位。

文武庙、文昌阁的建筑，一般都尊从文东武西的格局，因而文昌阁、奎星楼也都应在甲、巽、丙、丁四个方位建。

中国东南地区的风水理论还多忌讳东北鬼门的煞气，故东北方向的城墙多整齐、完整，以抵挡此煞气。福州市的城墙即如此修建。也有摹拟鲤鱼的形状来建城的，其目的是想求得文风昌盛。福建汀州的泉州就有鲤城之名。

城市的住宅布局

城市住宅的布局一般以道路的邻里关系为主。城市街道可比作“水”，可依照街道的走向和特点来选择自己的住宅，其方法亦如观水之法。对于自己住宅周围的住宅和街道，又可比之以“龙”、“穴”、“砂”、“水”等关系，一条街为一条水，一层墙为一层砂，门前街道即为明堂，对面屋宇即是案山。

城市住宅选址和建筑的基本原则是：立门前不宜见街口，顾宅后不宜有直脊，地气顺下，高处来而低处去，宜避低而就高，天气从空缺处入而从障收回，乘入以收回。这样方吉。

苏州城风水

伍子胥主持阖闾城（今苏州）的选址和规划布局。他想出“相土尝水，法天象地”的原则，用“其尊卑以天地为法象，其交媾阴阳相配合”的思想进行实地调查，观察土壤的形状与肥沃程度，考究河泉水源与流域分合，由此选定城址。将城的结构、位置座向与天象相呼应配合，“阴阳调合、四序顺理、两阳以时、寒暑应气”，设“陆门八，以象天之八风；水门八，以法地之八卦”。“八风”就是八方之风，随季节不同而风向差异。将城墙四周，每边各开二门。四面八方都照顾得很符合交通原则。东面为娄、匠二门，西为阊、胥二门，南为盘、蛇二门，北为齐、平二门。《史记·律书》中说：“阊，阖风居西方。”向西建此二门以象天门，引入阊风以通天上。吴欲并越，在越国正处于十二生肖的方位蛇上，所以将东南门命名为蛇门。吴的主位正处于龙位，其方向在辰，以龙克蛇吴必胜越，龙以盘为稳，西南因名盘门。北面的“齐”二门也有扫平齐国的意思。楚在西北，也将阊门名为破楚门。因此，新建都城的目的意欲振兴自强，以称霸中原，其主题思想是非常明确的。

吴国在伍子胥的谋划之下，终于灭越、破楚、平齐而称霸海内。这却违背了中国古代选址布局追求的目标协调与平衡人与环境的关系，即人与自然环境、人与周围的社会环境力图达到和谐共处，互补与助的关系，而选用“斗争”的手段压夺邻邦，最终四面受敌而国亡。但其城市选址布局，深得天时地利，用“法天象地，尝水相土”的办法，使城址与城市环境优越、位置良好，真是一块风水宝地，几千年来一直相沿不变。到宋代，这里叫做平江城，留下了著名的石刻古地图。城内城外互相沟通的河道水网，通达太湖，形成举世闻名的城内运河体系。河网与街道相交，又形成众多的桥梁，直到清代还留下310多座城内古桥。苏州城也成为一个非常有特色的“东方威尼斯”。此城“智者创于前，能者踵于后”，为中国古都文化，留下了极为宝贵的遗产。

咸阳城风水

秦都咸阳城的规划设计体现宇宙象征主义思想，天子居位的地方以星象为依托。《三辅黄图》说，秦始皇筑咸阳城，北面依山修宫殿，四面有门，仿效天上的紫微宫，象征皇帝居住。渭水横贯都城，象征天上的银河。横桥南渡，象征银河边上的鹊桥。这种象地法天的思想意境，是风水学说的内容之一。从地理学的角度看，咸阳形势很好，北依高原，南临渭水，是关中东西大道的分界线，控制关中平原的枢纽。渭水与黄河相连，水上交通方便。关中平原是农业基地，粮食给养充足。天道循环，渭水在平原上摆动，致使咸阳城受水的侵蚀。两千多年中，谓河逐渐北移约4公里，把秦咸阳城南部约4公里宽的城区冲掉了。

长安城风水

汉都长安城，娄敬劝汉高祖刘邦定都关中，刘邦举棋不定。不少山东籍的大臣力劝刘邦迁都洛阳，理由是洛阳东有成皋关，西有淆山。背河，向伊洛，地形上险要易守。娄敬对此予以反驳，说洛阳固然有这些优点，但面积太小，不过数百里，一旦四面受敌，非用武功之地。而关中左淆函，右陇蜀，沃野千里，南有巴蜀之饶，北有胡苑之利，诸侯有变，顺流而下，足以委输。这真是千里金城，天府之国。他还比喻说，像两上人打架，要想取胜，必须掐住咽喉。从后背打他，今陛下入关而都，就是掐住了天下的咽喉，控制了后方。听了娄敬的这番话，刘邦才下决心定都关中。

从地理角度看，汉长安城位于龙首山北麓，近渭水南岸，地势较低洼，水含盐分高，咸卤。从军事看，也不利。所以到隋文帝时，去旧图新，决定迁都至龙首山南麓，兴建大兴城。具体规划设计由宇文恺负责。他利用龙首山麓大兴地区六条冈阜看作是乾卦的六爻，最高的一条九二置宫阙，是皇帝居住的地方。稍低的第二条九三立百司，为中央各部门办公的地方。九五这一条虽然比九三低，但在乾卦中九五位贵，不是凡人居住之地，所以在此盖庙宇，修玄都观、兴善寺等，让神仙菩萨去住。这种设计，使统治机构处于全城制高点上，宫室、百官衙署都居据高地，显示出统治者高高在上，主宰天下，传之万世的思想和气派。从安全上说是可靠了，处于监视下层百姓的位置。从地理环境来说也是最好的，地势高，干燥，不易生病。可见宇文恺深通风水的道理。

隋代的大兴城也就是唐代的长安城，没有大的改动。它北临渭水，东有灞河，南对终南山。唐高宗李治患风痹症，讨厌太极宫潮湿，于是龙朔三年（663年）搬到更高的大明宫。大明宫位于龙首原的最高处，每到天晴时，南望长安城，下视终南山如指掌。从地理条件上看，比汉代长安城优越多了，形成了八水绕长安之势。

南京城风水

南京城的风水历来被堪舆家所称道，说：“金陵是都，虎踞龙蟠，兴王之居。”南京城周围有马蹄形山林体环绕，开敞的一面比较平坦，并有长江及其支流萦回其间。明南京城的选址，据《明实录》记载，是1366年朱元璋令当时最著名的风水先生刘基“卜地，定新宫于神山阳”。

明代著名文人杨荣写《皇都大一统赋》称赞南京风水说：“既渡江左，乃都金陵。金陵之都，王气所钟。石城虎踞之险，钟山龙蟠之雄。伟长江之天堑，势百折而与流。炯后湖之环绕，湛宝镜之涵空。状江南之佳丽，汇万国之朝宗。此其大略也。”

南京城的风水以石头城为白虎，以钟山为青龙，朱雀、玄武既全，又有长江天堑环绕，形局较好。

由阴、阳协调的观念发展而来，城市平面布局普遍采用中国古代风水思想的四分世界观，四方守护神，即用青龙、白虎、朱雀、玄武代表东、西、南、北四个方位。它们与中心结合起来，就形成了五个方位。在建筑物的任何图形上，往往反映出“天圆地方”的形状。如汉代的宫廷瓦当，纹饰多种多样，鸟兽纹多出现“四神”纹，即青龙、白虎、朱雀、玄武。青龙曲身利爪，飞舞飘摇；白虎凶猛灵活；朱雀凤头鹰喙，姿态勇捷；玄武龟蛇交形，浑然一体。在地名上，国都的南北大道，洛阳城的铜驼街，长安城的朱雀街，南京城的朱雀门、玄武门等都是风水地理思想在地名上的遗存。按照风水地理的思想，朱雀、玄武南北对应“阳来阴受，阴来阳受”。四方的形局加上中央的穴位，又表示天上的五星座。中央的穴位，代表土星，北面玄武，代表水星，南面的朱雀，代表火星，东面的青龙，代表木星，西面的白虎，代表金星。五方用五种颜色来象征。在城市内部，也分成五部，称为“五部兵马司”，依照方位用白、朱、多色、黄、黑来表示。一些主体建筑，也用“五星座”形式来布局，中央是主体建筑，东西南北各有通道，又各连一个建筑物。

四、国外名城风水

莫斯科城的风水

莫斯科是原称雄于世界的超级大国苏联的首都，为当今世界上最壮丽、最雄伟的大城市之一。其悠久的城市发展历史，东、西方经济文化交融的风格，深沉而又神秘的从东正教而过渡到马克思列宁主义的文化背景，以及那硕大无比的建筑群实体，宏敞的街道和曲折的街区布局，一组又一组巧妙的街心花园与街边长廊，随处可见的艺术雕塑纪念物与展览馆，把整座城市塑造成了一个宏大无比的博物馆。置身其中，会使每一个亲历其境的人都感受到：这座城市充满了仪典规范与“十月革命”的色彩。她神秘而又深远。

莫斯科位于中国的西北方向。在中国的传统观念中，北方的守护神是玄武。它由龟蛇相互环绕而形成。莫斯科城的平面外形恰呈微椭圆环形，再加上像四脚与一个头的突出部分，酷似中国古代神话中的玄武图像。

如果仔细研究莫斯科城的平面布局，可以看到它从内分为莫斯科环城公路圈、大环形铁路圈、园林路环圈、街道环圈、有轨电车圈、卡麦尔土城圈、中国城圈和克里姆林宫城圈等。全城呈同心圆圈环状，有9~16层之多。其建城期的历史，基本是越位于中心区，越古老。随着时间的推移，城市一层又一层地向外发展。

远郊区的外围环带是由29个卫星城组成的，面积达1.4万平方公里。近郊森林公园一带，距环城公路10~15公里。这里有21个卫星城和12个森林公园，建城面积达1800多平方公里。小环形铁路圈是“十月革命”以后发展起来的城区，其面积达170平方公里。在1917年以前，俄罗斯资本主义工商业发展时期，建城区面积为79平方公里。卡麦尔土城是1742年至1860年间莫斯科的城墙，其中心部分的“中国城”位于克里姆林宫的东面。按照古代占星术的理论：“天市垣，东府市垣天帝泉货府之司地。帝座一星。”即按照上天的天文星座位置，在皇宫之东是泉货之府，因而建成工商业的中心。建城时间为1535年至1538年间，命名为“中国城”，表明当时来自中国的移民和中国的工商业在莫斯科城市发展中的巨大作用。现在这里是莫斯科最大的购物中心，“国家百货大楼”、“莫斯科购物中心”都在这里。

整座城市放射的中心是克里姆林宫，始建于1147年的尤里·达勒哥鲁斯大公时代，至今已800多年的历史了。城墙的上端有锯齿形雉堞。宫城四周共有17个大小不同、形状各异的角楼，全用紫红色彩绘而成。红墙的东门外是红场，红场的北面入口处有革命历史博物馆，也是紫红颜色。为什么这里要用紫红的颜色来装饰？克里姆林宫也称为紫宫，象征天上的紫微星座，其中心是宇宙天球的不动点——北极星。它是整个宇宙的中心，天上众多的星星都在永远地环绕着它旋转。

克里姆林宫主楼上有超然脱俗、高高深入云霄的尖塔，上面有一个放着光芒的五角星。它们都用黄金装饰而成。这是全城向四周放射的中心点。据说，莫斯科市及其郊区大小有几百座教堂，其上都有高耸的“十”字架，从四面八方正对着克里姆林宫上空的五角星。

克里姆林宫选址建在莫斯科河与乌楚河及其支流的交会处。克里姆林是一片高岗，宫墙沿河而起，高屋建瓴地俯瞰着河西的一片开阔地。东面的高尔基大街一带是另一片起伏微缓的山岗。古代以水运为交通主动脉。通过莫斯科河其支流，这座城市可以和整个广阔的俄罗斯平原相连。这一位置的确定，深得东方城址选择“依山傍水”的原则之妙。加上别出心裁、巧夺天工的规划、布局，使此城此境“如众星之拱北极，百川之朝东海”，突出了它希望成为世界中心的主题思想。

从克里姆林宫放射出来若干大道，也就是轴线。主轴仅铁路干线就有12条之多。它们构成了莫斯科城市的骨架。每当夜晚，万点繁星撒满了全市及郊区各地，形成了一个亿万星空的人间宇宙，其中心就是天空的紫微星及北极星，地下的克里姆林宫所居之地。

华盛顿城的风水

华盛顿和莫斯科有着一些共同的特点，都是超级大国的首都，在各自的国家里都具有特殊的、象征性的重要地位，都经过了严格的规划而建造出来。

所不同的是，莫斯科城始建于中世纪俄罗斯民族兴盛的时代，华盛顿城则于1790年选定为建立首都的点，这时正处于西方民主革命的兴盛时期。华盛顿城址选择也和莫斯科一样处于两条河的交会处。这里是波托马克河航段顶端，波托马克河与其支流阿尔卡斯蒂亚河在此交会。城市中心也有一系列起伏微缓的小山岗。其“依山傍水”之胜与莫斯科城有惊人的相似之处。

华盛顿城风水规划和建设上，以国会大厦为轴心，两侧有“独立”、“宪法”两条林荫大道。第一条是从美国国会大厦延伸到林肯纪念堂；第二条是从美国国会大厦，经宾夕法尼亚大街，延伸到白宫总统府。另有一条从白宫总统府至林肯纪念堂。整座城市呈放射状的三角之态势。其间有“联邦三角”建筑群，包括联邦政府各部的机关驻地和国家美术馆、国家档案馆、泛美联盟等大型建筑物。这三条主轴构成的三角形为城市布局的骨架，在其间的各个细部又分为若干个小的三角形，几乎每块公共用地上都建有代表性的纪念建筑物。仅哥伦比亚物区便有各种纪念堂、纪念碑、圣像300余处。这众多的三角形从各个方向上把主建筑物、纪念碑、街心广场、街心花园、活动中心既联接起来又伸展开去。这样，华盛顿就成为一个多向的、互相补充的、有来有往的、相应相反的、景观深远交错的，向往未来而又回忆历史的城市。若站在这座城市中的任何一点上，都会感到“我就是这个城市的中心”。华盛顿的城市规划设计集西方文艺复兴以来城市建筑艺术之大成，使每一个身临其境的人都感受到心灵的鼓舞和留下深刻的印象。这个印象集中地体现了林肯的遗言：民主、民治、民享；“天赋人权”！

三条轴线与三个顶角象征着这个国家建立在三权分立的基础之上。三权互相制约而又互相联系。

莫斯科和华盛顿，其城市规划布局都集中而深刻地反映了这两个大国的文化，反映了他们政权与文化信仰的特质。

上述国内外城市的选址、规划和建设，无一不体现出了风水学对其产生的影响。

附篇二

中外名城风水图例

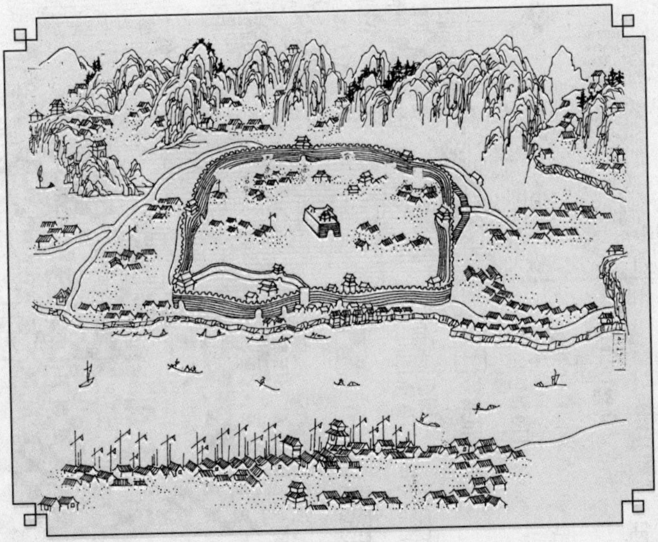

一、北京城风水外局

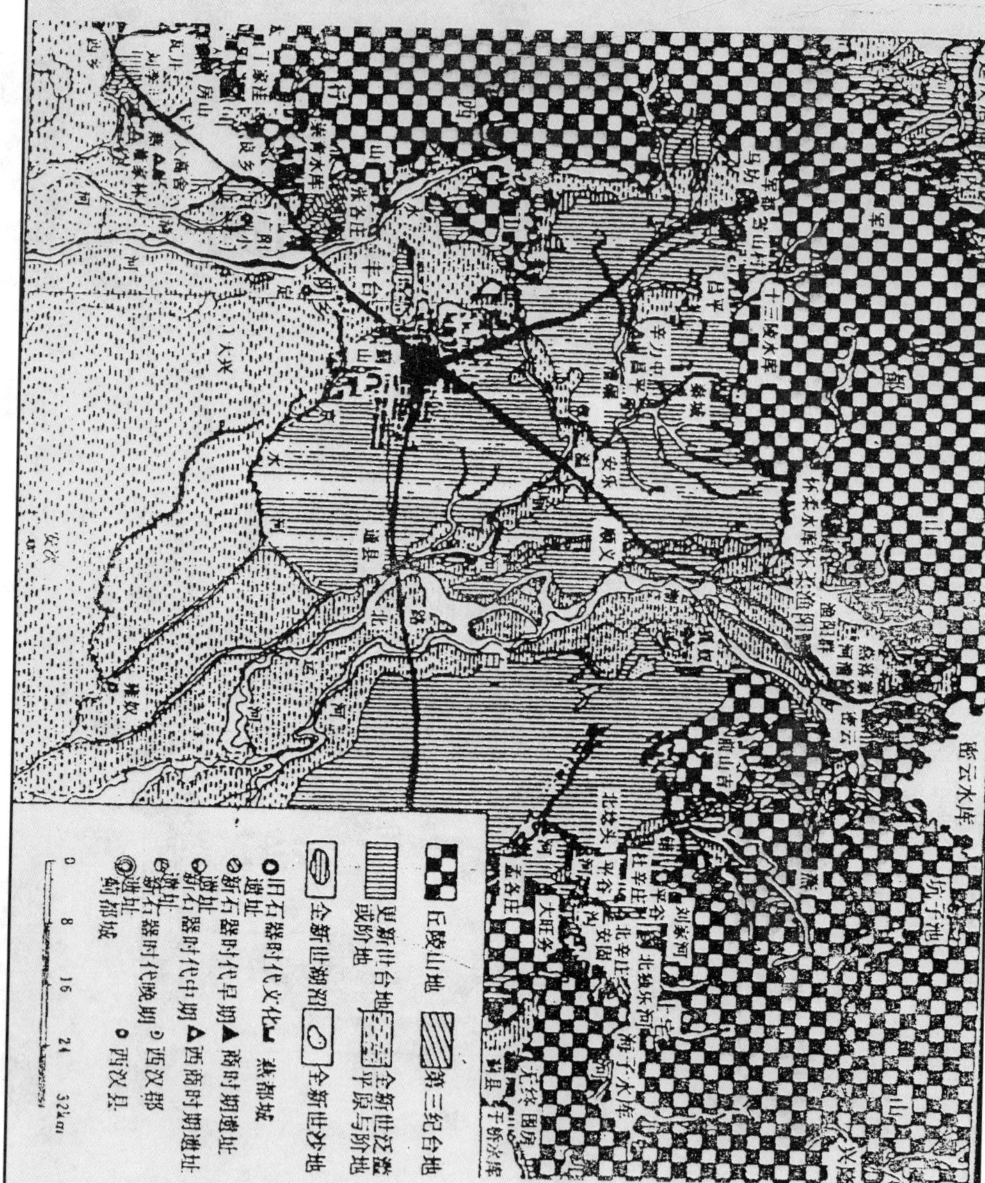

北京城风水外局

二、北京故宫平面图

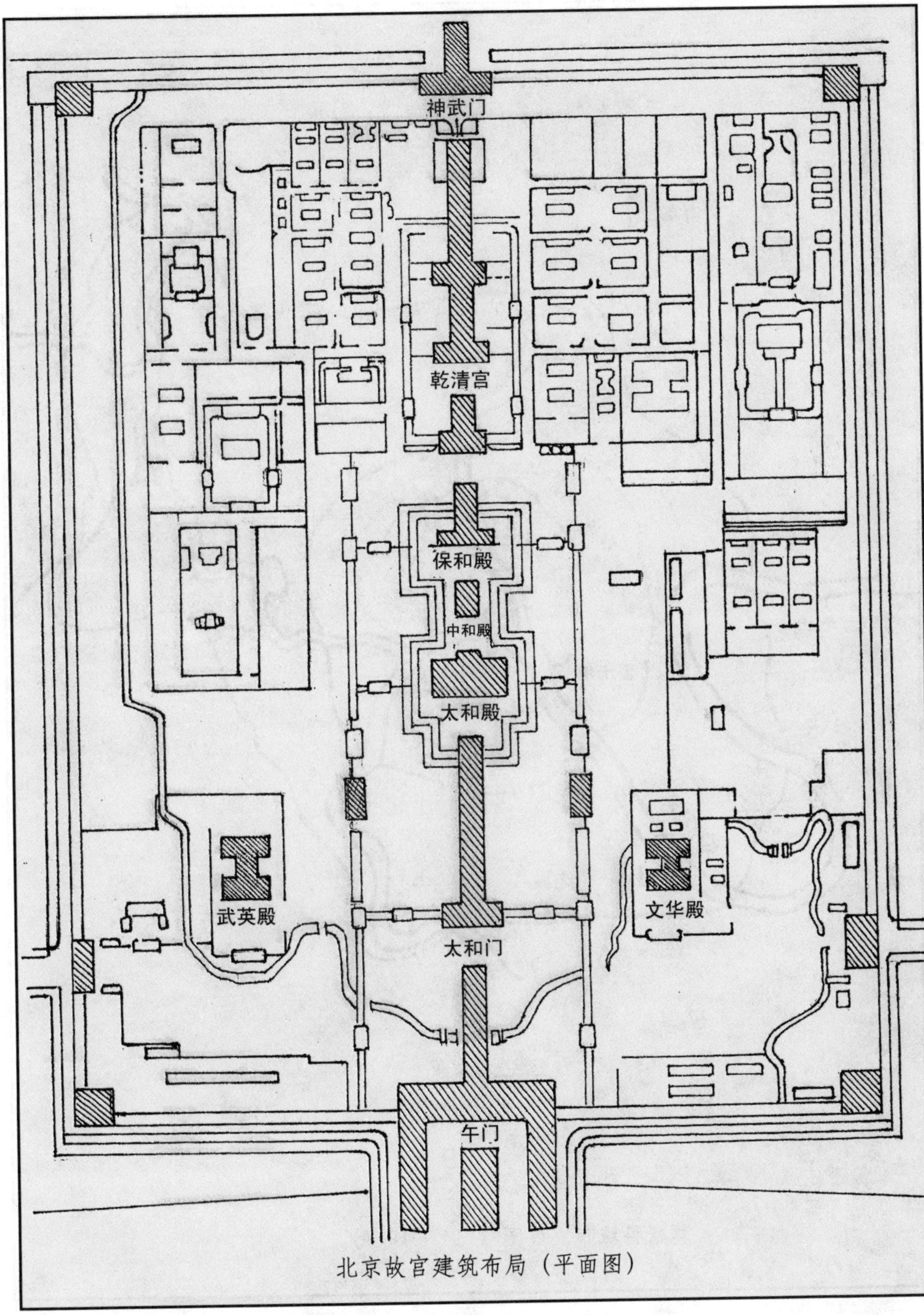

北京故宫建筑布局（平面图）

三、莫斯科城风水图

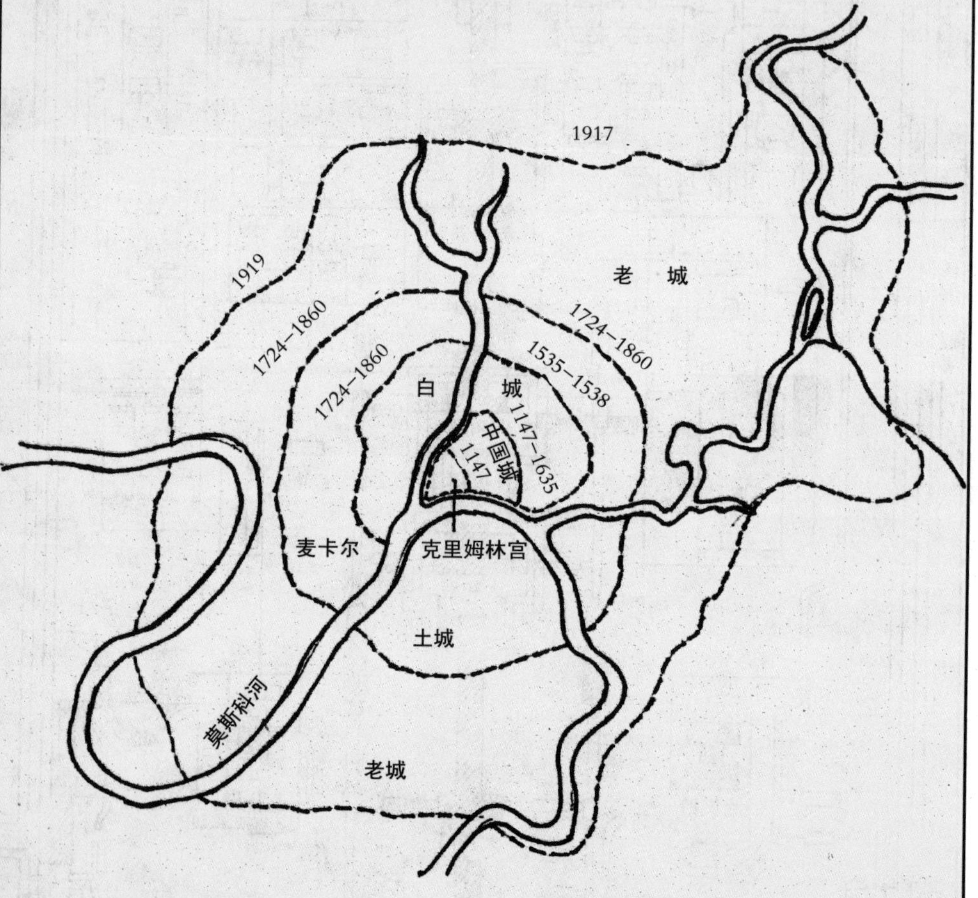

莫斯科城市发展图（1147—1917）

四、广东惠来县风水图

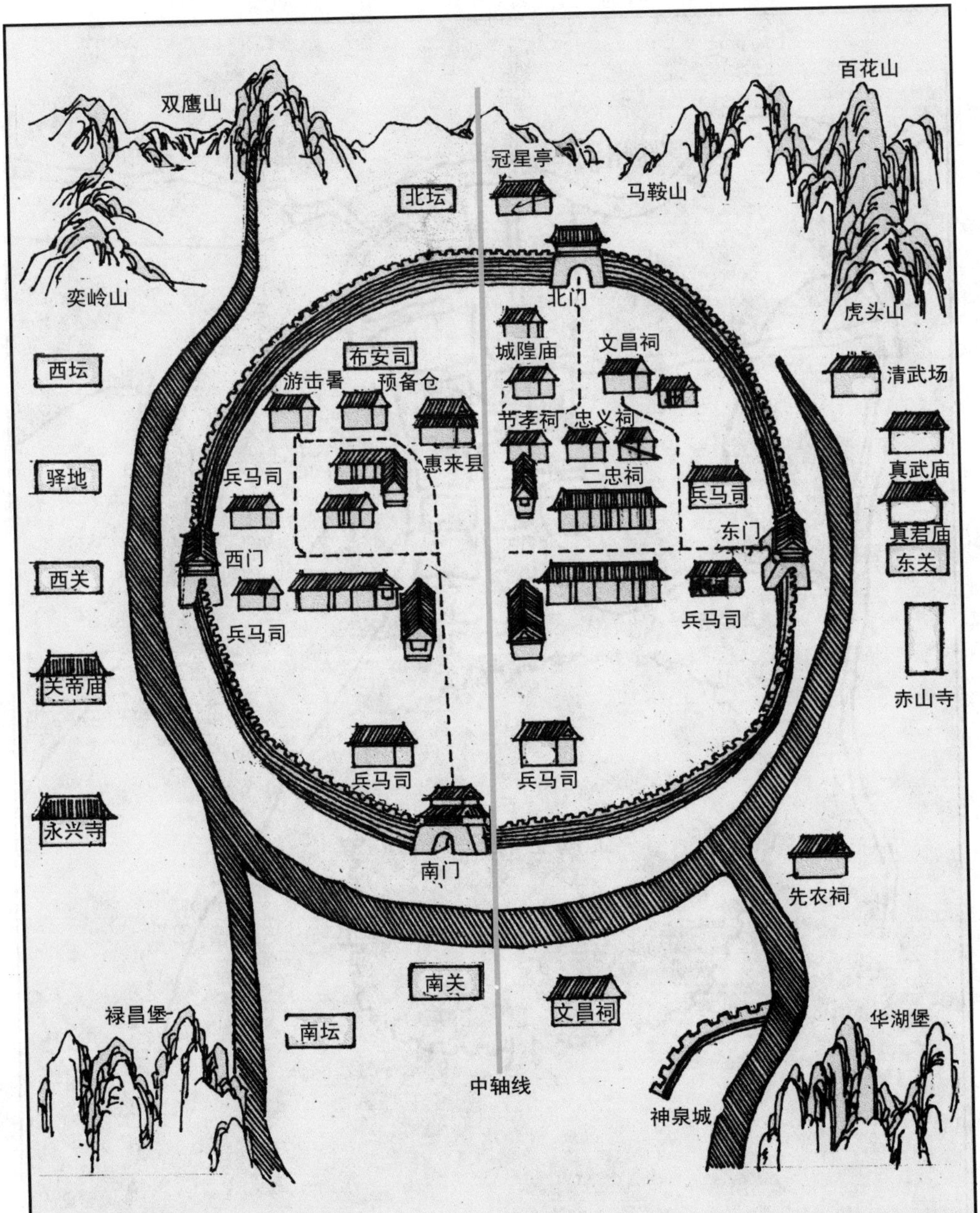

广东惠来县风水图（雍正九年《惠来县志》）

五、1855年上海风水图

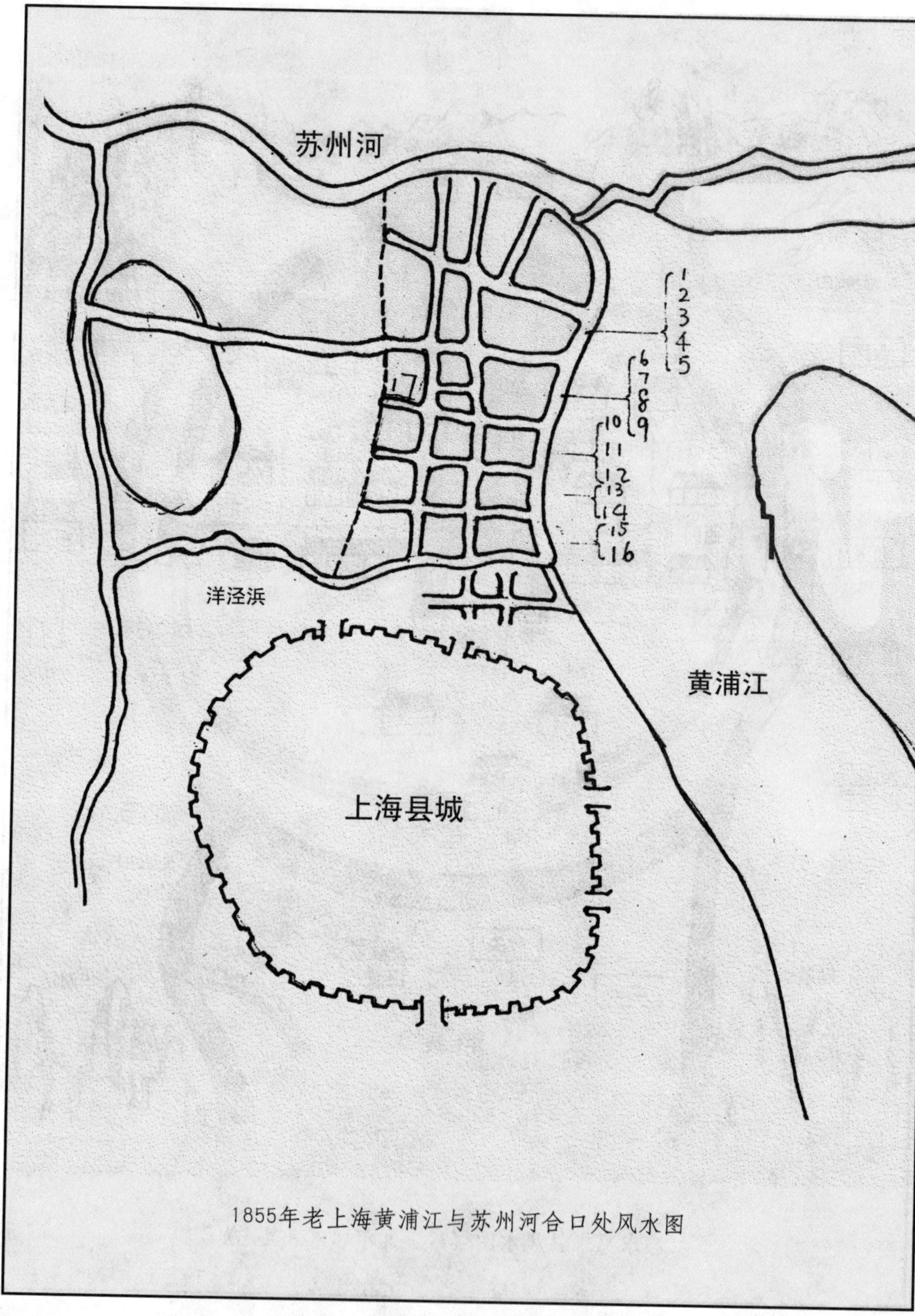

1855年老上海黄浦江与苏州河合口处风水图

六、东湖县风水图

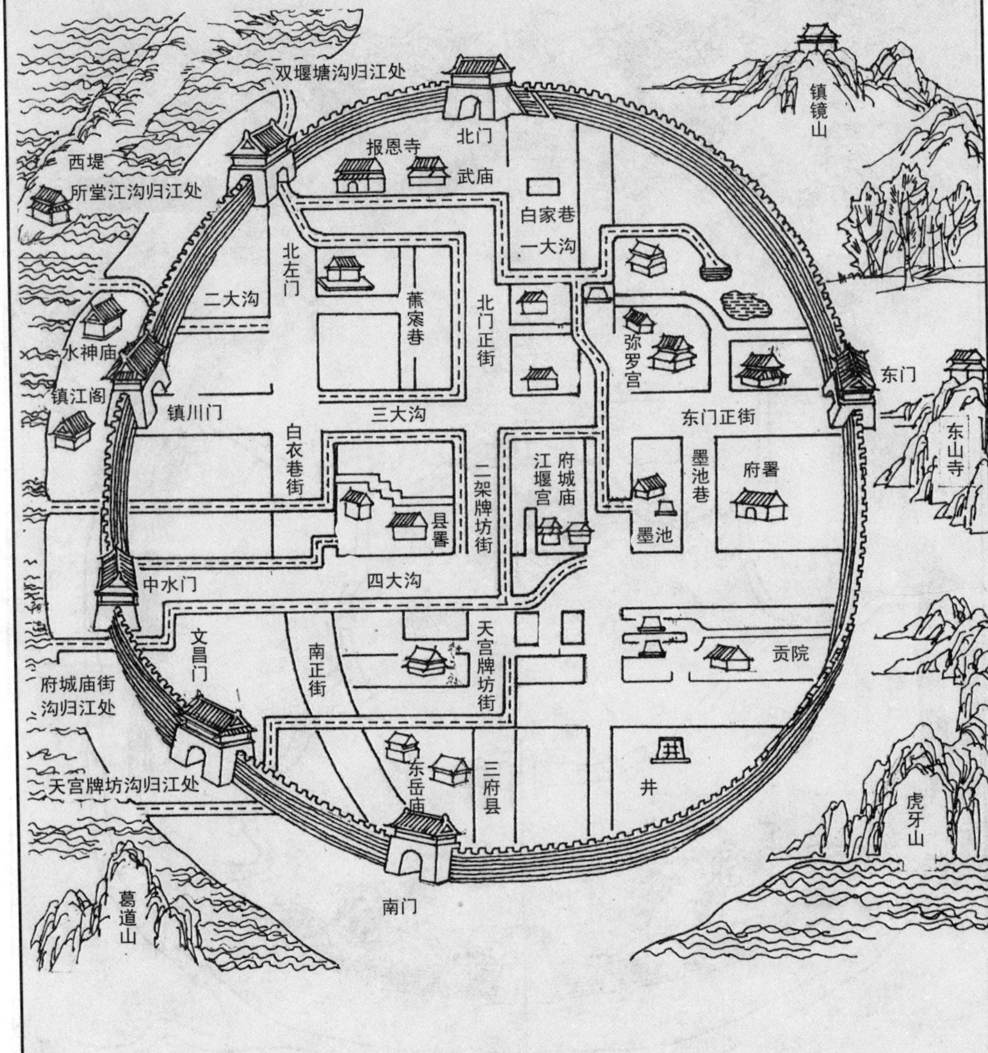

东湖县沟渠街道风水图（乾隆东湖县志）

七、福州城风水图

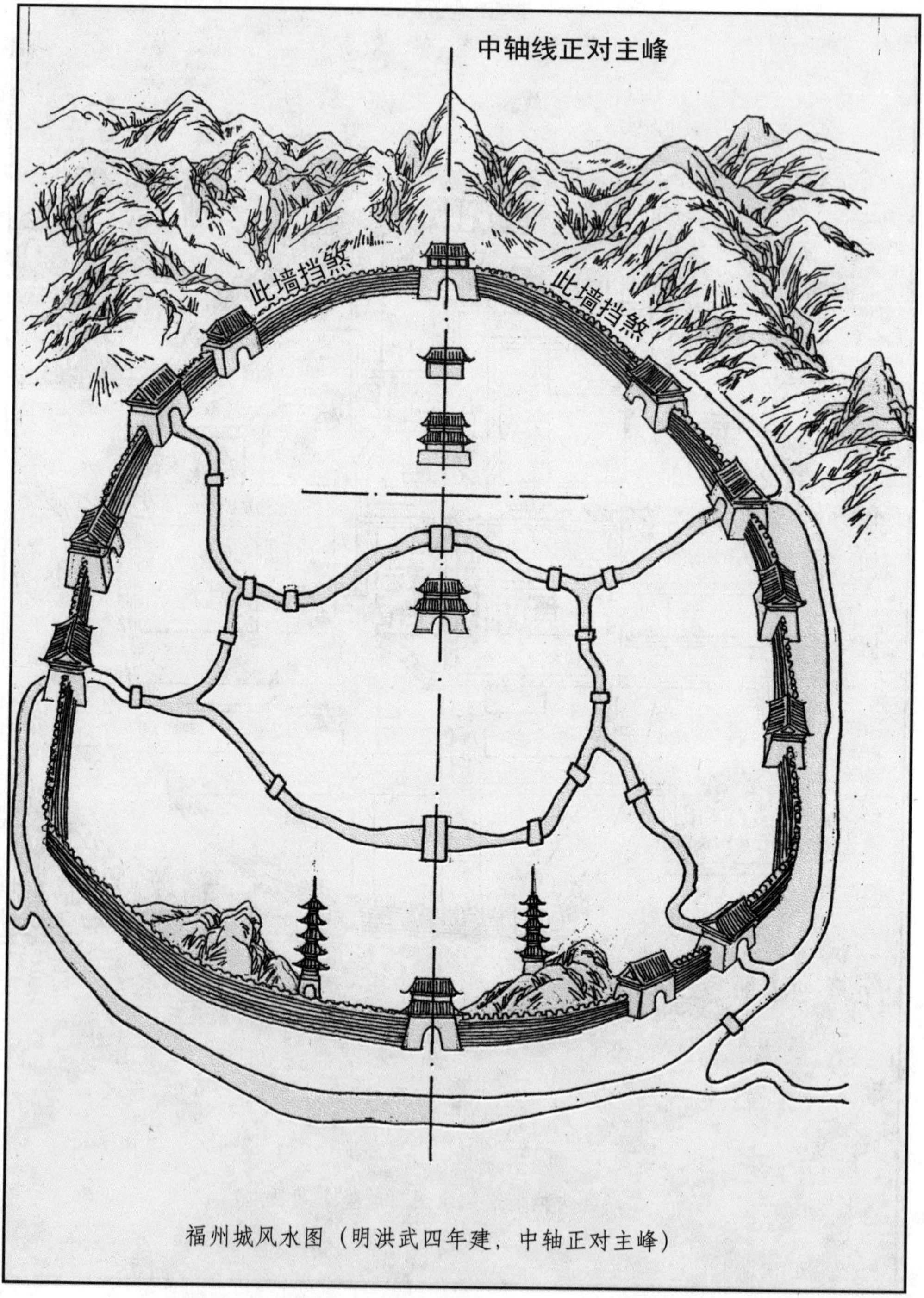

福州城风水图（明洪武四年建，中轴正对主峰）

八、福建建宁县风水图

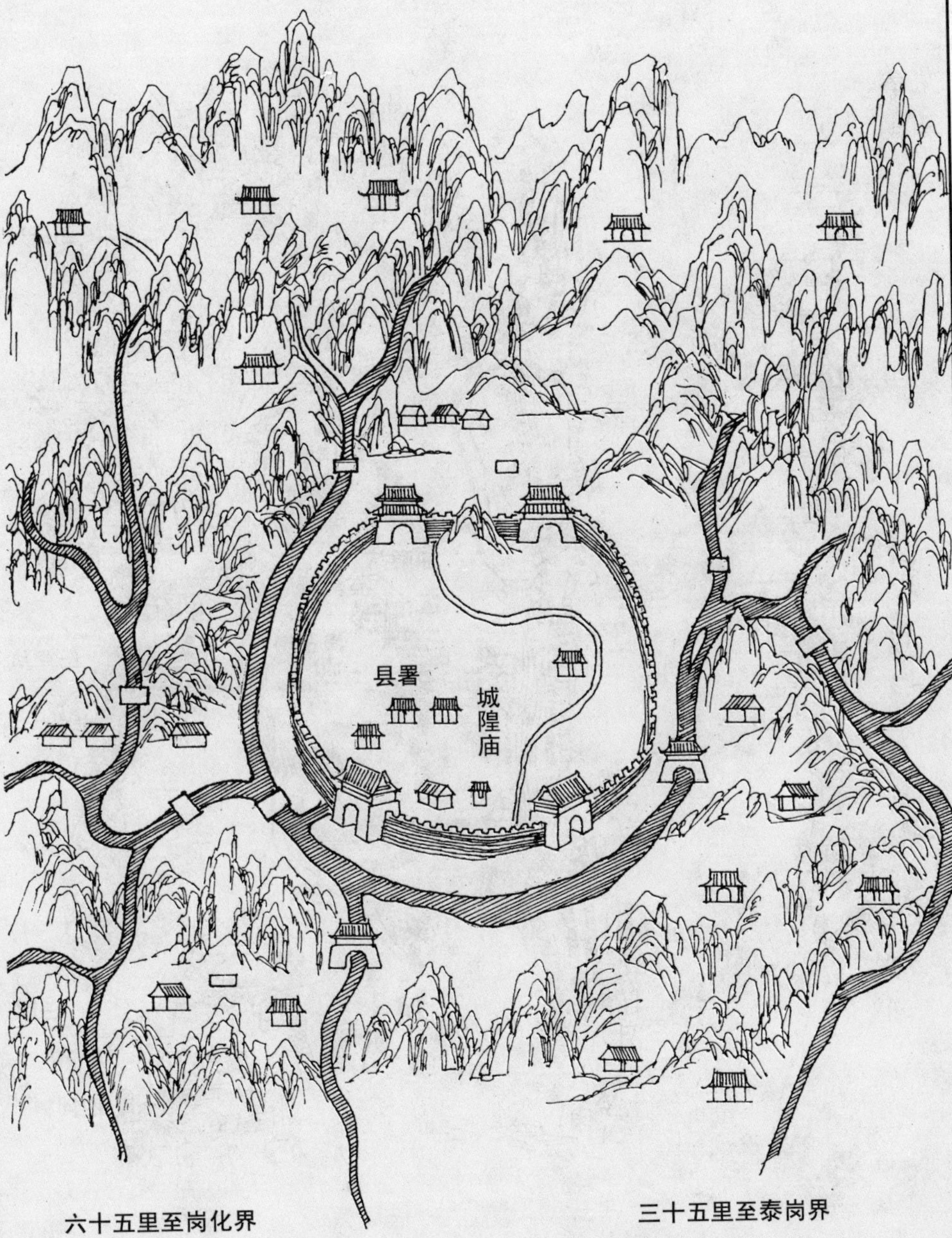

福建建宁县城风水图（清光绪二十六年邵武府志）

九、襄阳城风水图

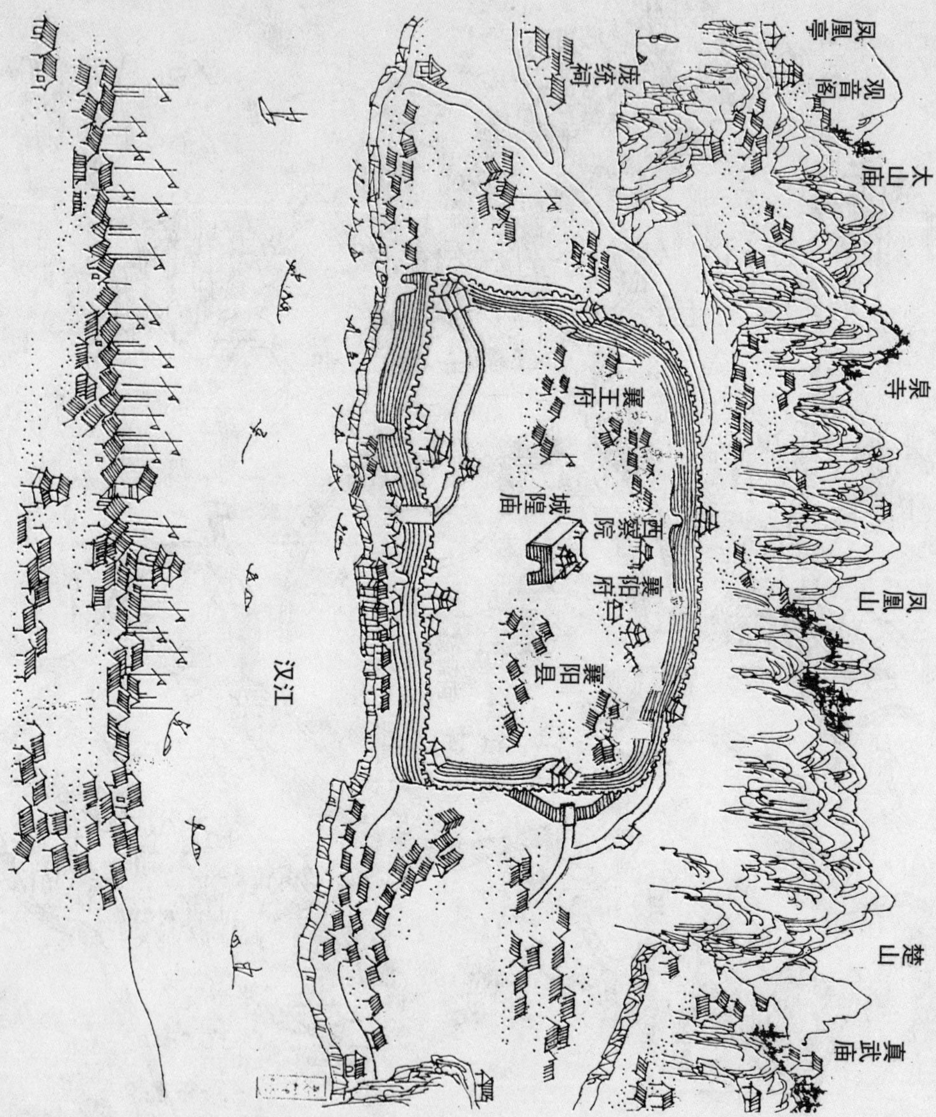

背山面水的襄阳城风水图

十、阳朔县风水图

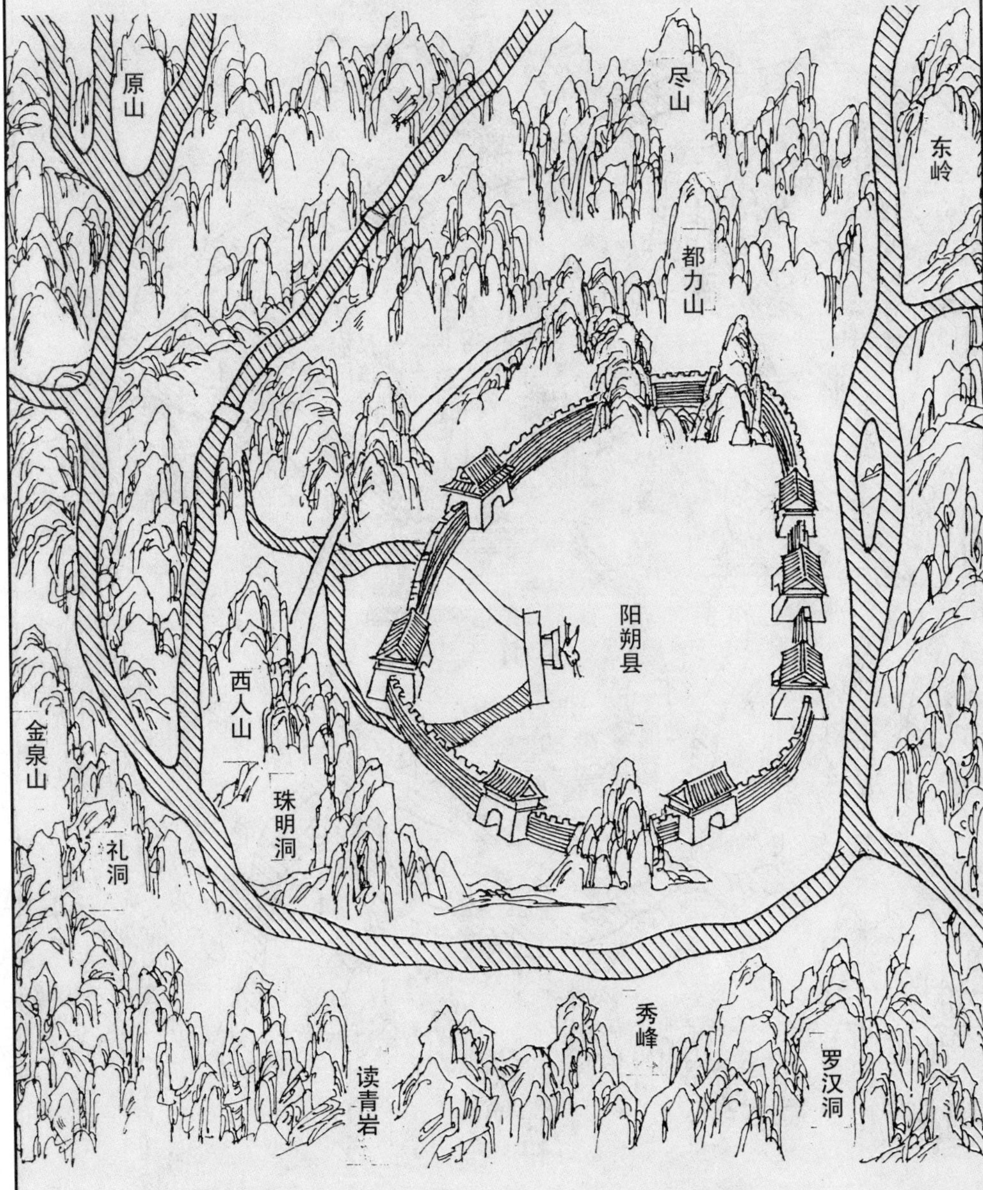

阳朔县风水图

十一、全州风水图

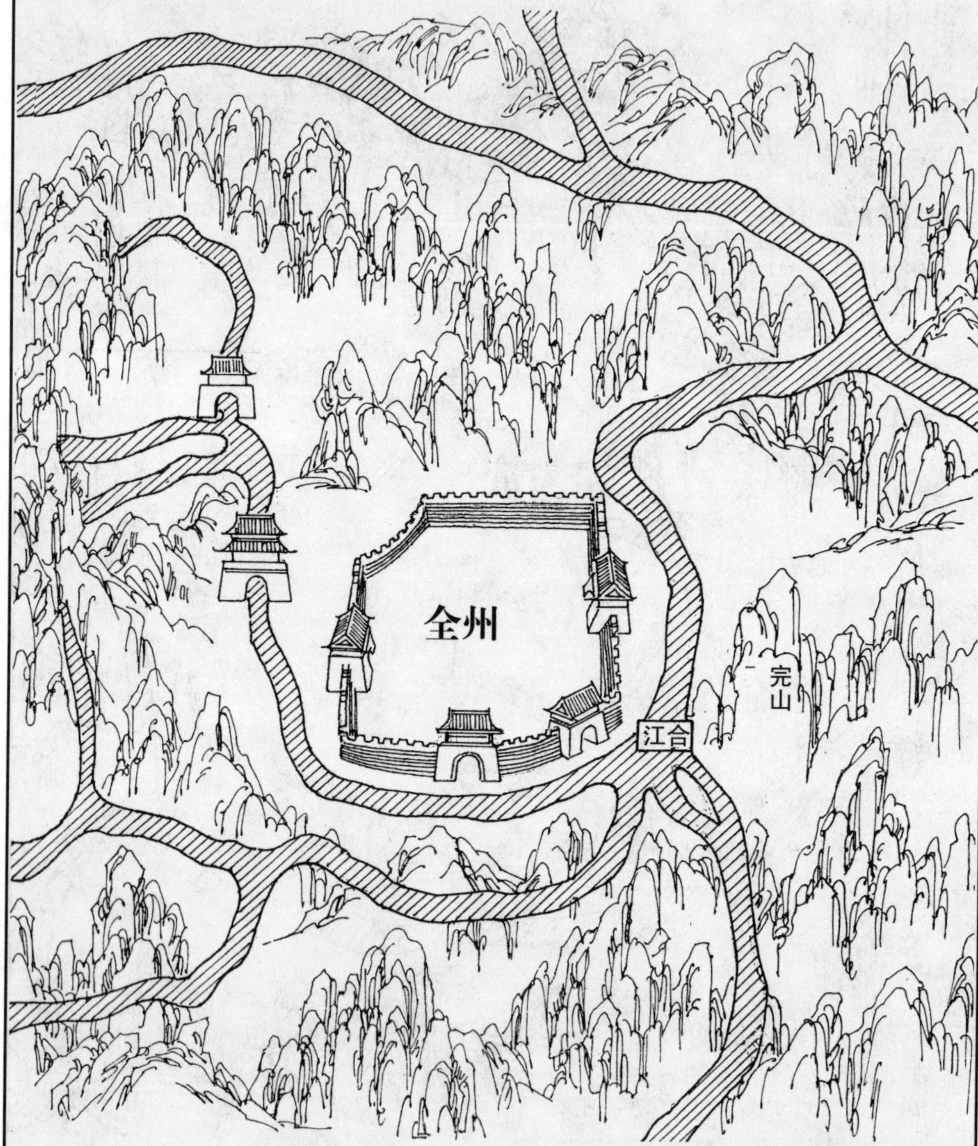

群龙环绕的全城风水图

十二、广西风水图

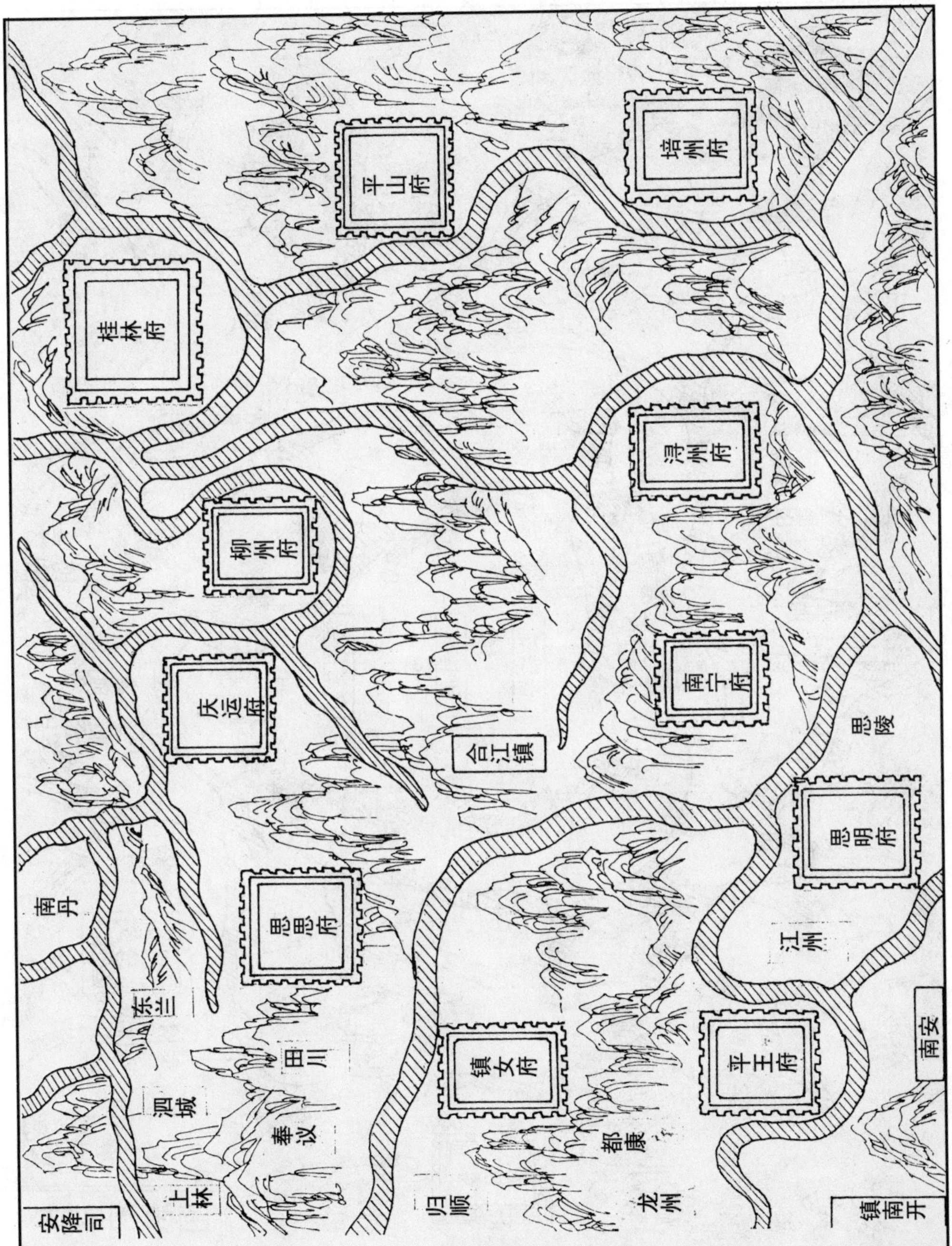

广西风水图

桂林风水图

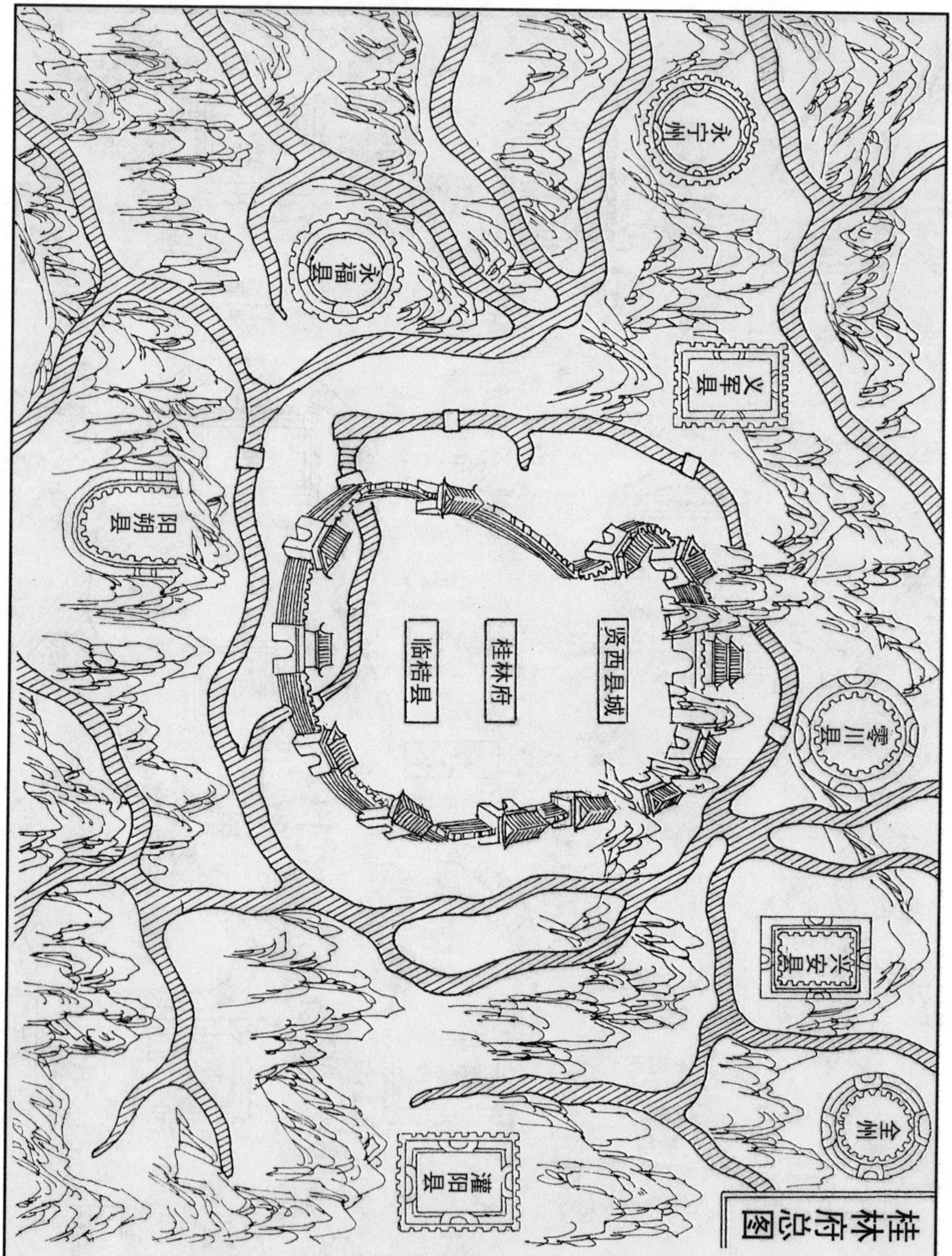

桂林风水图

图书在版编目（C I P）数据

慧缘大师教你学风水. 上卷, 读懂风水的智慧 / 慧缘著. -- 南昌 : 江西人民出版社, 2010.5
ISBN 978-7-210-04453-6

Ⅰ. ①慧… Ⅱ. ①慧… Ⅲ. ①风水 – 基本知识 – 中国
Ⅳ. ①B992.4

中国版本图书馆CIP数据核字(2010)第062036号

慧缘大师风水系列 01
慧缘大师教你学风水. 上卷, 读懂风水的智慧
慧缘/著
责任编辑/王华
出版发行/江西人民出版社
印刷/ 北京嘉业印刷厂
版次/2010年7月第1版
2013 年 5 月第 2 次印刷
开本/700毫米 × 1000毫米 1/16 17.75印张
字数/200千
书号/ISBN 978-7-210-04453-6
定价/34.80元
